図解入門
How-nual
Visual Guide Book

よくわかる 最新
プラスチックの仕組みとはたらき

最新技術と持続可能社会への対応を学ぶ

桑嶋 幹／木原 伸浩／工藤 保広 著

[第4版]

秀和システム

●注意

(1) 本書は著者が独自に調査した結果を出版したものです。

(2) 本書は内容について万全を期して作成いたしましたが、万一、ご不審な点や誤り、記載漏れなどお気付きの点がありましたら、出版元まで書面にてご連絡ください。

(3) 本書の内容に関して運用した結果の影響については、上記 (2) 項にかかわらず責任を負いかねます。あらかじめご了承ください。

(4) 本書の全部または一部について、出版元から文書による承諾を得ずに複製することは禁じられています。

(5) 本書に記載されているホームページのアドレスなどは、予告なく変更されることがあります。

(6) 商標
本書に記載されている会社名、商品名などは一般に各社の商標または登録商標です。

はじめに

　私たちの身の回りには、日用品や家電品、自動車や飛行機などの乗り物、各種産業に使われている機器など、プラスチックが使われているものがたくさんあります。私たちが暮らしている便利で豊かな社会は、プラスチックに支えられていると言っても過言ではありません。

　ところが、プラスチックの詳しいことについてはあまり知られていないのが実情です。例えば、一口にプラスチックと言っても、たくさんの種類があり、その性質も様々です。プラスチックがどのように作られ、どのように使われているかについても、一般にはあまり知られていません。

　実際には、プラスチックの知識がなくても、日常生活で困ることはないでしょう。しかし、プラスチックはこれだけ生活に密着した材料です。正しい知識を身につけてプラスチックと付き合った方が、生活がより便利で楽しくなり、精神的にも豊かなものになるのは間違いありません。また、これからプラスチックに関係する仕事をする人は、プラスチックの基礎知識が必要です。

　プラスチックについて勉強しようとすると、化学の難しい知識がないと理解できないと思ったり、亀の甲などの化学構造を見ただけで難しいと思ったりする人も多いと思います。そこで、本書は、化学の知識がなくても、プラスチックについて優しく、楽しく学べる本にするよう心がけました。化学式を使わなくても、プラスチックの構造や作り方を学べるように工夫を凝らしました。また、プラスチックについて専門的な知識を得たい人が、本書を参考にしながら専門書を読み進めることができるようにも心がけたつもりです。

本書の構成は、まず第 1 章でプラスチックのことを知り、第 2 章でプラスチックの構造や作り方を学んだうえで、第 3 章と第 4 章でプラスチックがどのような場で活躍しているのかを学べるようにしました。第 5 章では、目的や用途からどのような新しいプラスチックが作り出されているのかを説明し、第 6 章では、プラスチックが抱える課題について触れました。興味のある章から読んでいただいても、楽しく読めるようにまとめたつもりです。

　本書は 2005 年に第 1 版、2011 年に第 2 版が、さらに 2019 年に第 3 版が発売されてから 3 年の歳月が経過し、ここに第 4 版を出版することになりました。この十数年間でプラスチック材料の科学・技術や、プラスチックを取り巻く状況は大きく変わっており、これほど毀誉褒貶が激しい材料はありません。

　近年では、資源枯渇問題や環境汚染問題などでプラスチックの利用が制限されるようになりましたが、一方でプラスチックで解決できることもたくさんあります。本書の改訂にあたっては基本的な主旨は踏襲し、プラスチックを取り巻く環境変化なども含め、最新情報を加えました。

　読者の皆さんが、本書を手にすることによって、プラスチックに関する正しい知識を身につけられ、プラスチックとバランス良く上手に付き合うことができるようになって頂ければ幸いです。

　最後になりますが、本書の編集作業を担当していただいた秀和システム編集本部の皆さんにお礼を申し上げます。

2022 年 8 月　桑嶋　幹

CONTENTS

図解入門よくわかる 最新
プラスチックの仕組みとはたらき[第4版]
CONTENTS

はじめに ・・3

第1章 プラスチックとは何か

1-1 プラスチックを探してみよう ・・・・・・・・・・・・・・・・・・・・・・・・・ 10
1-2 そもそもプラスチックとは ・・・・・・・・・・・・・・・・・・・・・・・・・・ 14
1-3 人類とプラスチックの関わり合い ・・・・・・・・・・・・・・・・・・・ 20
1-4 プラスチックの発展（合成樹脂の利用）・・・・・・・・・・・・・ 24
1-5 プラスチックはどのような物質か ・・・・・・・・・・・・・・・・・・ 27
1-6 プラスチックの種類と性質 ・・・・・・・・・・・・・・・・・・・・・・・・ 33
1-7 プラスチックの見分け方（用途や品質表示）・・・・・・・・・・ 38
1-8 プラスチックの見分け方（化学分析）・・・・・・・・・・・・・・・ 42
1-9 広がるプラスチックの利用 ・・・・・・・・・・・・・・・・・・・・・・・・ 45

第2章 プラスチックができるまで

2-1 プラスチックのもと（モノマーとポリマー）・・・・・・・・・・・・・ 50
2-2 手をつなぎ変えながら伸びていく重合（付加重合）・・・・・・・ 57
2-3 手をつないで伸びていく重合（縮合重合）・・・・・・・・・・・・・・ 62
2-4 どうすれば長くなるか ・・・・・・・・・・・・・・・・・・・・・・・・・・・・・ 68
2-5 プラスチックの性質を決める
　　（分子間相互作用の重要性）・・・・・・・・・・・・・・・・・ 73
2-6 ２種類以上のモノマーやポリマーを使う
　　（共重合とポリマーアロイ）・・・・・・・・・・・・・・・・ 79
2-7 プラスチックに形を与える（成型）・・・・・・・・・・・・・・・・・・ 92
2-8 熱による成型方法いろいろ ・・・・・・・・・・・・・・・・・・・・・・・・ 96
2-9 融けないプラスチックを作る（架橋）・・・・・・・・・・・・・・・ 103

5

2-10 ゴムとエラストマー ・・・・・・・・・・・・・・・・・・・・・・・ 109

2-11 樹脂・・・・・・・・・・・・・・・・・・・・・・・・・・・・・・・・・ 116

2-12 プラスチックの大部分はプラスチックではない！・・・・・・・ 121

2-13 発泡体・・・・・・・・・・・・・・・・・・・・・・・・・・・・・・・ 130

第3章 私たちの暮らしとプラスチック

3-1 家庭用品には汎用樹脂が活躍・・・・・・・・・・・・・・・・ 134

3-2 文具では用途に合わせて様々な素材が活躍・・・・・・・・・ 139

3-3 家電製品はメンテナンスが少なくてすむ素材が活躍・・・・・ 142

3-4 包装はプラスチックの最も大きな利用先 ・・・・・・・・・・ 145

3-5 衣料には適度な強度と肌触りが大事（合成繊維）・・・・・・ 149

3-6 軽くて高機能なメガネ、コンタクトレンズ ・・・・・・・・・・ 153

3-7 錆びない材料で維持しやすい住居 ・・・・・・・・・・・・・ 156

3-8 スポーツ、レジャーでは軽くて強い素材が活躍・・・・・・・・ 158

3-9 子どもが安心して遊べる素材を ・・・・・・・・・・・・・・・ 161

3-10 携帯電話、スマホ、タブレットにも
プラスチックを幅広く活用・・・・・・・・・・・・・・・・・・ 163

第4章 産業で活躍するプラスチック

4-1 自動車では内装からエンジンルームまで幅広く使用 ・・・・・ 168

4-2 鉄道車両とプラスチック・・・・・・・・・・・・・・・・・・・・ 172

4-3 駆体は鋼板から繊維強化プラスチックへ（船舶、航空機）・・ 175

4-4 スポーツ施設で活躍するプラスチック・・・・・・・・・・・・ 177

4-5 実は軽くて強い発泡スチロール（土木）・・・・・・・・・・・ 180

4-6 季節に関わらず様々な食材を得るために
（農業、水産業）・・・・・・・・・・・・・・・・・・・・・ 183

4-7 風雨などから素材を守る（塗料）・・・・・・・・・・・・・・ 187

4-8 飛行機の構造材から付箋紙まで、
様々なものを結ぶ（接着剤）・・・・・・・・・・・・・・ 189

4-9	自然エネルギー利用で活躍するプラスチック
	（風力発電、太陽光発電）・・・・・・・・・・・・・・・・・・・・ 192
4-10	電子回路を使用した製品で活躍するプラスチック ・・・・・・・ 196
4-11	医療用器具で幅広く使用されるプラスチック ・・・・・・・・・・・ 199

第5章 進化するプラスチック

5-1	光とプラスチック（透明性と光応答性）・・・・・・・・・・・・・ 204
5-2	音とプラスチック（防音と発音）・・・・・・・・・・・・・・・・・・・ 215
5-3	包装を変えたプラスチック（食品はもう腐らない）・・・・・・・ 218
5-4	医療を変えたプラスチック（衛生と生体適合性）・・・・・・・ 221
5-5	微生物や光で分解するプラスチック（分解性材料）・・・・・ 225
5-6	プラスチックによる構造材料（強力なだけではなく）・・・・・ 230
5-7	電気と磁気とエネルギーとプラスチック ・・・・・・・・・・・・・・ 236
5-8	薄皮1枚で分ける（膜分離）・・・・・・・・・・・・・・・・・・・・・ 245
5-9	プラスチックを印刷する（3Dプリンター）・・・・・・・・・・・・・ 248

第6章 プラスチックの課題と私たちの生活

6-1	プラスチックがもたらすもの ・・・・・・・・・・・・・・・・・・・・・・ 254
6-2	プラスチックの安全性 ・・・・・・・・・・・・・・・・・・・・・・・・・・ 256
6-3	プラスチックと資源問題 ・・・・・・・・・・・・・・・・・・・・・・・・ 259
6-4	プラスチックと環境問題 ・・・・・・・・・・・・・・・・・・・・・・・・ 263
6-5	プラスチックとごみ問題 ・・・・・・・・・・・・・・・・・・・・・・・・ 275
6-6	プラスチックのリサイクル ・・・・・・・・・・・・・・・・・・・・・・・ 279
6-7	容器包装リサイクル法とは ・・・・・・・・・・・・・・・・・・・・・・ 282
6-8	ペットボトルのリサイクル ・・・・・・・・・・・・・・・・・・・・・・・ 285
6-9	科学と技術でプラスチックの課題を
	解決することができるか ・・・・・・・・・・・・・・・・・・・ 292
6-10	持続可能な社会とは ・・・・・・・・・・・・・・・・・・・・・・・・・ 295
6-11	心豊かで快適な暮らしを続けるために・・・・・・・・・・・・・・ 298

CONTENTS

索引 ・・・・・・・・・・・・・・・・・・・・・・・・・・・・・・・・・・・・・・	308
参考文献 ・・・・・・・・・・・・・・・・・・・・・・・・・・・・・・・・・・	314

コラム

目的によって作り出される複合材料 ・・・・・・・・・・・・・・・・	13
高分子の概念を提唱したヘルマン・シュタウディンガー ・・・・・・・	30
レゾール型とノボラック型のフェノール樹脂・・・・・・・・・・・・・	33
赤外分光法 ・・・・・・・・・・・・・・・・・・・・・・・・・・・・・・・・・・・	44
超高分子量ポリエチレンとゲル紡糸法 ・・・・・・・・・・・・・	70
ポリマーアロイがもたらした エンジニアリングプラスチック、PPE ・・・・・・・・・・・・・・・	81
アクリルとは ・・・・・・・・・・・・・・・・・・・・・・・・・・・・・・・・・	90
架橋と紙おむつ ・・・・・・・・・・・・・・・・・・・・・・・・・・・・・	106
フッ素樹脂で加工した調理器具 ・・・・・・・・・・・・・・・・・・・	138
プラスチックと金属の表面の違い ・・・・・・・・・・・・・・・・・	148
不織布マスクにもプラスチックが活用されています ・・・・・・・	152
プラスチックボディの車? 旧東ドイツのトラバント ・・・・・・・・	171
接着剤による接着の仕組み ・・・・・・・・・・・・・・・・・・・・・	191
太陽電池（PN 接合型太陽電池と色素増感太陽電池）・・・・・・	195
高分子圧電材料・・・・・・・・・・・・・・・・・・・・・・・・・・・・・・・	216
プラスチックによる電線の被覆 ・・・・・・・・・・・・・・・・・・・	217
インテリジェント材料・・・・・・・・・・・・・・・・・・・・・・・・・・・	251
レジ袋に使われている原油の量・・・・・・・・・・・・・・・・・・・	262
洗濯バサミがバラバラに崩れる理由は?・・・・・・・・・・・・・・	269
二酸化炭素からプラスチックの合成 ・・・・・・・・・・・・・・・	273
ゴミ収集車・・・・・・・・・・・・・・・・・・・・・・・・・・・・・・・・・・・	278
有害廃棄物の国境を越える移動及び その処分の規制に関するバーゼル条約 ・・・・・・・・・・・・・・	291
生分解性プラスチックは環境にやさしいと言えるか?・・・・・・・・・	307

第 1 章

プラスチックとは何か

　私たちは日常生活の中で、プラスチックを当たり前のように利用しています。しかし、改めて考えてみると、私たちはプラスチックのことをどれぐらい知っているでしょうか。この章では、そのような素朴な目線から、プラスチックの世界に入っていきましょう。

1-1

プラスチックを探してみよう

　私たちの身の回りにはたくさんのプラスチック製品があふれています。それらを手に取ってみると、プラスチックには実にたくさんの種類があることがわかります。ここでは、まずプラスチックとはどのようなものなのかを簡単に確認してみましょう。

▶▶ 新しい材料、プラスチック

　私たちのまわりにあるものは、すべて材料から作られています。材料には金属、木材、陶磁気（ガラスやセラミックス）などがありますが、この70年ぐらいの間で急速に発達し、幅広い分野で使われるようになった材料がプラスチック＊です。

　家庭にある日用品に目を向けてみましょう。従来、金属や木材などで作られていたものがプラスチックで作られるようになった例を、たくさん見つけることができるでしょう。

　プラスチックは日用品だけに使われているわけではありません。自動車、電車、航空機などの乗り物や、スマートフォン、デジタルカメラ、タブレットやパソコンなどのハイテク機器、さらには人工衛星や宇宙船など、あらゆる場面で活用されています。

　次ページの写真は米国ボーイング社の中型旅客機B787＊です。このB787は、主翼を含む胴体の約50％が炭素繊維とプラスチックを組み合わせた**炭素繊維強化プラスチック**という複合材料でできています。炭素繊維強化プラスチックは従来から航空機に使われてきましたが、民間の旅客機でこれほどまでにプラスチックが使われたのは世界で初めてのことです。

　「主翼までプラスチックで大丈夫なの？」と思う人もいるかもしれませんが、炭素繊維強化プラスチックは従来使われてきたアルミ合金やチタン合金に比べ、強度や耐久性に優れ、なおかつ極めて軽量であるという特徴をもっています。

　ボーイング社によれば、B787はプラスチックを多用することによって、①機体のメインテナンス性が大幅に向上、②機体を大幅に軽量化することができることから、最高速度をアップさせながら燃費を従来比で20％向上、③航続距離が従来の同型機に比べて4000 km向上するなど、コストパフォーマンスに優れた航空機になっています。

＊**プラスチック**　金属、セラミックス、プラスチックは材料の分野で三大材料と呼ばれている。
＊**BB787**　　　　炭素繊維強化プラスチックは日本製、主翼の開発などは日本の企業が手がけている。

1-1 プラスチックを探してみよう

プラスチックに置き換わった日用品の例

第1章 プラスチックとは何か

ボーイング787（愛称ドリームライナー）

写真提供：米国ボーイング社

1-1 プラスチックを探してみよう

また、従来の飛行機では、機内の湿度を上げると胴体内部で結露が起こり、金属の骨組みが腐食するという問題を抱えていました。このため機内の湿度を低く抑える必要があり、長時間のフライトで喉を痛めてしまう乗客も少なくありませんでした。しかし、B787はプラスチックを利用しているため、腐食の心配がなく、機内の湿度を高くすることができ、長時間のフライトでも快適に過ごすことができるようになっています。プラスチックを積極的に活用することによって、航空機はどんどん進化しているのです。

▶▶ 目的や用途に合わせて作り出すことができる材料

プラスチックが短期間で急速に普及し、様々な分野で使われるようになったのは、プラスチックが優れた特徴をもちあわせているからに他なりません。思いつくままにプラスチックの特徴を挙げただけでも、「軽い」「扱いやすい」「腐食しにくい」「大量生産ができる」「安価である」などをイメージすることができるでしょう。

しかし、プラスチックの最も基本的かつ重要な特徴は、作ろうとする物を、硬いもの、軟らかいもの、軽いもの、重たいもの、色がついたもの、透明なものなどにでき、自由な形に仕上げることができることです。例えば、木材や金属はその素材の性質を活かすことができるところに使われるのが一般的ですが、プラスチックの場合は、目的や用途に応じて必要な性質をもつものを作り出すことができるのです。プラスチックが様々な産業で有用な材料として使われているのは、プラスチックが目的や用途に合わせて自由に設計・製造できる材料だからと言えるでしょう。

1-1 プラスチックを探してみよう

目的によって作り出される複合材料[*]

複合材料とは2種類以上の材料を組み合わせた材料で、もとの材料よりも優れた特性をもつ材料です。目的や用途によって組み合わせる材料を選ぶことができます。

複合材料は材料の中心となる素材によって分類され、プラスチックが母材になっているもの、金属が母材となってるもの、セラミックスが母材となっているものがあります。

例えば、鉄筋コンクリートはセメント・砂・砂利を混ぜ合わせたコンクリートに鉄の細い棒を埋めこんだ複合材料です。圧縮に強く、引っ張りに弱いコンクリート材料に、引っ張りに強い鉄の棒を埋め込むことによって、全体としてコンクリートの強度を高めています。

プラスチックを母材とする複合材料の代表は、**繊維強化プラスチック**です。繊維強化プラスチックは、ガラス繊維や炭素繊維とプラスチックを組み合わせた複合材料です。プラスチックが繊維で強化されていることから、繊維強化プラスチック（FRP：fiber reinforced plastics）と呼ばれます。FRPは、軽量で強度が高い、弾性が高い、耐衝撃性・耐熱性・耐水性・耐薬品性・電気絶縁性に優れているなどの特性から、いろいろな用途に使われています（3章、4章参照）。プラスチックの代わりに金属やセラミックスを使ったものは、**繊維強化金属**、**繊維強化セラミックス**と呼ばれます。

複合材料は様々な材料を組み合わせて作るため、目的や用途に合わせた特性をもつ製品を作り出すことができます。複合材料は、目的や用途に応じて柔軟に設計が可能な目的指向型の材料と言えるでしょう。

▼鉄筋コンクリートの仕組み

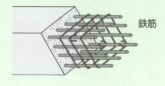
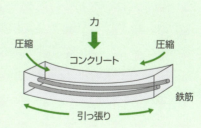

[*]**複合材料** 詳細は2-12節のコンポジットを参照。

1-2

そもそもプラスチックとは

　プラスチックという言葉の意味を考えていくと、プラスチックがどのような材料なのかが見えてきます。ここでは、プラスチックがどのような性質をもつ材料で、どのような種類があるのかを簡単に説明しましょう。

▶▶ プラスチックの語源

　プラスチックは、ギリシャ語のPlastikos（塑造の）という言葉に由来しています。塑造とは、「粘土などの柔らかな材料で像などを造ること」を意味します。Plastikosを語源とする英語のplasticにも、「形を作ることができる」という形容詞の意味があります。

　つまり、プラスチックという言葉はもともとは、ものの性質を表す言葉だったのです。この性質のことを、日本語では**可塑性**または単に**塑性**といいます。可塑性とは、「外から力を加えることによって形を変えることができ、加えた力を取り除いてもその形がそのまま固まって残る性質」という意味です。ちなみに、ゴムのように「外から力を加えることによって形を変えることができ、加えた力を取り除くと元の形に戻る性質」を**弾性**といいます。

　ところで、プラスチックのことを**合成樹脂**とも言います。**樹脂**とは、松ヤニや漆のような樹木から出る樹液が固まったもののことです。こうした自然から得られる樹脂のことを**天然樹脂**といいます。人類は昔から天然樹脂を利用してきましたが、天然樹脂は採れる量が少ない上に取り扱いが面倒という問題がありました。人類にとって天然樹脂に代わる材料を手にすることは長年の夢だったのです。やがて天然樹脂の特性をもつ物質が人工的に作り出されると、それらを天然樹脂に対して合成樹脂と呼ぶようになりました。今日では、合成樹脂というと原料や素材、プラスチックというと成型品を意味することが多いようですが、言葉の使い分けに厳密な区別があるわけではありません。

▶▶ プラスチックにはどのようなものがあるか

　現在使われているプラスチックは、原料に熱を加えて変形させたあとに冷やして固めるタイプと、原料に熱を加えて固めるタイプに分類することができます。前者は可塑性を利用しているので**熱可塑性樹脂**、後者は熱で固まる性質を利用しているので**熱硬化性樹脂**といいます。

　熱可塑性樹脂と熱硬化性樹脂は、チョコレートとクッキーによくたとえられます。チョコレートは、チョコレートそのものを融かした原料を、型に入れて冷やして固めて作ります。できあがったチョコレートに再び熱を加えると、もとの原料のように融けてしまいますが、融けていても、固まっていても、チョコレートはチョコレートです。一方クッキーは、いくつかの原料を混ぜたものを、オーブンで焼いて固めて作ります。できあがったクッキーに再び熱を加えても、もとの原料に戻ることはありません。クッキーの原料と、できあがったクッキーは違うものです。熱可塑性樹脂と熱硬化性樹脂の大きな違いは、チョコレートタイプかクッキータイプかということです。

熱可塑性樹脂と熱硬化性樹脂

熱可塑性樹脂（チョコレートタイプ）

熱を加えると融け、冷やすと固まる

熱硬化性樹脂（クッキータイプ）

熱を加えると固まる
再加熱しても元の原料には戻らない

1-2 そもそもプラスチックとは

ところで、熱硬化性樹脂は可塑性で形を作るわけではありませんから、語源からいうと本来はプラスチックと呼ぶのは適切ではありません。しかし、熱可塑性樹脂が広く使われるようになり、プラスチックという言葉が合成樹脂全般を示すようになると、熱硬化性樹脂もプラスチックと呼ばれるようになりました。

▶▶ プラスチックの定義

日本では、プラスチックは熱可塑性樹脂と熱硬化性樹脂のことを言い、弾性材料である合成ゴムや、合成繊維、接着剤などはプラスチックとして扱わないことになっています。しかし、欧米では、合成ゴム、合成繊維、接着剤なども広くプラスチックの仲間として取り扱われるのが一般的です。

最近では、ゴムのような弾性をもつプラスチックが作られるようになってきました。ゴムのような弾性材料を**エラストマー**といいますが、弾性をもつプラスチックもエラストマーと呼ばれます。また、合成繊維や接着剤もプラスチック材料として重要な役割を果たすようになってきました。そこで、本書では、合成ゴムなどのエラストマーや、合成繊維、接着剤もプラスチックの仲間として取り上げて話を進めることにします。

合成樹脂の分類

例えばプラスチックに分類されるペットボトルの原料は PET であるが PET から合成繊維も作られる

◀ タイヤや衣類

1-2 そもそもプラスチックとは

▶▶ 工業規格とプラスチック

　日本産業規格*（**JIS***）は1949年に制定された工業標準化法に基づいて工業製品に対して定められた国家規格で、各種工業製品の種類・構造・性質などの基本的な事項から、その設計・試験・品質管理の方法まで多岐にわたる規格を定めたものです。この規格は**日本産業標準調査会***（**JISC***）の審議を経て定められます。

　プラスチックも工業製品ですから、JISで詳細に定められています。プラスチックは化学分野のJIS Kを中心に、日用品関係のJIS S、ガラス繊維や炭素繊維に関するJIS Rに記述されています。

　工業製品の規格には、**国際標準化機構（ISO*****）**が定めた国際規格もあります。ISOは1947年に設立された標準化機関で、世界の多くの国が参加しています。ISOにおいてもプラスチックは詳細に規格が定められています。輸出や輸入が進むにつれて、貿易上の障害を解消するため、ISOとJISの整合性が取られています。

　JIS K6900（プラスチック－用語）では、プラスチックは「必須の構成成分として高重合体を含みかつ完成製品への加工のある段階で、流れによって形を与え得る材料。注1同様に流れによって形を与え得る弾性材料はプラスチックとしては考えない」と定義されています。工業規格の定義では熱可塑性樹脂や熱硬化性樹脂はプラスチックとなりますが、ゴムなどの弾性材料はプラスチックの仲間とは考えないことになっています。

　次の2つの表は主なプラスチックの略号とゴムの略号をまとめたものです。

主なプラスチックの略号と名称（JIS K6899-1 ISO 1043-1）

略号	名称	略号	名称
NR	天然ゴム	NBR	アクリロニトリルブタジエンゴム
IR	イソプレンゴム	IIR	ブチルゴム
BR	ブタジエンゴム	U	ウレタンゴム
CR	クロロプレンゴム	Q	シリコンゴム
SBR	スチレンブタジエンゴム	ACM	アクリルゴム

---

*　**日本産業規格、日本産業標準審査会**　2019年7月1日の法改正で日本工業規格、日本工業標準調査会から改称された。

*　**JIS**　Japanese Industrial Standardsの略。

*　**JISC**　Japanese Industrial Standards Committeeの略。

*　**ISO**　International Organization for Standardizationの略

17

1-2 そもそもプラスチックとは

主なプラスチックの略号と名称（JIS K6899-1 ISO 1043-1）

略号	名称	略号	名称
ABS	ABS樹脂、アクリロニトリル-ブタジエン-スチレン	PET	ポリエチレンテレフタラート
AS	AS樹脂　アクリロニトリル-スチレン	PETFT	エチレン-テトラフルオロエチレン*
CA	酢酸セルロース	PE-UHMW	超高密度ポリエチレン　UHMWPE
CN	ニトロセルロース（硝酸セルロース）	PF	フェノール-ホルムアルデヒド（フェノール樹脂）
EP	エポキシド（エポキシ樹脂）	PI	ポリイミド
EVOH	エチレン-ビニルアルコール	PIB	ポリイソブチレン
HCP	ヒドロキシプロピルセルロース*	PLA	ポリ乳酸（JISに記載なし）
LCP	液晶ポリマー	PMA	ポリアクリル酸メチル*
MC	メチルセルロース	PMMA	ポリメタクリル酸メチル
MF	メラミン-ホルムアルデヒド（メラミン樹脂）	POM	ポリオキシメチレン、ポリアセタール、ポリホルムアルデヒド
PA	ポリアミド	PP	ポリプロピレン
PAA	ポリアクリル酸	PPE	ポリフェニレンエーテル
PAAm	ポリアクリルアミド*	PPOX	ポリプロピレンオキシド　PPO
PAI	ポリアミド-イミド	PPS	ポリフェニレンスルフィド
PAN	ポリアクリロニトリル	PPSU	ポリフェニレンスルホン
PBT	ポリブチレンテレフタラート	PS	ポリスチレン　PSt
PC	ポリカルボナート	PTFE	ポリテトラフルオロエチレン
PE	ポリエチレン	PUR	ポリウレタン
PEEK	ポリエーテルエーテルケトン	PVAC	ポリ酢酸ビニル
PEG	ポリエチレングリコール*	PVAL	ポリビニルアルコール
PE-HD	高密度ポリエチレン　HDPE	PVC	ポリ塩化ビニル
PEI	ポリエーテルイミド	PVDC	ポリ塩化ビニリデン
PEK	ポリエーテルケトン	PVDF	ポリフッ化ビニリデン
PES	ポリエーテルスルホン	PVP	ポリ-N-ビニルピロリドン
PE-LD	低密度ポリエチレン　LDPE	SB	スチレン-ブタジエン
PE-LLD	綿状低密度ポリエチレン　LDDPE	SI	シリコーン
PEN	ポリエチレンナフタラート	UF	ユリア-ホルムアルデヒド（ユリア樹脂）

＊ JIS 規格では定められていないもの

　この2つの表には、JISが推奨する略号と業界で実際に使われている略号が異なるプラスチックも含まれています。業界で使われている略号を名称の欄に示しました。

1-2 そもそもプラスチックとは

　本書では、物質名の表記を**音訳**ではなく「原語を**字訳**する」という文部科学省の学術用語集化学編などで決められている規則に従っています。

　音訳は原語の発音を日本語で表記したもので、原語により表記が変わるという問題があります。そこで、発音と関係なく原語をそのまま日本語に置き換えて表記した字訳を使うことになっています。

　例えば、"polyethylene terephthalate"は音訳でよくポリエチレンテレフタレートで表記されていますが、ポリエチレンテレフタラートとするのが正しい表記です。次の表は音訳で誤用されやすい表記をまとめたものです。

物質の名前と表記

英語	日本語	カタカナで表記する場合	誤用
acetate	酢酸（エステル）	アセタート	アセテート
acrylate	アクリル酸（エステル）	アクリラート	アクリレート
benzoate	安息香酸（エステル）	ベンゾアート	ベンゾエート
bromide	臭化	ブロミド	ブロマイド
butyrate	酪酸（エステル）	ブチラート	ブチレート
carbamate	カルバマート	カルバマート	カルバメート
carbonate	炭酸（エステル）	カルボナート	カーボネート
carboxylate	カルボン酸（エステル）	カルボキシラート	カルボキシレート
chloride	塩化	クロリド	クロライド
cyanate	シアン化	シアナート	シアネート
fluoride	フッ化	フルオリド	フルオライド
hydroxy	ヒドロキシ	ヒドロキシ	ハイドロキシ
iodide	ヨウ化	ヨージド	ヨーダイド／イオダイド
methacrylate	メタクリル酸（エステル）	メタクリラート	メタクリレート
nitrate	硝酸（エステル）	ニトラート	ニトレート
oxide	酸化	オキシド	オキサイド
phosphate	リン酸（エステル）	ホスファート	ホスフェート／フォスフェート
phthalate	フタル酸（エステル）	フタラート	フタレート
styrene	スチレン	スチレン	スチロール
sulfide	スルフィド	スルフィド	サルファイド／スルファイド
sulfone	スルホン	スルホン	サルフォン／スルフォン
vinyl	ビニル	ビニル	ヴィニル／ビニール

1-3

人類とプラスチックの関わり合い

私たち人類はどのようにプラスチックを自然から見いだし、どのように使いこなしてきたのでしょうか。ここでは、人類とプラスチックの関わり合いについて説明しましょう。

▶▶ 天然樹脂の利用

プラスチックは合成樹脂ですから、太古には現代で言うところのプラスチックはありませんでした。しかし、私たち人類は昔から天然樹脂を利用してきました。プラスチックは天然樹脂を真似て作ったものですから、天然樹脂はプラスチックの祖先と考えることができます。天然樹脂との出会いが、人類とプラスチックとの関わり合いのルーツと言えるでしょう。

▶▶ 漆と琥珀

人類が古くから利用してきた天然樹脂の一つに、**漆***があります。きれいな朱色をした漆器は、現在においても高級な食器として使われていますが、その歴史はたいへん古く、日本では9千年以上前の縄文時代の遺跡から出土しています。9千年のときを経ても、漆器は鮮やかな朱色を保ったままで出土してくるそうです。これは、漆が極めて安定性に優れた物質であることを意味しています。漆は最先端の技術で作られるプラスチックにも負けない、優れた性質を有しているのです。

漆器を作るためには、まず漆の木に傷をつけて漆の樹液を集めます。この樹液は水分を多く含んでいるため、ゆっくりと水を蒸発させます。この漆の液を土器や木製の器に何度も塗り重ね、高温多湿の環境でしばらく乾燥させます。すると、漆が固化して安定な物質に変化します。

漆の樹液は樹齢およそ10年の直径10 cmぐらいの木から採取されますが、1本の漆の木から得られる樹液の量はわずか150 g程度です。漆はたいへん優れた性質を有していますが、採取できる量が少ないうえに手間がかかるため、たいへん貴重なものです。

***漆**　漆の主成分はウルシオールという物質である。

1-3 人類とプラスチックの関わり合い

　天然樹脂のもう一つの例を紹介しましょう。樹木から出た樹脂が地中に埋もれて化石となったものを**琥珀***といいます。樹脂が化石化して琥珀になるまでには数百万年の歳月が必要と考えられています。琥珀は、紀元前には既に装飾品やお守り、塗料、神経痛やリューマチなどの薬として用いられていました。日本でも、古墳時代の遺跡から琥珀で作られた玉が出土しています。琥珀はその色や、静電気を帯びやすい性質*から、美しくて神秘なものと考えられ、たいへん貴重な天然樹脂として利用されてきました。

漆器と琥珀

「漆器（© 山中漆器連合協同組合）」

「琥珀」

▶▶ 天然ゴム

　天然ゴム*は、南米の熱帯雨林を原産地とするパラゴムノキの樹液を固めたものです。古くは紀元前から使われ始め、マヤ文明やアステカ文明ではパラゴムノキが豊富で、天然ゴムで作ったボールを使って「トラチトリ」というフットボールに似た宗教的儀式としての球技が行われていました。

　1493年に**コロンブス**が第2回目の航海でカリブ海の島に立ち寄った際に、原住民が天然ゴムで作ったボールで遊んでいるのを発見したことで、天然ゴムがヨーロッパに伝わりました。しかし、その後約300年の間は特に利用価値もなく、希少品として扱われるのみでした。

---

* **琥珀**　　半化石状態のものはコパールと呼ばれる。
* **…性質**　琥珀は古代ギリシャ語でエレクトロン（electron）といい、電気（エレクトロン）の語源となった。
* **天然ゴム**　天然ゴムの主成分はイソプレンという物質である。

1-3 人類とプラスチックの関わり合い

　天然ゴムが初めて道具として使われたのは1770年です。酸素の発見や炭酸水の発明で有名なイギリスの科学者**ジョゼフ・プリーストリー**が消しゴムとして使い、1772年に商品化されました。ゴムのことを英語でRubberといいますが、ゴムで文字をこすって消すことから、Rub（こする）という言葉が語源になっています。現在、広く使われているプラスチック消しゴムは1950年代に日本で開発されたものです。

▶▶ 天然ゴムの採取

スリランカのゴムの木

by Ji-Elle

　採取したばかりのゴムノキの樹液はゴムの成分が分散した白い水溶液（ラテックス）です。これに少量の酸を加えて凝固させ乾燥すると生ゴムになります。

　天然ゴムは道具として使うには弾性が十分ではなく、低温では硬化し、高温では粘りつくという難点がありました。1839年、アメリカの**チャールズ・グッドイヤー**が、天然ゴムに硫黄を加えると、ゴムの分子と分子の間に架橋ができて弾性が増し、温度を上げても粘りつかなくなることを発見すると、天然ゴムの用途が広がりました。

　19世紀の中頃になると、自転車などのタイヤに天然ゴムが使われるようになり、やがてイギリスの**ジョン・ボイド・ダンロップ**が空気入りタイヤを発明しました。しかし、この空気入りタイヤは、当時発明されて間もないガソリン自動車の重量には耐えられませんでした。ガソリン自動車に使えるタイヤが発明され、1908年にT型フォードが販売されると、天然ゴムの需要が急激に高まり、人工的にゴムを作り出す研究が始まりました。

　19世紀の終わり、天然ゴムは需要に対して供給が不足し価格が高騰しました。そのため、イギリスは南米から持ち帰ったパラゴムノキの苗木を当時植民地支配していた東南アジアのセイロン島（現在はスリランカ）に持ち込み天然ゴムの栽培を始めました。そのためパラゴムノキの原産地は南米にも関わらず、天然ゴムの主要な生産地は東南アジアとなっています。

＊架橋　詳細は2-9節を参照。

1-3 人類とプラスチックの関わり合い

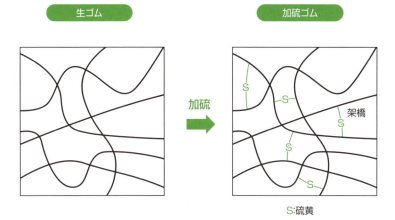

生ゴムを加硫すると、図のように生ゴムの分子と分子の間に橋架けができる。この橋架けが分子と分子のつながりを強くする。これを**架橋**という。

合成樹脂の研究へ

　人類は古くから天然樹脂を利用してきましたが、天然樹脂は産出量が少なく、扱いが難しいという問題がありました。こうしたことから、天然樹脂に代わる、性能が優れた使いやすい樹脂を、人工的に大量かつ安価に作るための研究が始まったのです。自然から学んで新たなものを作り出すという人類の英知が生み出したものの一つがプラスチックなのです。

アラビアゴム
アフリカ原産のアカシア属アカシアゴムノキから採取される天然樹脂。主成分は多糖類のアラビン酸。アラビアゴムと天然ゴムはまったく異なる物質である。

1-4
プラスチックの発展
（合成樹脂の利用）

天然樹脂の利用から合成樹脂の研究開発が進み、やがてたくさんの種類のプラスチックが生み出されるようになりました。プラスチックはどのように発展してきたのでしょうか。

▶▶ 半合成時代のプラスチックーセルロイド

19世紀の中頃、アメリカでビリヤードが大流行していました。この頃のビリヤードの玉には象牙が使われていましたが、貴重な象牙はすぐに不足しました。ビリヤードの玉を製造していた会社は、象牙に代わるビリヤードの玉の開発に1万ドルの懸賞金をかけました。

1869年にアメリカの印刷業者**ジョン・ハイアット**が、**ニトロセルロース**に樟脳を混ぜることで象牙に代わる**セルロイド**という熱可塑性樹脂を作り出しました。ハイアットはセルロイドの製造を工業化し、セルロイド製の様々な商品を作り出しました。セルロイドは火薬に使われるニトロセルロースが原料として使われているため、極めて燃えやすいという欠点がありましたが、第二次世界大戦後に新しいプラスチックが開発されるまで大量に生産され利用され続けました。セルロイドは人類が初めて作り出したプラスチックと考えることができますが、天然のセルロースを原料としているため、厳密には人工的に作り出したプラスチックとは言いにくい面があります。

パークシン
世界で初めて開発されたプラスチックはイギリスのアレクサンダー・パークスが開発したニトロセルロースを主成分とするパークシンともいわれるが生産コストの問題で実用化できなかった。セルロイドは人類が初めて作り出した実用的なプラスチックである。

1-4　プラスチックの発展（合成樹脂の利用）

セルロイドのように天然の素材を利用して作るプラスチックを**半合成プラスチック**などと呼びます。現在、かつてのセルロイド製品のほとんどは他のプラスチックで作られていますが、ピンポン玉は長きに渡り代わりとなる材料がなくセルロイドが使われてきました。しかし、現在は代替のプラスチックが使われるようになりセルロイド製のピンポン玉の製造は行われていません。

人工プラスチックの夜明け―フェノール樹脂

人類が本当の意味で初めて人工的に作り出したプラスチックは、アメリカの化学者**レオ・ベークランド**が発明した**フェノール樹脂**という熱硬化性樹脂です。フェノール樹脂は、**コールタール**から得られる**フェノール（石炭酸）**と**ホルムアルデヒド**を原料としており、人類が人工の化学物質から作り出した世界で初めての合成樹脂です。天然樹脂に対して合成樹脂という言葉が使われるようになったのは、フェノール樹脂が茶色い透明な物質で、天然樹脂の松ヤニにそっくりだったからです。

ベークランドは1909年にフェノール樹脂の工業化に成功し、**ベークライト**という名前で生産を始めました。ベークライトは難燃性で、耐熱性、耐薬品性があり、電気絶縁性にも優れていたことから、有用な材料として注目を集め広く使われるようになりました。フェノール樹脂は現在でも使われており、原料のフェノールは石油から作られています。

現代のプラスチック―石油化学製品としてのプラスチック

第二次世界大戦以降、石油化学工業の発展に伴って、プラスチック工業はめざましい発展をとげました。石油から様々な化学物質を合成することができるようになったため、いろいろなプラスチックを作ることができるようになったのです。戦後に開発されたプラスチックのほとんどは熱可塑性樹脂ですが、特に工業用部品の材料として使われる**エンジニアリングプラスチック**や**スーパエンジニアリングプラスチック**の開発は、プラスチックを金属に代わる新たな材料とし、プラスチックの利用範囲を大幅に拡大させることになりました。

第1章　プラスチックとは何か

25

1-4　プラスチックの発展（合成樹脂の利用）

　最初の頃のプラスチックは、プラスチックという素材があって、どのようなものに使えるかという発展の仕方でしたが、近年、新しく生まれているプラスチックは、市場の要求を実現するためにどのような材料が必要かという視点で開発され発展しています。

　近年は資源枯渇問題、地球温暖化、ごみの問題を配慮して石油由来のプラスチックに変わる植物などを原料とするバイオマスプラスチック（5-5節）の開発や二酸化炭素からプラスチックを合成する技術（6-4節コラム）の研究が進められています。

プラスチックの工業化年表

工業化開始年	世界で初めて工業化した国	プラスチック名	工業化開始年	世界で初めて工業化した国	プラスチック名
1870	アメリカ	セルロイド	1942	アメリカ	フッ素樹脂
1909	アメリカ	フェノール樹脂	1943	スイス、アメリカ	エポキシ樹脂
1914	アメリカ	アルキド樹脂	1946	アメリカ	ジアリルフタラート樹脂
1918	ドイツ	ユリア樹脂	1948-49	アメリカ	ABS樹脂
1922	ドイツ	酢酸セルロース	1948	アメリカ	PET
1928	アメリカ、ドイツ	酢酸ビニル樹脂	1957	イタリア、ドイツ、アメリカ	ポリプロピレン
1930	アメリカ、ドイツ	アクリル樹脂	1958	ドイツ	ポリカルボナート
1930	ドイツ	スチレン樹脂	1958-59	アメリカ	ポリアセタール
1931	ドイツ	塩化ビニル樹脂	1964	アメリカ	ポリイミド
1935	ドイツ、スイス	メラミン樹脂	1965	アメリカ	ポリスルホン
1939	イギリス	ポリエチレン	1967	アメリカ	変性PPE
1939	ドイツ	ポリウレタン樹脂	1970	アメリカ	PBT
1940	アメリカ	塩化ビニリデン樹脂	1972	イギリス	PES
1941	アメリカ	ポリアミド樹脂	1973	アメリカ	PPS
1942	アメリカ	不飽和ポリエステル	1976-85	アメリカ	LCP
1942-43	アメリカ	ケイ素樹脂	1980	イギリス	PEEK
1942	ドイツ	AS樹脂	1981	アメリカ	ポリエーテルイミド

参考：高分子学会「日本の高分子科学技術史」年表（改訂版）
(http://main.spsj.or.jp/nenpyo/nenpyo2.php)

1-5

プラスチックは
どのような物質か

プラスチックを調べていくと、高分子、モノマー、ポリマー、重合というような言葉が出てきます。ここではそれらの言葉を確認しながら、プラスチックがどのような構造を持つ物質なのかを見ていきましょう。

▶▶ 物質を作っているもの

私たちの体も含めて、私たちの身の回りにあるすべてのものは**原子**からできています。自然のものも、人工的に作られたものも、すべての物質は原子が組み合わさってできているのです。もちろん、プラスチックも例外ではありません。

原子と原子が結びついたものを**分子**といいます。例えば水は、水素原子2つと酸素原子1つからなる分子からできています。

水分子の構造

酸素原子　水素原子　水素原子

水素原子　水素原子　酸素原子

水の分子　　　　水素原子と酸素原子

いま、コップ1杯（180 cm^3）の水を半分に分けることを考えてみましょう。半分に分けて90 cm^{3}にしても、水が水であることには変わりません。その水をまた半分に分けてみたところで、やはり水は水です。ところが、この操作を80回ほど繰り返すと、それ以上は水の性質を保ったままで分けることができない状態となります。このときの最小の単位が、水の分子です。

1-5　プラスチックはどのような物質か

　水の分子をさらに分けると、水素と酸素の原子に分けることができますが、この状態ではもはや水の性質は失われます。プラスチックは主に炭素原子と水素原子からできた分子からできています。その分子がプラスチックの基本的な性質を決めることになります。

▶▶ 高分子とは何か

　水は小さな分子でできていますが、物質には大きな分子からできているものもあります。例えば、生物の体を作っているタンパク質、脂肪、植物繊維や、私たちが生きていくうえで重要な栄養源である砂糖やデンプンは、極めて大きな分子からできています。このような分子を**高分子**といいます。自然界には高分子でできた物質がたくさん存在しています。

エチレンとポリエチレンの分子構造

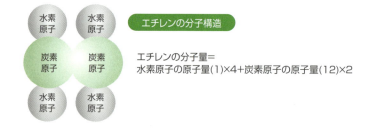

エチレンの分子量＝
水素原子の原子量(1)×4＋炭素原子の原子量(12)×2

ポリエチレンの分子量＝モノマーの分子量(28)×重合度

1-5　プラスチックはどのような物質か

　プラスチックも高分子ですが、プラスチックは簡単な分子を人工的にたくさん繰り返してつなげて作られた高分子です。そのため、プラスチックのことを**合成高分子**ともいいます。

　前ページの図は、**ポリエチレン**というプラスチックの分子構造を示したものです。ポリエチレンは、石油から作られる炭素原子2つと水素原子4つからなる**エチレン**という物質から作られます。エチレンの分子をたくさんつなげて作ったものが、ポリエチレンです。

▶▶ モノマー、ポリマー、重合、分子量

　高分子のうち、エチレンのように簡単な分子が繰り返し結合したものを**ポリマー**といいます。ポリマーの「ポリ」は、「たくさん」という意味です。上図のポリエチレンの構造を見ると、エチレンの分子が繰り返しつながっていることがわかります。この繰り返しの最小単位のことを**モノマー**といいます。モノマーの「モノ」は、「1つ」という意味です。このモノマーが繰り返しつながったものがポリマーです。

　モノマーをつなげて、ポリマーにする化学反応のことを**重合**といいます。ポリマーのことを**重合体**といい、モノマーの繰り返し数のことを**重合度**といいます。重合度の大きいポリマーのことを**高重合体**ともいいます。

　高分子の大きさを表すのに**分子量**という値が用いられます。分子量とは、分子を構成する原子の**原子量**＊をすべて足したものです。

　原子量や分子量は、簡単に言えば原子や分子の体重のようなものと考えるとよいでしょう。例えば、水（H_2O）の分子量は水素原子（H）の原子量1と酸素原子（O）の原子量16を加えて18となります。エチレン（C_2H_4）の場合は、水素原子（H）の原子量1と炭素原子（C）の原子量12を加えて28となります。高分子の分子量は、モノマーの分子量に重合度をかけた値になります。

　例えば、重合度が1万のポリエチレンの分子量は280000になります。分子量がだいたい1万を超えると、高分子としての性質が現れるようになります。特に分子量が100万を超えたものは、さらに特別な性質が現れ、**超高分子**と呼ばれることもあります。

＊**原子量**　質量12の炭素原子を基準にして、他の原子の質量を表した値。

1-5　プラスチックはどのような物質か

重合を電車の連結にたとえてみると

・電車1両がモノマー
・連結した長い電車がポリマー
・1両1両の電車が連結するのが重合
・連結数が重合度

ポリマー

モノマー　　モノマー　　モノマー

 ## 高分子の概念を提唱した ヘルマン・シュタウディンガー

　自然界には高分子でできた物質がたくさん存在します。当初、高分子はたくさんの低分子が寄り集まってできたものと考えられていました。

　1926年、ドイツの化学者ヘルマン・シュタウディンガーは1926年に高分子はたくさんの低分子が化学結合したものであるという考えを示しました。

　シュタウディンガーは様々な高分子研究の業績により1953年にノーベル化学賞を受賞しました。今日の高分子化学、高分子工業の基礎をつくり上げた化学者です。

▶▶ 物質と化学式

物質の構造は**元素記号**を用いた**化学式**で表すことができます。本書は化学式を使用せずにプラスチックの説明をしていきますが、プラスチックの本には化学式で表されたプラスチックの構造が掲載されています。物質の化学式について簡単に説明しておきましょう。

水素や酸素などのように1種類の原子からできている物質を**単体**と呼びます。例えば、水素の元素記号はHですが、水素は水素原子2つからなる分子ですから、H_2という化学式で表します。また、銀、アルミニウム、鉄などの金属も1種類の原子がたくさん集まってできた単体です。これらの物質は1種類の原子と原子がたくさん結びついたもので、分子を作ることはありません。このような物質の化学式は元素記号1個で代表して表します。例えば、銀は元素記号がAgなので、化学式はAgとなります。

単体と化合物の化学式

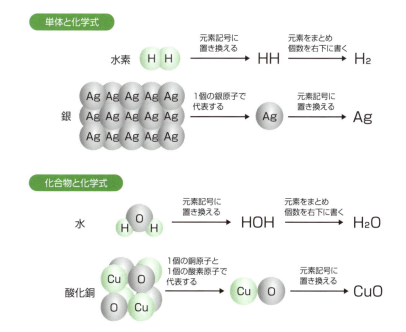

1-5 プラスチックはどのような物質か

　水や二酸化炭素などのように2種類以上の原子からできている物質を**化合物**と呼びます。例えば、水は酸素原子1つと水素原子2つからなる分子で、酸素の元素記号はOですから、H_2Oという化学式で表します。また、酸化銅や酸化銀なども2種類以上の原子からできている化合物です。これらの物質は2種類以上の原子が一定の割合で結びついたもので、分子を作ることはありません。このような化合物の化学式はその物質に含まれる原子の割合から表します。例えば、酸化銅は銅原子と酸素原子が1対1で結びついた化合物で、銅は元素記号がCuなので、その化学式はCuOとなります。

　ポリマーの化学式はモノマーの化学式を（）内に書いて、右下に重合度を意味するnを表記します。例えば、ポリエチレンの原料であるエチレンの化学式はC_2H_4で表され、ポリエチレンの化学式は$-(CH_2CH_2)_n-$のように表します。ポリマーの重合度は様々ですから、一般にポリマーの化学式は重合度をnとして表示します。

エチレンとポリエチレンの化学式

エチレン

C_2H_4

ポリエチレン

$-(CH_2CH_2)_n-$

ポリエチレンの発見
ポリエチレンはドイツの化学者ハンス・フォン・ペヒマンが1898年にジアゾメタンを熱分解している際に偶然に合成された。最初はメチレン（-CH 2-）の繰り返しから「ポリメチレン」と呼ばれた。

1-6 プラスチックの種類と性質

先にも説明したとおり、プラスチックには熱可塑性樹脂と熱硬化性樹脂がありますが、これらのプラスチックはそれぞれどのようなプラスチックなのでしょうか。プラスチックの構造なども踏まえながら、考えてみましょう。

熱可塑性樹脂と熱硬化性樹脂

プラスチックには、**熱可塑性樹脂**と**熱硬化性樹脂**があります。1-2節で、熱可塑性樹脂はチョコレートタイプ、熱硬化性樹脂はクッキータイプと説明しましたが、その違いをもう少し詳しく考えてみましょう。

熱可塑性樹脂は、次ページの図の上のように、プラスチックの素材を加熱してどろどろに融かし、それを型に入れて冷却することによって目的の形に固めるタイプのプラスチックです。工場であらかじめ作られたプラスチック素材を融かして固めるだけなので、品質が安定したプラスチック製品を安価で大量に作ることができます。できあがったプラスチック製品は再加熱すると、どろどろの融けた状態に戻ります。

> **COLUMN　レゾール型とノボラック型のフェノール樹脂**
>
> 熱硬化性樹脂のフェノール樹脂は作り方によって**レゾール型**と**ノボラック型**があります。レゾール型は常温では液体で加熱すると反応が進み硬化します。硬化すると元には戻りません。ノボラック型は常温で固体で熱をかけると可塑性を示し、硬化剤を加えて加熱すると硬化します。実際にフェノール樹脂を成型するときには、レゾール型、もしくはノボラック型のフェノール樹脂が使われます。成型の工程でフェノールとホルマリン＊を反応させてフェノール樹脂を合成する必要はありません。

＊ホルマリン　ホルムアルデヒドの水溶液。

1-6 プラスチックの種類と性質

　一方、熱硬化性樹脂は、次の図の下のようにいくつかの原料を型に入れて、加熱して作るタイプのプラスチックです。このとき原料が化学反応を起こし、重合してプラスチックとなります。すなわち、加熱して固める時点ではじめてプラスチックとなるのです。したがって、熱硬化性樹脂は再加熱してももとの原料には戻りません。
　これが熱可塑性樹脂と熱硬化性樹脂の大きな違いです。

熱可塑性樹脂と熱硬化性樹脂

熱可塑性樹脂

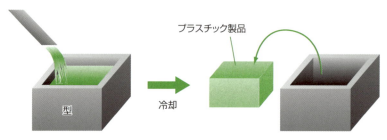

あらかじめ加熱してドロドロに融けたプラスチック素材を、型に入れて冷却　　　冷却して固めたあと、型から取り出す

熱硬化性樹脂

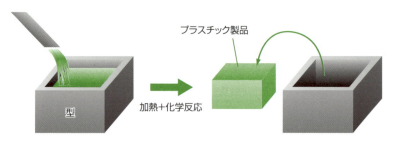

プラスチックの原料を型に入れて加熱する　　　反応が終了し、固まったあと、型から取り出す

熱可塑性樹脂と熱硬化性樹脂の構造と性質

　熱可塑性樹脂と熱硬化性樹脂は、その構造にも大きな違いがあります。

　熱可塑性樹脂は基本的にヒモのような形をしており、次の図の（A）のように鎖状につながった分子が不規則に並んでいます。熱を加えると、このヒモが自由に動き出すようになり、プラスチックが融けた状態となります。その状態で、プラスチックに外から力を加えたり、型に入れたりすると、分子の配置が変わることになります。熱可塑性樹脂が可塑性をもつ理由は、分子がヒモのような構造をしているからです。

　また、熱可塑性樹脂は、図の（B）のようにヒモ状の分子が規則正しく並んで結晶構造をしているものもあります。結晶性のプラスチックは分子が乱雑に並んでいる状態よりも、分子と分子が接触している部分が多くなります。そのため、熱可塑性でありながら、耐熱性に優れていたり、外から力を加えても形が崩れにくかったりする性質をもつことになります。

　熱硬化性樹脂は、熱をかけて化学反応をさせながら固めていくので、モノマー同士の重合が起こる際に、隣同士のモノマーだけではなく、まわりに存在するすべてのモノマー同士がつながっていきます。そのため、分子の構造が（C）のような3次元的な網目状になります。熱硬化性樹脂はこのような分子構造をしているので、熱を加えても分子が自由に動くことができません。そのため、熱可塑性樹脂のように軟らかくなることがありません。すなわち、耐熱性に優れているということです。また、同じ理由で耐薬品性にも優れています。

熱可塑性樹脂と熱硬化性樹脂の分子構造

熱可塑性樹脂の分子構造　　　　熱硬化性樹脂の分子構造

(A)非結晶性　　(B)結晶性　　(C)立体的網目状

規則正しく並んでいる部分をもつ

1-6 プラスチックの種類と性質

▶▶ プラスチックの性質を決めるもの

プラスチックの性質を決めるのは、まず第1にプラスチックの基本構造となるモノマーの化学構造です。しかし、同じモノマーでできたプラスチックでも、高分子の重合度（分子量）や、モノマーとモノマーの結びつき方、結晶性か非結晶性かなど、多くの要因によって性質が大きく変わってきます。逆に、そのような要因をいろいろと組み合わせることによって、いろいろな性質をもつプラスチックを作ることができるのです。

熱可塑性樹脂は耐熱性などの性能や用途や価格によって、**汎用プラスチック**と**エンジニアリングプラスチック**に分類することができます。エンジニアリングプラスチックには**汎用エンジニアリングプラスチック**（エンプラ）と**スーパーエンジニアリングプラスチック**（スーパーエンプラ）があります。

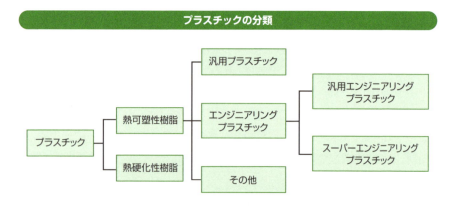

プラスチックの分類

汎用プラスチックは耐熱温度が100℃以下で、耐熱性や機械的強度などの性能はそれほど高くありません。しかし、安価で大量生産ができるため、日用品から工業製品の材料として幅広く使われています。私たちの身の回りにある多くのプラスチックが汎用プラスチックです。汎用エンジニアリングプラスチックは耐熱温度が100℃以上で、汎用プラスチックよりも耐熱性、耐久性、機械的強度などに優れています。比較的厳しい環境で使うことができるため、機械部品や電機部品など信頼性が求められる部品の材料として使われています。

1-6 プラスチックの種類と性質

スーパーエンジニアリングプラスチックは耐熱温度が150℃以上で、高温に長時間さらされるような過酷な環境で使われる部品の材料として使われています。

最近では、ポリマーの合成技術の進歩により、従来は汎用プラスチックとされてきたものにもエンジニアリングプラスチックに近い性能を持たせることが可能になりました。用途によっては、汎用プラスチックをエンジニアリングプラスチックの代わりに使うことも可能になってきています。

ほかにプラスチックと異なる素材を組み合わせた複合材料もあります。例えば炭素繊維やガラス繊維と組み合わせた繊維強化プラスチック、金属とプラスチックを組み合わせたものなどがあります。

プラスチックの分類表

熱可塑性樹脂	汎用樹脂	ポリエチレン (PE)、ポリプロピレン (PP)、ポリスチレン(PS)、アクリロニトリル―スチレン樹脂 (AS)、アクリロニトリル―ブタジエン―スチレン樹脂 (ABS)、ポリ塩化ビニル(PVC)、メタクリル樹脂(PMMA)、ポリエチレンテレフタラート (PET)
	汎用エンジニアリング樹脂	ポリアミド(PA)、ポリアセタール(POM)、ポリカルボナート(PC)、変性ポリフェニレンエーテル(m-PPE)、ポリブチレンテレフタラート(PBT)、GF強化ポリエチレンテレフタラート(GF-PET)、超高分子量ポリエチレン(UHPE)
	スーパーエンジニアリング樹脂	ポリフェニレンスルフィド(PPS)、ポリイミド(PI)、ポリエーテルイミド(PEI)、ポリアリラート、ポリスルホン(PSF)、ポリエーテルスルホン(PES)、ポリエーテルエーテルケトン(PEEK)、液晶ポリマー(LCP)、ポリテトラフルオロエチレン(PTFE)
	その他	フッ素樹脂、超高分子ポリエチレン（ＵＨＭＷPE)、ポリメチルテルペン(PMP)、熱可塑性エラストマー、生分解性プラスチック、ポリアクリロニトリル、繊維素系プラスチック
熱硬化性樹脂		フェノール樹脂 (PF)、ユリア樹脂(UF)、メラミン樹脂 (MF)、不飽和ポリエステル樹脂（ＵＰ)、ポリウレタン（ＰＵ)、ジアリルフタラート樹脂 (PDAP)、シリコーン樹脂 (SI)、アルキド樹脂、エポキシ樹脂 (EP)

ポリエチレン、ポリプロピレン、ポリ塩化ビニル、ポリスチレンのことを**四大汎用プラスチック**と呼ぶ。これにABS樹脂あるいはポリエチレンテレフタラートを加えて**五大汎用プラスチック**と呼ぶこともある。
ポリアミド、ポリアセタール、ポリカルボナート、ポリブチレンテレフタラート、ポリフェニレンエーテルを**五大汎用エンジニアリングプラスチック**と呼ぶ。スーパーエンジニアリングプラスチックで代表的なものはポリフェニレンスルフィド、ポリスルホン、ポリエーテルスルホン、ポリイミド、ポリアリラート、液晶ポリマー、ポリエーテルエーテルケトンである。

1-7

プラスチックの見分け方（用途や品質表示）

私たちのまわりでは、たくさんのプラスチックがいろいろな用途に使われています。一見同じように見えるものでも、それらがすべて同じプラスチックとは限りません。プラスチックを見分けるにはどのようにしたら良いのでしょうか。

▶▶ 用途によって見分ける方法

プラスチックはいろいろなもの使われていますが、用途によって使われているプラスチック材料はだいたい決まっています。したがって、プラスチックの用途を考えると、どのようなプラスチック材料が使われているのかをある程度は予想することができます。

次の表は、いくつかの商品に使われているプラスチックをまとめたものです。この方法は、必ずしも確実にプラスチックを見分けることができるというわけではありませんが、知識として知っていれば役に立つでしょう。

用途によって見分ける方法

品物	プラスチック
ラップフィルム	ポリエチレン、ポリ塩化ビニリデン
レジ袋やゴミ袋	ポリエチレン
汎用容器	ポリエチレン、ポリプロピレン
電子レンジ容器	ポリプロピレン
食器類	メラミン樹脂
ペットボトル	ポリエチレンテレフタラート（PET）
カップ麺の容器	ポリスチレン
電線コードの被覆	軟質ポリ塩化ビニル
下水パイプや雨どい	硬質ポリ塩化ビニル
ポリバケツ	ポリエチレン、ポリプロピレン
使い捨てライター	アクリロニトリルースチレン樹脂（AS樹脂）
ヘルメット	繊維強化プラスチック（FRP）

1-7 プラスチックの見分け方（用途や品質表示）

▶▶ 観察や簡単な実験で見分ける方法

　　プラスチックは、その見た目や、折り曲げてみたり、水につけてみたりすることでも、ある程度見分けることができます。ただし、この方法も、必ずしも確実にプラスチックを見分けることができるというわけではありません。

観察や簡単な実験で見分ける方法

▼見た目で見分ける*

無色透明なもの	アクリル樹脂、ポリスチレン、PET、AS樹脂、ポリ塩化ビニル
半透明で白いもの	ポリエチレン、ポリプロピレン
不透明なもの	アクリロニトリル－ブタジエン－スチレン樹脂（ABS樹脂）、フェノール樹脂

▼曲げてみる

割れるもの	アクリル樹脂、ポリスチレン、AS樹脂
曲げると白くなるもの	硬質ポリ塩化ビニル、ABS樹脂
軟らかく、曲げても変化のないもの	ポリエチレン、ポリプロピレン、軟質ポリ塩化ビニル

▼水につけてみる

水に浮くもの	ポリエチレン、ポリプロピレン
水に沈むもの	ポリスチレン，ポリ塩化ビニル、PET、ポリカルボナート、その他

＊**見た目で見分ける**　添加剤を加えたり、発泡させたりしていることで不透明になっているプラスチックが多いので、実際には見た目だけで判断するのは難しい。

1-7 プラスチックの見分け方（用途や品質表示）

▶▶ 品質表示による見分け方

　プラスチック製品には、識別マークや品質表示が印刷されています。それらの表示を見ると、そのプラスチックが何であるかを確実に見分けることができます。
　この識別マークは**SPIコード**といい、**米国のプラスチック産業協会（SPI*）**が、廃棄プラスチックの分別や収集促進のために制定したものです。日本もこのSPIコードに準じた識別マークを採用しています。

識別マークによるプラスチックの見分け方

資源有効利用促進法に基づいて表示されるプラスチックの識別マーク

1：ポリエチレンテレフタラート（PET）　2：高密度ポリエチレン（HDPE）　3：ポリ塩化ビニル（PVC）
4：低密度ポリエチレン（LDPE）　5：ポリプロピレン（PP）　6：ポリスチレン（PS）　7：その他
1のPETは表示が義務づけられていますが、2〜7は下部の文字の表示は任意です。

資源有効利用促進法に基づいて表示されるプラスチック製の容器包装の識別マーク

（C）〜（E）は材質を併記したマークですが、法的な表示義務はありません。
塩化ビニル製建設資材には∞PVCの表示義務があります。

　また、消費者が商品を購入する際、その品質を識別することが容易ではなく、特に消費者が品質を識別する必要性の高い商品については、次のページの図ような品質表示を行うことが**家庭用品品質表示法**によって義務づけられています。

＊SPI　Society of Plastics Industryの略。

1-7 プラスチックの見分け方(用途や品質表示)

品質表示による見分け方

家庭用品品質表示法による表示

原料樹脂　ポリプロピレン
耐熱温度　120℃
耐冷温度　-20℃
容　　量　500ml

取扱い上の注意
○火のそばに置かないでください。

　　　(株)○○○○
　　TEL xx-xxxx-xxxx

- ●表示対象となる製品
  洗面器、たらい、バケツ、浴室用の器具、かご、盆、食事用・食卓用・台所用の器具、ポリエチレンまたはポリプロピレン製の袋、可搬型便器および便所用の器具

ペットボトルにつけられている識別マークの例

第1章　プラスチックとは何か

1-8
プラスチックの見分け方（化学分析）

　識別マークや品質表示のないプラスチックをより確実に見分けるためには、化学的な実験を行ったり、分析装置を使ったりして、プラスチックの材質を調べる必要があります。

▶▶ 塩素を含むプラスチックを判別する方法

　ポリ塩化ビニルやポリ塩化ビニリデンなど塩素を含むプラスチックは、**ダイオキシン**＊の発生の原因になると疑われています。ポリ塩化ビニルやポリ塩化ビニリデンを、他のプラスチックと一緒にごみとして出さないように注意している家庭もあるようですが、塩素を含むプラスチックは比較的簡単な実験で見分けることができます。この実験の原理は、**炎色反応**といいます。炎色反応とは、ガスなどの炎に金属や金属化合物を入れたときに、炎の色が変化する現象のことです。炎の色はその金属に特有な色となります。

　塩素を含むプラスチックを見分けるためには、銅の針金を用います。まず銅の針金を炎の中に入れて、炎の色が変化しなくなるまで強熱します。次に、銅の針金の先にほんの少しだけ＊プラスチックをつけて再び炎の中に入れ、このときの炎の色の変化を見ます。炎で焼かれた銅の表面には酸化銅の被膜ができています。塩素を含むプラスチックを燃やすと塩化水素が発生します。この酸化銅と塩化水素が反応すると、塩化銅という物質ができるのですが、塩化銅が高温の炎の中で緑色の光を出します。青や緑の色がついたプラスチックでは実験できない場合もありますが、透明なプラスチックで緑色の炎となるものは、ほぼ確実に塩素が含まれています。この方法は**バイルシュタイン・テスト**と呼ばれています。

▼バイルシュタイン・テスト

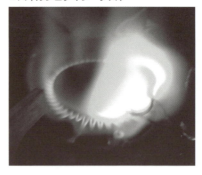

＊ダイオキシン　　ポリ塩化ビニルやポリ塩化ビニリデンだけがダイオキシン発生の原因ではない。6-4節参照。
＊…少しだけ　　　ついたか、ついていないか、わからないくらいで十分。

1-8 プラスチックの見分け方（化学分析）

バイルシュタイン・テスト

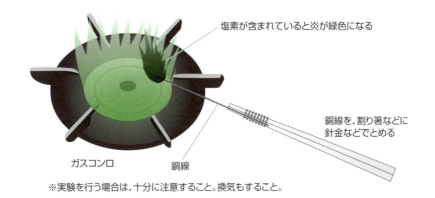

塩素が含まれていると炎が緑色になる

銅線を、割り箸などに針金などでとめる

ガスコンロ　　銅線

※実験を行う場合は、十分に注意すること。換気もすること。

▶▶ 分析装置を使う方法

　プラスチックをリサイクルするためには、同じ種類のプラスチックを回収して再生する必要があります。プラスチックは化学物質ですから、その化学物質の構造を知ることができれば、プラスチックの正体をつきとめることができます。プラスチックの化学構造を調べるのによく使われているのが、**赤外線**を使った**光分析機器装置**です。

　プラスチックは赤外線を当てると赤外線を吸収しますが、その吸収のパターンは、プラスチックの構造によって決まります。ですから、その吸収のパターンから、どのプラスチックが使われているのかを特定することができるというわけです。

バイルシュタイン・テスト
ロシアの化学者フリードリヒ・バイルシュタインが考案した塩素の検出方法。バイルシュタインは1881年に出版された有名な『有機化学ハンドブック』（現：バイルシュタイン・データベース）の創始者。

1-8 プラスチックの見分け方（化学分析）

　下図は、ポリスチレンの赤外線の吸収のパターンを示したものです。ポリスチレンの吸収パターンを装置にあらかじめ記憶させておけば、装置は瞬時にそのプラスチックがポリスチレンであることを判断します。現在、プラスチックを簡単に見分けるための識別装置がいろいろと開発され、活躍しています。

プラスチック識別分析装置で測定したポリスチレンの赤外線スペクトル

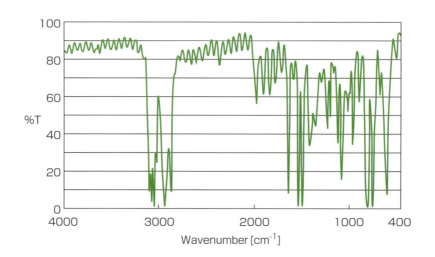

 赤外分光法

　プラスチックの構造を調べるのによく使われるのは赤外線を使った赤外分光光度計と呼ばれる光分析機器です。

　物質に赤外線を当てると、物質を構成する分子が赤外線のエネルギーで振動します。この分子の振動によって、様々な波長の赤外線が物質に吸収されます。

　その吸収のパターンは物質の化学構造によって決まるため、物質の化学構造を推定することができます。このような分析法を**赤外分光法**といいます。

　また、横軸に赤外線の波長の逆数、縦軸に赤外線の吸光度または透過率をとったグラフを**赤外吸収スペクトル**、または単に**赤外スペクトル**と呼びます。赤外分光法によって、物質がどのような構造をしているのか、物質がどれぐらいの量含まれているのかを知ることができます。

1-9

広がるプラスチックの利用

　プラスチックは私たちの生活にどんどん入り込んでいますが、どれぐらいのプラスチックが生産され、消費されているのでしょうか。ここでは、プラスチックがいったいどれぐらい私たちの暮らしの中で利用されているのか考えてみましょう。

▶▶ プラスチックの生産量と消費量

　現在、1年間に世界で生産されているプラスチックの量は、約3億9070万トン＊にもなります。なんと1秒間に約12トン以上の凄いスピードでプラスチックが生産されている計算です。1年間にこれだけの量のプラスチックが生産されているわけですから、いかにプラスチックが私たちの暮らしの中に入り込んでいて、私たちの暮らしを支えているかがわかると思います。

　次ページの図は日本におけるプラスチックの生産量と消費量をグラフで表したものです。日本のプラスチック生産量は1997年に過去最高の1521万トンとなりましたが、それ以降は減少してます。2000年以降はプラスチックの生産拠点が海外に移動したことや、景気の低迷などにより横ばいの状況が続いています。

　日本のプラスチック生産量は2002年までは世界第3位でしたが、現在は中国、米国、ドイツについで世界で第4位となっています。また、2009年の生産量は2008年9月に起きたリーマン・ショックの影響により1121万トンと大幅に減少しました。2011年以降は横ばいとなっており、2020年はCOVID-19の影響により大幅に減少し963トンとなりました。2021年には回復しましたが2022年は951万トンとなりました。

　2022年の日本のプラスチックの消費量は910万トンとなっています。この数字から日本の1人あたりのプラスチックの消費量を計算してみると約73キログラムになります。1960年の日本の1人あたりのプラスチック消費量は約5.8キログラムでしたから、この約60年でプラスチックの消費量は10倍以上増えていることになります。

＊3億9070万トン　2021年のデータ。Plastics Europe「Plastics-the Facts 2022」による。

第1章　プラスチックとは何か

45

1-9 広がるプラスチックの利用

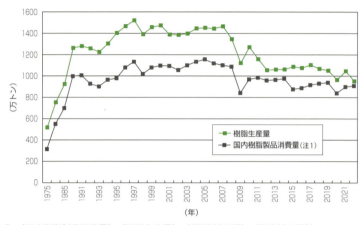

日本国内のプラスチックの生産量と消費量

(注1) (国内樹脂製品消費量)＝(樹脂生産量)－{(樹脂輸出量)－(樹脂輸入量)}－
(液状樹脂等量)－{(加工ロス量)－(再生樹脂投入量)}－{(製品輸出量)－(製品輸入量)}

出典：(社) プラスチック循環利用協会ホームページ

▶▶ どんなものにプラスチックが使われているの？

　次の図は2022年に日本でどのような種類のプラスチックがどのような分野で使われているのかを円グラフで示したものです。この円グラフを見ると、プラスチックが最も多く使われているのは包装容器であることがわかります。私たちの日常生活を考えても、プラスチックが食品の包装容器、各商品の包装材、ペットボトルなどに大量に使われていることがわかると思います。ペットボトルに関して言えば、1977年に約22万トンだった生産量が、2022年には約58万トンの販売量＊に増加しています。

　次にプラスチックが多く使われているのは、電気・電子機器類／電線・ケーブル／機械類です。コンピュータ、ネットワーク機器、携帯電話、家電製品の普及により、多くのプラスチックがそれらの材料として使われています。建材では、各種合板、タイル、水道管、雨どい、断熱材など、実に多くのプラスチックが建物の内装や外装に使われています。瓦や畳にもプラスチック製のものがあります。

＊**販売量**　2005年以降は輸入品の増加を考慮し、生産量でなく販売量を消費量としている。

1-9 広がるプラスチックの利用

　その他、自動車などの輸送、家庭用品にもプラスチックがたくさん使用されているのがわかります。このように、プラスチックは私たちが普段使っている製品や産業の様々な場面で利用されています。

　私たちの生活はプラスチックを抜きに考えることはできないでしょう。3章と4章では、私たちの身近なところで、どんなプラスチックが、どのように使われているのかを説明していきます。この円グラフを参考にしながら、読み進めてみてください。

プラスチックの種類別生産量と分野別消費量*

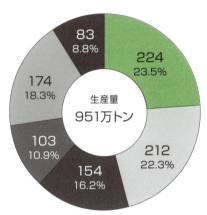
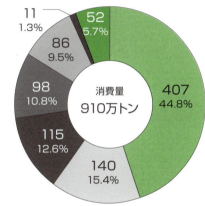

生産量 951万トン
- ポリエチレン 224 / 23.5%
- ポリプロピレン 212 / 22.3%
- ポリ塩化ビニル 154 / 16.2%
- ポリスチレン類 103 / 10.9%
- その他の熱可塑性樹脂 174 / 18.3%
- 熱硬化性樹脂 83 / 8.8%

消費量 910万トン
- 包装・容器等／コンテナ類 407 / 44.8%
- 電気・電子機器／電線・ケーブル／機械等 140 / 15.4%
- 輸送 115 / 12.6%
- 建材 98 / 10.8%
- 家庭用品／衣類履物／家具／玩具等 86 / 9.5%
- 農林・水産 11 / 1.3%
- その他 52 / 5.7%

＊……**分野別消費量**　出典：(社)プラスチック循環利用協会ホームページ

memo

第2章

プラスチックができるまで

1章では、プラスチックが大きな分子からできていることを説明しました。では、そのような大きな分子を、どうやって作るのでしょうか。そして、そのようにして作った分子は、どうしてプラスチックのいろいろな性質をもつのでしょうか。

2-1
プラスチックのもと
（モノマーとポリマー）

プラスチックを作るためには、プラスチックが何でできているのかを知らなければなりません。まず、プラスチックとはどういうふうにできているのかを見てみましょう。

▶▶ プラスチックはポリマーでできている

　プラスチックは、**ポリマー**と言われる非常に細長い分子でできています。「ポリ」というのは「たくさん」という意味で、「マー」というのは「～であるようなもの」というような意味です。ちなみに、「ポリバケツ」というのはもちろん、「たくさんのバケツ」という意味ではありません。「ポリマーでできたバケツ」という日本語を省略した呼び名です。外国では通用しません。「ポリ袋」も同様です。

　さて、では、ポリマーでは何が「たくさん」なのでしょうか。それは、プラスチックを作る長い分子をどうやって作るかということに関連します。非常に長いものを作るのに、いろいろなモノを次々とつなげていってもいいですが、それよりは、次のページの図のように、単純なモノを単に並べてつなげた方がずっと楽です。そこで、ポリマーは、たくさんの単純な構造の分子をつなげて作られます。だから「ポリマー」なのです。

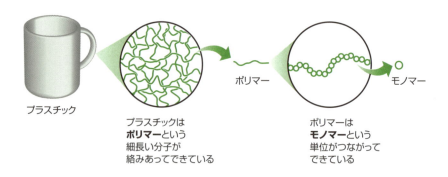

プラスチックとポリマーとモノマーの関係

プラスチック

プラスチックは**ポリマー**という細長い分子が絡みあってできている

ポリマー

ポリマーは**モノマー**という単位がつながってできている

モノマー

50

2-1 プラスチックのもと（モノマーとポリマー）

▶▶ ポリマーはモノマーから作る

　ポリマーを作るときに使う単純な小さな分子のことは、**モノマー**と呼ばれます。「モノ」というのは「1つ」という意味です。

　1つがたくさんつながっているのが「ポリマー」なのです。ですから、ポリマー、ひいてはプラスチックの本質的な性質は、モノマーが何であるかということと、そのモノマーがどのようにつながっているか、だけで決まってしまいます。プラスチック製品としての性質は、最終的にはどのように成型するかで決まりますが、その元となるプラスチックそのものの性質は、モノマーのところで決まってしまうのです。

　モノマーは小さな分子です。モノマー同士をつなぐには、この分子同士の化学反応をさせなければなりません。ここで、モノマー同士を化学反応させてつなぐやり方はとても限られています。もしこれが木片同士をつなぐというようなことであれば、ボンドでつなぐとか、針金でつなぐとか、いくらでも手があるわけですが、モノマーはとても小さいので、どんな化学反応でも使えるというわけではありません。ある化学反応がそのモノマーの分子で起こらなければ、その化学反応でポリマーを作ることはできません。

単純なモノマーをたくさんつなげれば簡単にポリマーにできる

いろいろなモノマーをいろいろな方法でつなげるよりも

単純なモノマーを同じ方法でつなげる方が
簡単に均一なポリマーが作れる

2-1 プラスチックのもと（モノマーとポリマー）

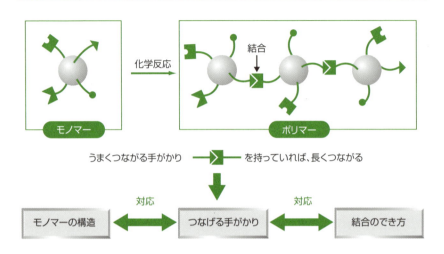

モノマーをポリマーにする化学反応

　ポリマーを作るためにどうやってモノマーをつなげていくか、どういう化学反応を使うかで、モノマーの主な構造は決まってしまいます。

　世の中にはたくさんの化学反応が知られていますが、どの化学反応でもポリマーを作るのに使えるわけではありません。プラスチックとしての性質を出すためには、ポリマーの中でモノマーが少なくとも100個はつながっている必要があります[*]。ということは、その化学反応は100回に1回の失敗も許されません。そのような性質をもつ化学反応は、とても限られています。

　例えば、ワイシャツなどによく使われる**ポリエステル**という素材があります。これは、「エステル」という化学結合を作るように化学反応させて作ったプラスチックだから「ポリエステル」というのです。通常、ワイシャツなどに使われるポリエステルを作るポリマーの1分子中には、エステル結合が1000回ほど繰り返されています。つまり、エステル結合を作る化学反応は1000回に1回ほどしか失敗しないくらい優れた反応なのです。エステルを作る反応が非常に優れているからこそ、エステルを作る反応はポリマーを作るのに使えるわけです。

---

[*]…**あります**　一般には長くつながっていればいるほど、良いポリマーになる。

2-1 プラスチックのもと（モノマーとポリマー）

結合のできる割合とポリマーの長さの関係

例えば

8個のモノマー ＝ 8か所の結合が可能

↓ 結合

4か所の結合ができたら、長さ2のポリマーになる

結合のできた割合　$\frac{4}{8} = 0.5$

6か所の結合ができたら、長さ4のポリマーになる

結合のできた割合　$\frac{6}{8} = 0.75$

7か所の結合ができたら、長さ8のポリマーになる

結合のできた割合　$\frac{7}{8} = 0.875$

一般に、 ポリマーの長さ＝1÷(結合を作れなかった割合)

長さ1000のポリマー＝結合は1000回に1回の失敗

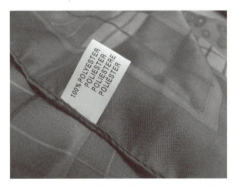

◀ポリエステルのスカーフ

▶▶ 原子の手つなぎ

　分子の中では、原子が互いに手をつなぎあって1つのまとまりとなっています。原子は、その種類によって持っている手の数が違います。例えば、水素原子はいつも1本の手を持っていますし、炭素原子はいつも4本の手を持っています。たまに、窒素原子のように手の数が3本だったり5本だったりするものもありますが、たいていの原子では手の数はきちんと決まっています。

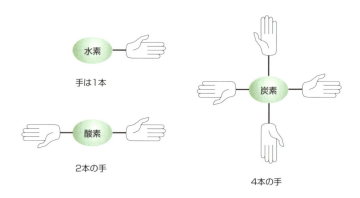

原子は手を持っている

　原子がどのように手をつないでいるかによって、それがどんな分子であるかということが決まります。モノマーもポリマーも分子ですから、モノマーをどうやってポリマーに変えるかということは、要するに、どうやってモノマー同士で手をつながせるかということに帰着します。そして、それは、モノマーの中でどのように手が結ばれているか、ということによって決まるわけです。

　さて、分子の中で原子が手を結ぶときには、無理な結び方（例えば、いっぱいに手を伸ばしても届かないとか）さえしなければ、原則的に制限はありません。しかし、そこには、簡単ですが重要な規則があります。それは、分子の中で手が余っていてはいけない、ということです。

2-1 プラスチックのもと（モノマーとポリマー）

　先に述べたように、炭素には手が4本あります。しかし、その手の先には何か別の手がついていなければいけません。ついているものは水素でも、窒素でも、あるいは別の炭素でもいいのですが、分子全体として手が余っていてはいけないのです。

分子の中で手は余らない

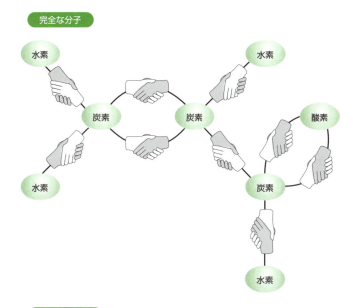

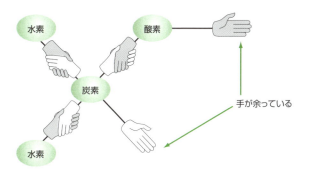

化学結合
原子が手をつないで分子や結晶を作るときの結びつきのこと。原子の手の数は原子によって異なり炭素4、窒素3、酸素2、水素1である。

2-1 プラスチックのもと（モノマーとポリマー）

▶▶ モノマーの手つなぎ

　モノマーをポリマーに変えるということは、モノマー内部でつながれている手をどうにかして切って、その代わりにモノマー同士で手をつながせていくということです。ここで、モノマーをポリマーに変える反応のことを**重合**と呼びます。これは、手をつなげること（＝合）を何回も（＝重）繰り返すという意味の言葉です。

　重合の方法には、大きく分けて2つあります。一つは、モノマー内部でつながれている手を、モノマー同士の手につなぎ変える方法です（**付加重合**）。もう一つは、モノマーの端にある「ふた」をはずして、余った手同士をつないでいく方法です（**縮合重合**）。

　モノマーの構造は、それぞれの重合方法に合ったものでなければなりません。重合方法とモノマーの構造は不可分の関係にあるからです。次節では、それぞれについて説明します。

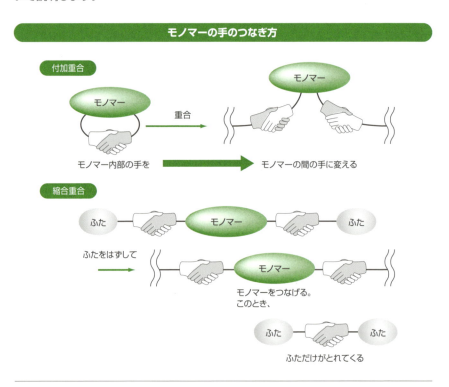

モノマーの手のつなぎ方

2-2

手をつなぎ変えながら
伸びていく重合（付加重合）

まず、モノマー内部でつながれている手を、モノマー同士の手につなぎ変える方法を説明します。このような重合の方法のことを付加重合と呼びます。モノマー内部にある手が別のモノマーに「付け加わる」ように重合していくからです。

▶▶ 付加重合の２つの型－ビニル型と環型

付加重合するモノマー中では、ポリマーになろうという原子同士の手が輪のようになっています。これはさらに２つのタイプに分かれます。一つは、２つの原子が２本の手で結びついているものです。ここではこれを**ビニル型**と呼びます。これは、２つの原子が互いに２本の手で結びついている原子の組の代表的なものがビニル基と呼ばれてきたことから名付けられたものです。「ビニール」という日本語は、このビニル基からきています。

そしてもう一つは、いくつかの原子が輪状になって結ばれているものです。ここではこのタイプを**環型**と呼びます。いずれの場合でも、起こることは基本的に同じです。輪のようになっている手同士が、結ぶその手の相手を、他のモノマーの手に変えるのです。

私たちの身の回りにあるプラスチックのほとんどは、ビニル型のプラスチックです。これは、ビニル型のモノマーは石油から簡単に合成できること、モノマーをポリマーに変えるのが簡単であること、さらに、ビニル基に何がついているかによってポリマーの性質を大きく変えることができることなど、いくつかの理由があります。

ビニル型のプラスチックは、様々な性質のものが安価に得られるため、プラスチックが広く使われるようになるのに大きく貢献しました。

2-2　手をつなぎ変えながら伸びていく重合（付加重合）

ビニル型の重合におけるモノマーの手のつなぎ方

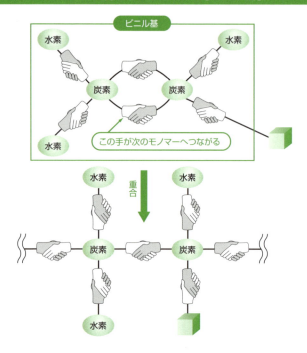

環型重合におけるモノマーの手のつなぎ方

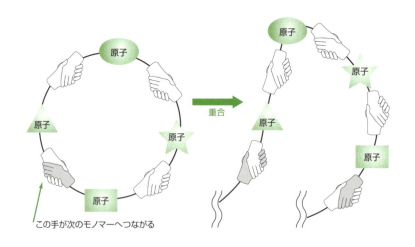

2-2 手をつなぎ変えながら伸びていく重合（付加重合）

ビニル型のプラスチックの特徴

・石油から簡単に安く作れる
・重合が簡単
・ビニル基についているモノで性質が変わる

安い、様々な性質のプラスチック

▶▶ 付加重合で得られるポリマーの名前と構造

　付加重合で得られるポリマーは、基本的に同一のモノマーが繰り返し長くつながったものになります。そこで、付加重合するタイプのポリマーは、しばしば「ポリ」の後ろにモノマーの名前をつけて呼ばれます。例えば、ポリエチレン、ポリプロピレン、ポリスチレン、ポリアクリル酸エステル、ポリブタジエン、ポリ塩化ビニルなどがそうです。それぞれ、エチレン、プロピレン、スチレン、アクリル酸エステル、ブタジエン、塩化ビニルという名前のモノマーが付加重合してできたものです。それぞれのモノマーがたくさん、という意味です。

付加重合で得られるポリマーの名前の付け方

モノマー	ポリマー（プラスチック）
エチレン	ポリエチレン
プロピレン	ポリプロピレン
スチレン	ポリスチレン
アクリル酸エステル	ポリアクリル酸エステル
ブタジエン	ポリブタジエン
塩化ビニル	ポリ塩化ビニル（塩ビ）

2-2 手をつなぎ変えながら伸びていく重合（付加重合）

ポリ塩化ビニルには、「塩ビ」という略称がよく使われます。これは、ポリ塩化ビニルが非常に安価で重要なプラスチックとして広く用いられているためです。プラスチックのことをビニールと呼ぶことがありますが、これは、狭義にはポリ塩化ビニルを指します。エポキシ系という二液混合型の接着剤があります（4-8節参照）が、これはエポキシと呼ばれる環型のモノマーを利用したものです。

▶▶ 主鎖と側鎖

ポリマーの分子は、手をつなぎながら長く伸びた背骨のような原子のつらなりと、そこから生えているあばら骨のような原子のつながりの2つの部分からなります。背骨の部分を**主鎖**、あばら骨の部分を**側鎖**といいます。

ビニル型のモノマーが重合すると、ポリマーの主鎖は2つの原子の単位が繰り返しつながったものになります。一般に使われるビニル型のモノマーでは、この繰り返し単位に炭素が使われますので、ビニル型のモノマーからできるポリマーの主鎖は、炭素が延々と（普通は100個以上）つながった構造をしています。

それに対して、環型のモノマーでは、環の中に様々な種類の原子を含むことができますので、様々な主鎖の構造をしたポリマーが得られます。そのため、ポリマーの性質としては環型のモノマーから合成したものの方がバラエティーに富んでいます。しかし、主鎖の構造を多彩にするためであれば、次節で述べる縮合重合法を利用するほうが簡便で一般的です。

2-2 手をつなぎ変えながら伸びていく重合（付加重合）

主鎖と側鎖

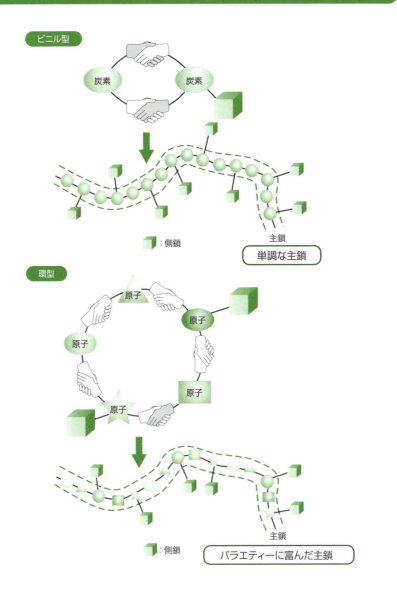

2-3 手をつないで伸びていく重合（縮合重合）

重合のもう一つのタイプは、モノマーの間で新しく手をつないでいく方法です。この方法は縮合重合と呼ばれます。縮合重合について見てみましょう。

▶▶ 縮合反応と縮合重合

原子同士の結合は常に安定なわけではありません。適当な組み合わせの原子の組と出会うと、原子の組の組み換えを起こします。化学反応というのは、このような組み換えのことです。いろいろなタイプの化学反応がありますが、2つの原子を結びつけるような化学反応は重合に使うことができます。

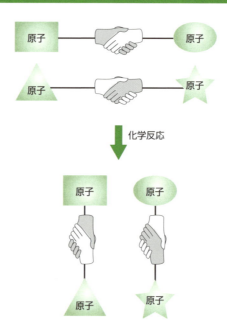

化学反応とは、原子の組み合わせを変えること

2-3　手をつないで伸びていく重合（縮合重合）

　最も典型的な場合、水などの小さな分子の脱離を伴いながら新しい結合ができていきます。この場合、水のもととなる原子の組がモノマーの両端にあり、これが分子の端の「手」に「ふた」をしています。ここから水が取れ、自由になった「手」同士が手を結ぶことで、モノマーの間に結合ができるのです。もちろん、水が取れる可能性があっても、本当に取れる場合と、実際には取るのが難しい場合とがあります。重合に使えるのは、簡単に水が取れるような原子の結合の組み合わせです。

　このように、小さい分子の脱離を伴いながら結合が生成する反応を**縮合反応**といい、これを利用するタイプの重合を**縮合重合**と呼びます。

脱水を伴う縮合重合

2-3 手をつないで伸びていく重合（縮合重合）

▶▶ 縮合反応におけるモノマーの組み合わせ

　縮合重合には一般に、2種類の異なる原子の組が用いられます。例えば水は、OHという原子の組と、Hという原子の組に分かれますから、OHを出す部分とHを出す部分がそれぞれ必要です。

　そこで、縮合重合を行うには2つの方法があります。一つは、1つの分子中にOHを出す部分とHを出す部分とをあわせ持つモノマーを用いる方法です。このような縮合重合の方法を**自己縮合**と呼びます。

　もう一つは、OHを出す部分を2つ持つモノマーと、Hを出す部分を2つ持つモノマーとを、それぞれ用いる方法です。一般には、自己縮合をするモノマーを合成するのは難しいので、縮合反応する原子の組をそれぞれ2個ずつ持つモノマー＊が使われます。また、そうすることによって、例えばOHを出す側のモノマーを変えるだけでポリマー全体の分子構造を変えてしまうことができるため、非常に多彩な分子構造のポリマーを容易に作り分けることができます。

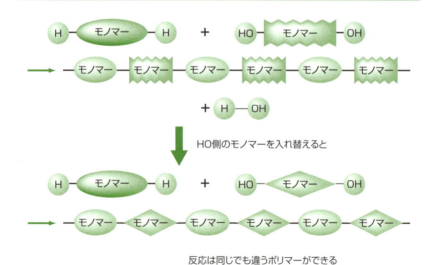

＊**モノマー**　二官能性のモノマーと呼ぶ。

▶▶ 縮合重合で得られるポリマーの名前と構造

　縮合重合で得られるポリマーは一般に、縮合反応でどのような結合ができたかで呼ばれます。例えば、ポリエステル、ポリウレタンというポリマーは、それぞれ、エステル、ウレタンと呼ばれる結合ができながら縮合重合してできるポリマーです。ただし、アミドという結合ができながら重合が進んでできるポリマーは、ポリアミドと呼ばれることもありますが、ナイロンとも呼ばれます。他にも、あまり身の回りにはありませんが、ポリスルホン、ポリエーテルなどというポリマーもあります。いずれも、スルホン、エーテルと呼ばれる結合が重要な役割をしてできたポリマーです。

縮合重合で得られるポリマーの名前の付け方

縮合重合で得られるポリマーは結合の名前で呼ばれる

	ポリマーの名前
エステル結合	ポリエステル
ウレタン結合	ポリウレタン
アミド結合	ポリアミド（ナイロン）
スルホン結合	ポリスルホン
エーテル結合	ポリエーテル

2-3 手をつないで伸びていく重合（縮合重合）

▶▶ 縮合重合で得られるポリマーは強い

　ビニル型の付加重合では、ポリマーの主鎖は炭素－炭素結合だけでした。それに対して、縮合重合で得られるポリマーでは、炭素－炭素結合よりも強い結合を主鎖に使うことができます。そのため、縮合重合ではビニル型の付加重合で得られるポリマーよりも、耐熱性の点でも強度の点でもはるかに強いポリマーを得ることができます。

　プラスチックといえば、ちょっと加熱すると軟らかくなってしまう材料というイメージがもたれています。しかし、例えば縮合重合で得られるポリマーの中でも耐熱性が高いことで有名なポリイミドは、ハンダ付けにも十分に耐えられるので、電子部品にも使われます。これは、イミドという結合が熱的に非常に安定だからです。

　また、ケトンという構造をもつモノマーをエーテルという結合で重合したポリエーテルケトンというポリマーは、非常に強度が高いので、歯車などの機械的部品として使われます。

　このようなプラスチックの部品は、軽いにも関わらず、従来の金属製の部品に匹敵する強度と耐熱性を有しているので、携帯電話などの電気製品を小型化・軽量化するのに大きく貢献しています。また、ポリアミドの中でも特に強度が高いものは防弾チョッキに使われ、防弾チョッキの機能性を大きく向上させました。

　一般に、このような高性能のポリマーは、高価格なので少量しか使われません。しかし、例えばペットボトルのポリエチレンテレフタラート（PET）というプラスチックや糸（合成繊維）などは、縮合重合で作られている身近なポリマーです。いずれも、高い強度に特徴があります。

縮合重合で得られるポリマーの特徴

・耐熱性をもたせることができる
・強度を高くすることができる

＊いずれも主鎖の構造による

▶▶ 生物は縮合重合によるポリマーでできている

　生物というのは、水分と骨と塩分を除くと、そのほとんどがポリマーでできています。そして、そのすべてが縮合重合（しかも自己縮合重合）でできたポリマーです。タンパク質は、アミノ酸というモノマーが水を脱離しながら重合したものです。セルロースやデンプンは、ブドウ糖というモノマーが、やはり水を脱離しながら重合したものです。遺伝子を作るDNAは、ヌクレオチドというモノマーが、これはリン酸を脱離しながら重合したものです。生物の多様性は、それぞれのポリマーを作るモノマーの多様性と、ポリマーになるときのつながる順番によって現れます。

生物は縮合重合で作られている

タンパク質
アミノ酸が重合してできた高分子化合物。重合するアミノ酸の種類や結合の順序によって様々なタンパク質が存在する。生物の重要な構成成分のひとつである。

2-4

どうすれば長くなるか

　プラスチックとしての性質は、プラスチックを作るポリマーが互いに絡み合っていることで現れます。そのため、一般にポリマーというのは、長ければ長いほど良いポリマーです。しかし、長いポリマーを作るのは簡単ではありません。長いポリマーを作るために必要な条件は、重合方法によって異なります。代表的な重合方法であるビニル型の付加重合と縮合重合について、どうすれば長いポリマーが作れるか考えてみましょう。

▶▶ 付加重合で長いポリマーを作る

　ビニル型の付加重合の場合、ビニル基の2本の手のうち1本を別のモノマーのビニル基との間に結び直すことで重合は進行します。この反応しか起こらないのであれば、ポリマーの長さは無限に長くすることができるでしょう。しかし現実には、期待されない反応も一緒に起こってしまい、そのためにポリマーはある長さ以上にはなりません。

　期待されない反応として最もよく起こるものは、ビニル基以外の部分との反応です。次のモノマーのビニル基と手をつなぎ変えようとして、ビニル基以外のところとつなぎ変えてしまうのです。ビニル基以外は普通は手が1本しかありませんから、こうやってつなぎ変えるとポリマーがそこで終わってしまいます。

　ここで、間違えてつなぎ変えてしまう相手は、モノマーであったり、ポリマーであったり、溶媒であったりしますが、もっとも警戒しなければならないのは空気中の酸素です。酸素はポリマーが伸びていく末端と速やかに反応して重合を止めてしまいます。したがって、ビニル型の付加重合をする場合には、余分な不純物を含まないように気をつけ、また、酸素を断って行います。

　また、溶媒が少なければ少ないほど望ましくない反応の可能性が減りますので、できるだけ濃い条件で、場合によっては溶媒を用いずに重合を行います。しかし、溶媒を用いないと、重合反応に伴う発熱が除去できないだけでなく、重合が進むと攪拌ができなくなり、重合が進行しなくなることもあるので、注意が必要です。

2-4 どうすれば長くなるか

　さらに、伸びてきたポリマーの端同士がつながってしまうということも、ポリマーが長くならない原因です。つまり、ポリマーの末端が、次のビニル基と反応するのではなく、末端同士で手を結んでしまうことがあります。そうなると、ポリマーの端っこがなくなってしまいますので、それ以上ポリマーが長くなることができません。

ビニル型の付加重合でポリマーが短くなってしまう原因

正しい重合

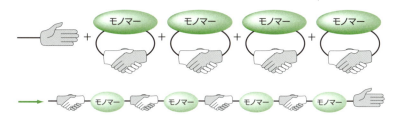

別な結合と手をつないでしまう

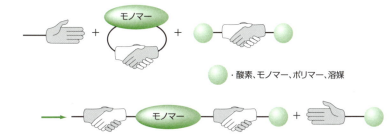

・酸素、モノマー、ポリマー、溶媒

末端同士が反応してしまう

超高分子量ポリエチレンとゲル紡糸法

　ポリエチレンは、ビニール袋などに広く用いられていることからわかるように、一般に軟らかいプラスチックです。しかし、ポリエチレンの強度を計算すると、本質的には非常に高い強度を示すことが予想されます。

　この極端な落差の原因はいくつかありますが、そのうち大きなものは、ポリエチレンの分子が伸びきった構造をとりにくいことにあります。例えばポリエチレンを結晶化させると、エチレン単位でわずか40個ほどで折れ曲がり、全体が折り畳まれたような構造となります。このように短い距離でしかポリマーの分子が伸びきった構造をとらないのであれば、どれほど長いポリマーの分子を作ったところで、短いポリマーと同じような性質しか出ません。長いポリマーの分子を延伸して（5-6節参照）方向を揃えてやったとしても、成型している際に折り畳まれていってしまうからです。

　ポリエチレンにポリエチレン本来の強度を発揮させることは、高度の技術を駆使して達成されました。まず重合技術からは、副反応を極限まで排した重合を行なうことにより、従来のポリエチレンよりも100倍も長いポリマーの分子を作ることができるようになったことです。このような**超高分子量ポリエチレン**では、分子があまりに長いので、いったん伸びてしまうと折れ曲がることができなくなります。一方、成型技術からは、**ゲル紡糸法**という特殊な方法が開発されました。これは超高分子量ポリエチレンをふやかした状態にして、折り畳みのない、伸びきった状態にまで引っ張る方法です。

　このようにして作られる超高分子量ポリエチレン繊維は、従来のポリエチレンとは全く異なり、エンジニアリングプラスチックと同レベルの強度をもちます。ポリエチレンはあらゆるプラスチックの中で最も簡単な構造をしていますが、その合成法・成型法によって実に様々な物性をもつ材料とすることができるのです。

▼ビニール袋

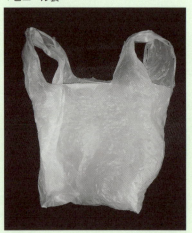

by Compfishiologist

2-4　どうすれば長くなるか

▶▶ 縮合重合で長いポリマーを作る

　縮合重合では常に、ポリマーの末端同士がつながることによってポリマーが長くなっていきますので、ポリマーの端がなくなってしまうことはありません。むしろ、端をどれだけに減らせるかでポリマーの長さが決まってきます。極端に言えば、端が全くなくなるまで重合することができれば、ポリマーは無限の長さまで伸びることになります。しかし、実際には、そこまで伸ばすことはできません。

　また、縮合反応以外の反応が起こると、ポリマーには重合できない端ができてしまいますので、ポリマーを長くすることはできません。例えば、水を脱離しながら進む縮合重合では、Hを出す側とOHを出す側があります。両者の数が厳密に等しければ、理想的には無限の長さまでポリマーを伸ばすことができます。しかし、次のページの図のように、ほんのわずかでもモノマーの数が違えば、必ずどちらかが余ってしまいます。そうすると、それ以上ポリマーは伸びなくなります。縮合重合でポリマーを長くしようと思ったら、縮合する2つのモノマーの数をできるだけ厳密に等しくしなければなりません。

　縮合反応の速度は、Hを出す側とOHを出す側がどれだけの濃度であるかによって決まります。重合が進み、ポリマーの末端が減ってきてその濃度が低くなってくると、ポリマーの末端がお互いになかなか出会えなくなります。すると、縮合反応の速度がどんどん遅くなっていくため、実質的に縮合反応が止まってしまうということもあります。したがって、できるだけ濃い条件で、できるならば溶媒を使わずに重合すると、より長いポリマーが得られます。

　縮合で出てくる小さい分子をできるだけ追い出すのも重要です。水を脱離しながら進む縮合重合の場合ならば、水をどれだけ追い出せるかでポリマーの長さが決まってきます。そのため、通常は真空中で、しかも、ポリマーが溶融しているような高温で重合を行います。

2-4 どうすれば長くなるか

縮合重合でポリマーが短くなってしまう原因

反応が十分に進まない、または別の反応が起こってしまった

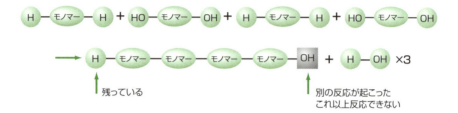

モノマーの数が違う

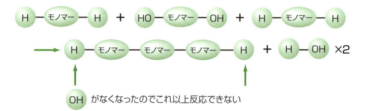

濃度が低い

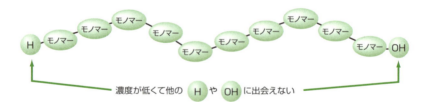

状態変化
物質の状態が温度や圧力など、その物質が置かれた条件によって変化すること。物質が条件を変えたり他の物質と反応したりして別の物質に変化することを**化学変化**という。

2-5 プラスチックの性質を決める（分子間相互作用の重要性）

　プラスチックの性質は温度によって変化します。冷えれば硬く、温めれば軟らかくなります。プラスチックの基本的な性質は、そのような状態の変化が何℃で起こるのかということと、硬い状態でどれだけの強さをもっているかということで示すことができます。そのような性質は、モノマーの構造とそのつなぎ方できまります。どういうモノマーを使って、どのようにつなげば、プラスチックの性質はどのように変わるのでしょうか。

▶▶ 物質の三態とポリマーの状態変化

　水のような普通の物質は、冷やすと結晶化し（氷）、加熱すると気体になります（水蒸気）。これを**物質の三態**といいます。しかし、プラスチックではポリマーの分子が複雑に絡み合っているため、冷やしても結晶化が非常に遅く、結晶化するとしても一部だけです。また、ポリマーの分子は非常に長いため、加熱しても分解するだけで、気体になることができません。

物質の三態とポリマー

普通の物質（水など）

プラスチックの場合

2-5 プラスチックの性質を決める（分子間相互作用の重要性）

ガラス転移温度とガラス状態

　プラスチックを加熱していくと、やがて垂れてきます。しかし、液体のように流れるわけではありません。これは、プラスチック中のポリマー分子そのものは動けないけれど、ポリマー分子内部では動きができるようになった状態です。そのような状態であるため、全体的な形は保持したままで、軟らかくなってしまうのです。

　このような状態の変化が起こる温度はポリマーによって決まっていて、**軟化点**あるいは**ガラス転移温度**と呼ばれます。軟化点以下ではプラスチック中でポリマーの動きが凍結されていて、このように結晶ではないのに分子の動きがとれない状態のことを**ガラス状態**と呼ぶからです。

　ガラス状態の特徴は、透明性が良いことです。液体状態も透明性が高い状態ですが、ガラス状態では、液体のような分子の乱雑さがそのまま固定されているので、液体のような透明性が現れるのです。

ガラス転移とガラス状態

ポリマー主鎖は動けない　　　　　ポリマー主鎖が動き始める

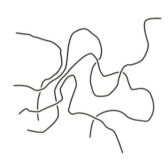
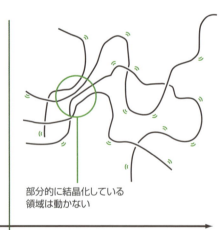

液体のような乱雑な状態が凍結されている
＝ガラス状態

部分的に結晶化している
領域は動かない

　　　　　　　ガラス転移温度　　　　　　　　温度

ガラス状態
ガラスは、結晶構造を持たず主成分の二酸化ケイ素（SiO₂）がランダムに結びついており、その様子は液体に近い。結晶化する物質とガラス状態になる物質の差は解明されていない。

▶▶ ポリマーの部分結晶化と融点

　一方、プラスチックでも不透明なものもあります。何かが混ぜられているために不透明になっている場合もありますが、ここで言うのは元から不透明なプラスチックのことです。

　例えば、ビニール袋には2種類あります。不透明でカシャカシャ音のする袋と、透明で音のしない袋です。不透明で音のしない袋は、混ぜもののせいで不透明になっているのであって、元から不透明なわけではありません。また、透明で音のするビニール袋はありません。それは、音がするのはビニール袋が不透明になるのと原因が同じだからです。

　ビニール袋が不透明になるのは、ビニール袋のポリマーの一部が結晶化しているからです。結晶した部分が混じっていると、プラスチックとして硬くなるので、曲げたときにカシャカシャ言うようになります。このような不透明な、結晶状態を含むプラスチックでは、加熱していくと、ガラス転移温度だけでなく融点＊も見られます。ガラス転移温度よりも融点のほうが高温です。

　一般に、結晶化した領域を含むプラスチックは、高い強度をもちます。

ポリマーの中の結晶化領域と強度

結晶化領域を持たないポリマー

・透明
・軟らかい
・熱すると軟化

結晶化領域を持つポリマー

結晶化領域

・不透明
・硬い
・熱してもすぐには軟化しない
・高強度

＊**融点**　融解が起こり始める温度。

▶▶ ポリマーの分子間相互作用と耐熱性・強度

　プラスチックの性能として最も大事なものが、ガラス転移温度と融点です。ガラス転移温度以上ではプラスチックは軟化してしまいますので、材料として使うことができません。ただし、そのプラスチックが結晶状態を含んでいるのであれば、融点まではいくらか強度を保ちます。

　一般にプラスチックでは、ポリマー分子間の相互作用が強く結晶性が高いと、その強度が上がります。また、ガラス転移温度や融点は、ポリマー分子間の相互作用が強くなると高くなります。したがって、高いガラス転移温度と融点をもつプラスチックは、耐熱性に優れた、高温でも使用できるプラスチックであるということができます。そして多くの場合、そのようなプラスチックは強度の点から見てもより高性能であるのです。もちろん、強度の点だけから見て高性能であるというだけであり、結晶状態を含むプラスチックは不透明ですから、透明性が重要な用途であれば失格になります。

ポリマーの耐熱性と強度

▶▶ ポリマーの分子間相互作用

　では、ポリマー分子間の相互作用を強くするには、ポリマーがどのような構造の分子である必要があるでしょうか。

　例えば、酸とアルカリはくっつこうとします。一つの方法は、そのような相互作用をもつ部分構造をモノマーに持たせることです。木材を作るセルロースというポリマーは、そのような方法によって非常に高い強度をもっています。また、ナイロンが非常に強い糸を作るのも、そのようなポリマー分子同士の強い相互作用のためです。

2-5 プラスチックの性質を決める（分子間相互作用の重要性）

　しかし、このようにポリマー分子間に強い相互作用をもたせると、プラスチックの中でポリマーの分子が動けなくなり、加工性が悪くなります。

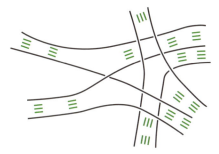

分子間相互作用をもつポリマー

・耐熱性
・高い強度
・加工性の低下

|||：相互作用

　もう一つの方法は、ポリマー分子同士がよく密着して密度が上がるように、平面性の高い部分構造をもたせることです。平面性の高い部分構造はきれいに配置しやすいので、結晶性も向上します。平面性が高い部分構造は熱的に安定であることが多いので、一般に、このようなポリマーは耐熱性や強度が高くなっても加工性が低下しません。そのため、高性能プラスチックを作るという観点からは、平面性の高い部分構造をいかに高密度に導入するかというアプローチが重要です。

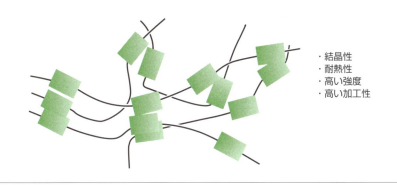

平面性の部分を持つポリマー

・結晶性
・耐熱性
・高い強度
・高い加工性

2-5 プラスチックの性質を決める（分子間相互作用の重要性）

　相互作用をもつ部分構造を導入するにせよ、平面性の高い部分構造を導入するにせよ、大事なことは、それらの部分構造をポリマーの主鎖に導入することです。側鎖に導入しても効果はありますが、限定的です。

　ビニル型のモノマーから付加重合で得られるポリマーは、主鎖が単なる炭素の連鎖でできています。このような主鎖の構造では、高いガラス転移温度は期待できません。私たちの身の回りにあるプラスチックのほとんどは、ビニル型のポリマーからなります。そのため、私たちはプラスチックというものは熱に弱いものであると思い込みがちです。確かに、どんなに耐熱性の高いポリマーでも、ガラスや鉄の耐熱性にはかないません。しかし、適切に設計したプラスチックであれば、驚くほどの高温でも劣化することなく使用することができるのです。このように、耐熱性の高いプラスチックを**エンジニアリングプラスチック**と呼びます。その中でも、特に耐熱性の高いプラスチックは**スーパーエンジニアリングプラスチック**と呼ばれます（1-6節参照）。

高性能高分子は主鎖同士に相互作用がある

相互作用する部分を…

主鎖に持つ　　高耐熱性、高強度

側鎖に持つ　　耐熱性、強度ともそれほど高くない

2-6

２種類以上のモノマーやポリマーを使う（共重合とポリマーアロイ）

モノマーの構造が違えば、そこから得られるポリマーの構造も違い、その結果、プラスチックとしての性質も違ってきます。では、プラスチックはモノマーの数だけしか種類がないのでしょうか。答えは「いいえ」です。使えるモノマーは限られていても、モノマーやポリマーを混ぜて使うことによって、プラスチックに無限のバリエーションを与えることができます。

▶▶ 異なるプラスチックの中間の性質をもったプラスチックが欲しい

いま、AというポリマーとBというポリマーとがあったとします。当然、それぞれ異なる性質をもっています。実際にプラスチックとして使うのに必要な性質（耐熱性や強度など）がAなりBなりで実現されるのであればそれでいいのですが、AでもBでもなく、その中間的な性質が必要なときがしばしばあります。また、AとBの性質をあわせもつポリマーが必要となることもあるかもしれません。そういう場合、どうすればよいでしょうか。

一つの方法は、AでもなくBでもない、必要な性質のポリマーを探すことです。しかし、それには非常に手間がかかりますし、そもそも全く見つからないかもしれません。また、そのようなポリマーを作るのに必要なモノマーを新たに合成する必要があるかもしれません。

より簡単な解決法は、AとBのポリマー、あるいはそのモノマーを使って新しいプラスチックを作り上げることです。そのような方法として、**共重合**と**ポリマーアロイ**という２つの方法があります。共重合とはAとBのモノマーを、ポリマーアロイとはAとBのポリマーを、それぞれ混ぜて使う方法です。

2-6 2種類以上のモノマーやポリマーを使う（共重合とポリマーアロイ）

共重合とポリマーアロイによる機能のバラエティー化

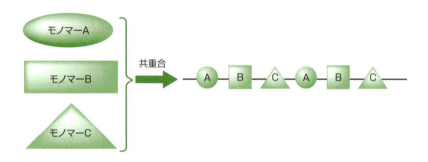

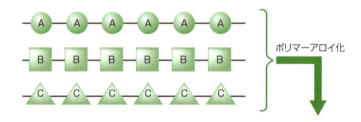

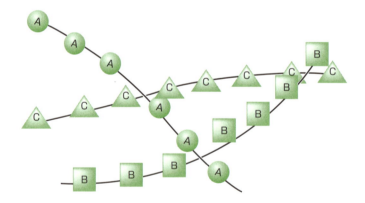

2-6　2種類以上のモノマーやポリマーを使う（共重合とポリマーアロイ）

▶▶ 共重合

　共重合とは、2つ以上のモノマーからなるポリマーを合成する方法です。どのようにそれぞれのモノマーがつながっているかによって、大きく分けて**ランダム共重合**、**ブロック共重合**、**グラフト共重合**があります。

　以下、A、Bという2つのモノマーを使った場合を例にとって説明します。モノマーを3つ以上使った場合でも同様に考えることができます。話を簡単にするために、ここではビニル型の付加重合について考えてみましょう。モノマーの組成が同じでも、どのような共重合をするかによって、得られるポリマーの性質は大きく変わります。

 ポリマーアロイがもたらしたエンジニアリングプラスチック、PPE

　ポリフェニレンエーテル（PPE）は非常に高強度・高耐熱性のポリマーとして古くから知られていました。特に、1950年代に酸化カップリング重合という新しい重合方法が見いだされたことによって、大量生産が可能になりましたが、成型性が極端に悪く、耐衝撃性も低いため、実用的な材料とは見なされていませんでした。

　しかし、PPEとポリスチレンとのポリマーアロイが登場して、状況が一変しました。PPEはポリマーとしては珍しく、ポリスチレンとどのような割合でも分子レベルで混和することから、PPEをポリスチレンで変性することによってPPEの特性を広範に調節することが可能になったのです。特に、PPEの弱点とされた成型性は、ポリスチレンとのポリマーアロイ化によって劇的に改善します。また、耐衝撃性も、耐衝撃性ポリスチレンとのポリマーアロイ化によって大きく向上しました。ここで、耐衝撃性ポリスチレンはポリブタジエンとポリスチレンとのポリマーアロイですから、このようにして得られる耐衝撃性変成PPEは3つのポリマーからなるポリマーアロイとなっています。

　変性PPEは、バランスのとれた高耐熱性プラスチックとして需要が多く、5大エンジニアリングプラスチックの一翼を担っています。これはPPEがポリマーアロイ化できるからこそなのです。

2-6 2種類以上のモノマーやポリマーを使う（共重合とポリマーアロイ）

▶▶ ランダム共重合

ランダム共重合とは、それぞれのモノマーをランダムに並べる共重合です。通常は、AとBのモノマーを混合して重合します。Aのビニル基はAともBとも反応できますので、AとBがランダムに並んだポリマーができます。ただし、例えばAのビニル基がAとBとどちらと反応しやすいかは、モノマーの構造によって決まりますので、完全にランダムというわけではありません。

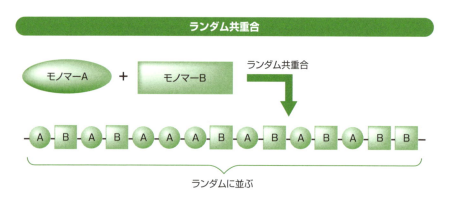

このようにしてできるランダム共重合ポリマーは、普通はAとBの中間のような性質を示します。また、AとBの割合を変えることによって、できるポリマーの性質は連続的に変化します。

重要なことは、このようにして得られるランダム共重合ポリマーは、AとBのポリマーの混合物とは全く違う性質を示すことです。一般に、ポリマー同士というのは水と油のように溶け合いません。また、たとえ溶け合ったとしても、それはポリマーのように大きな分子同士が溶け合ったものなので、ランダム共重合ポリマーのように原子レベルで混ざっているような構造のものとはその性質が違うのです。

ランダム共重合は、ポリマーの性質をわずかに変えるような用途にしばしば用いられます。

2-6 2種類以上のモノマーやポリマーを使う（共重合とポリマーアロイ）

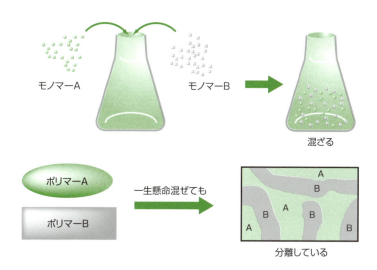

▶▶ ブロック共重合

ブロック共重合とは、ポリマー分子の中でAの並んだ領域とBの並んだ領域とを別々に並べるような共重合です。ポリマー中でそれぞれの領域がブロック状に存在するので、こう呼ばれます。一般には、Aの並んだ領域もBの並んだ領域もポリマーとしての十分な長さがあるものが、ブロック共重合ポリマーとしての特性を示します。

ブロック共重合ポリマーは、AのポリマーとBのポリマーが結びついたような構造をしています。そのため、AのポリマーとBのポリマーの性質をあわせもつようなポリマーとなります。すなわち、AのポリマーとBのポリマーが混ざり合わないとしても、両者が強制的に結びつけられているのですから、水と油が強制的に混ぜ合わされたときのように、両者の性質が同時に現れるのです。

2-6 2種類以上のモノマーやポリマーを使う（共重合とポリマーアロイ）

ブロック共重合

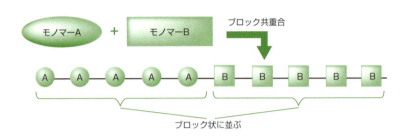

　ブロック共重合ポリマーの合成法は、主に2種類あります。まずAのポリマーを作っておき、その末端からBの重合を始める方法と、AのポリマーとBのポリマーを別々に作っておき、両者を反応させる方法です。

　また、ポリマー中のブロックもA-Bだけとは限りません。A-B-Aとか、1点からAとBがいくつも生えていくようなものなど、いろいろ考えられます。それぞれの構造に応じて、同じブロック共重合ポリマーといえども異なった性質を示します。

ブロック共重合ポリマーの合成法

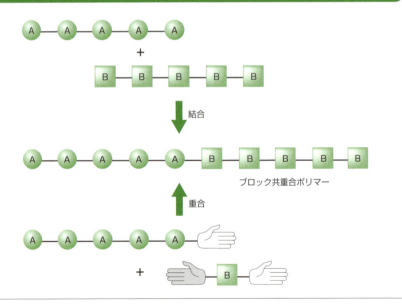

2-6 2種類以上のモノマーやポリマーを使う（共重合とポリマーアロイ）

いろいろなブロック共重合ポリマー

ABブロック共重合ポリマー

ABAブロック共重合ポリマー

ABCブロック共重合ポリマー

スターブロック共重合ポリマー

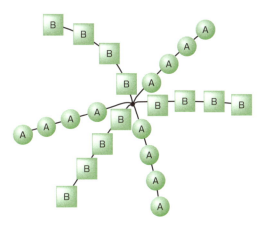

2-6 2種類以上のモノマーやポリマーを使う（共重合とポリマーアロイ）

▶▶ グラフト共重合

　グラフト共重合とは、ブロック共重合の特別なもので、例えばAのポリマーにBのポリマーがぶら下がっているようなものです。グラフトとは、「接ぎ木」という意味です。

　グラフト共重合ポリマーはブロック共重合ポリマーの一種で、ブロック共重合ポリマーと同様に使うことができますが、生えている枝の密度によってはブロック共重合ポリマーとはだいぶ異なる性質を示します。

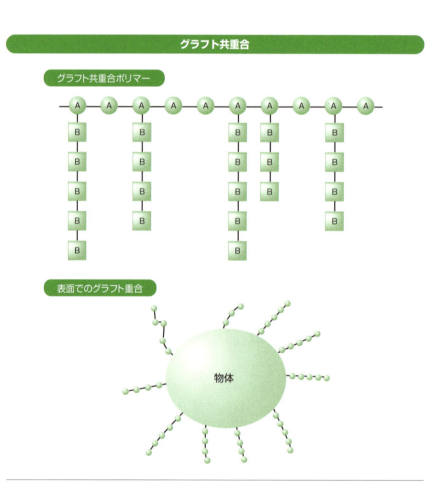

2-6　2種類以上のモノマーやポリマーを使う（共重合とポリマーアロイ）

　また、プラスチックの表面にだけグラフトをさせることもできます。それによって、プラスチック本体の性質を全く変えずに、その表面の性質だけを変えてしまうことができます。プラスチック製品が他の物質と触れ合うのは表面だけですから、表面でのグラフト重合は、プラスチックを改質する方法として非常に有効です。

▶▶ ポリマーアロイ

　アロイとは、合金という意味です。合金が2種類以上の金属を何らかの方法で混ぜて作るのと同様に、**ポリマーアロイ**は2種類以上のポリマーを混ぜて作ります。このとき、AとBの2つのポリマーが溶け合っている場合も、溶け合わないまま混ぜ合わされている場合もあります。ポリマー同士が溶け合うかどうかでポリマーアロイとしての性質は大きく異なります。

　ポリマー同士は基本的に溶け合いませんが、溶け合う組み合わせもあります。AとBの2つのポリマーが溶け合うかどうかを事前に予測することは困難で、ポリマーアロイがどのような性質を示すかを予測することはできません。

　また、ポリマーの混ぜ合わせ方によってもポリマーアロイの性質は変わってきます。例えば、AとBのポリマーが溶け合うとしたとき、分子レベルで溶け合っているようなポリマーアロイを作ることもできますが、それぞれのポリマーを溶け合わせないままでポリマーアロイにすることもできます。

　さらに、ポリマーアロイでは、どのようなポリマーの組み合わせでも用いることができます。共重合では、例えば、付加重合するものと縮合重合するものを共重合させるのは困難ですが、ポリマーアロイとするのであればそのような組み合わせでも用いることができます。

2-6 2種類以上のモノマーやポリマーを使う（共重合とポリマーアロイ）

ポリマーアロイ

分子レベルで溶け合っているポリマーアロイ

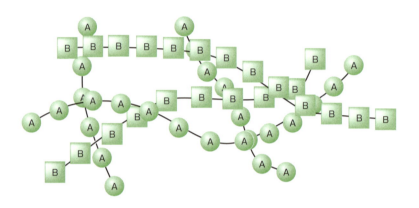

分子レベルでは分離しているポリマーアロイ

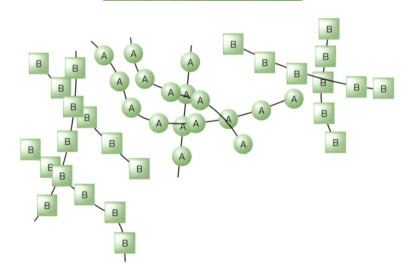

2-6 2種類以上のモノマーやポリマーを使う（共重合とポリマーアロイ）

▶▶ ポリマーアロイの応用

　ポリマーアロイが成功を収めた典型的な例として、**耐衝撃性ポリスチレン**を挙げることができます。ポリスチレンは非常によく用いられるプラスチックですが、耐衝撃性が低く、割れやすいという欠点があります。耐衝撃性ポリスチレンは、ポリスチレンを少量のゴムとポリマーアロイとしたものです。ゴムは衝撃を吸収する能力が高いので、衝撃を受けてポリスチレンの部分が割れようとしても、その力を吸収してしまうことができます。ゴムを混ぜ込む量はごく少量でよいので、ポリスチレンの安価であるという特徴を失うことなく、優れた耐衝撃性を与えることができるのです。

　AとBのポリマーが混ざり合わない場合でも、その表面だけでも混ざり合うようにすることもできます。このような目的で、ブロック共重合ポリマーの添加は効果的です。混ざり合わないAとBのポリマーに、AとBのモノマーからなるブロック共重合ポリマーを加えると、ブロック共重合ポリマーのAの部分はAと、Bの部分はBと、それぞれ混ざり合います。

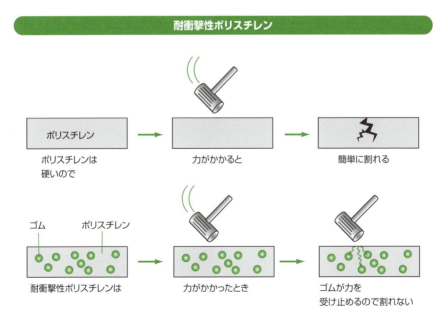

耐衝撃性ポリスチレン

2-6　2種類以上のモノマーやポリマーを使う（共重合とポリマーアロイ）

　ブロック共重合ポリマーはAとBを結びつけたような構造をしていますから、それによって、AとBからなるポリマーアロイに、AとBがあたかも溶け合っているかのような性質を与えることができるのです。

アクリルとは

　みなさんは、アクリルという言葉を聞いたときにどういうものを思い浮かべるでしょうか。

　ある方は、それは糸（繊維）であると言います。そうですね。アクリルの糸（繊維）はふっくらした感触をもち、染めやすいので、ウール（羊毛）の代わりに毛糸に使われたりします。今、皆さんが着ている服も、アクリルで織られているかもしれません。

　ある方は、それは板であるといいます。そうですね。ホームセンターなどに行くと、アクリルの板を売っています。透明な硬い板で、ガラスの代わりに使われます。透明なケースを作るのにとても便利です。

　同じアクリルでも、全然違いますね。硬い板を作るプラスチックが、ふわふわの糸にもなるなんて。

　実は、それぞれの「アクリル」は、全然別のものなのです。糸を作るアクリル（アクリル繊維）は、ポリアクリロニトリルというプラスチックです。結晶性のポリマーで、不透明なものです。それに対して、板を作るアクリル（アクリル樹脂）は、ポリメタクリル酸メチルというプラスチックです。結晶性がなく非常に透明である（5-1節参照）代わりに、全く糸にはなりません。アクリルという言葉は文脈によって異なるものを指すので、注意が必要です。

　それぞれのアクリルのモノマーには共通の部分構造があり、それが「アクリル」です。いずれも略称として「アクリル」と呼ばれるようになったのでしょう。誰が最初にそれぞれ「アクリル」と呼び始めたのかわかりませんが、それぞれの分野で使われていた呼び名が定着してしまったため、いまさら変えることはできなくなってしまいました。

▼アクリル繊維のマフラー

2-6　2種類以上のモノマーやポリマーを使う（共重合とポリマーアロイ）

ポリマーアロイにおける第三成分の効果

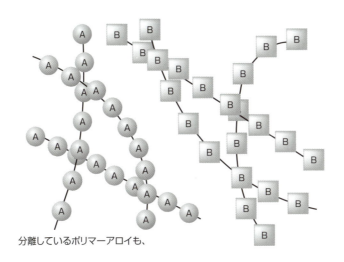

分離しているポリマーアロイも、

ブロック共重合ポリマーを加えると

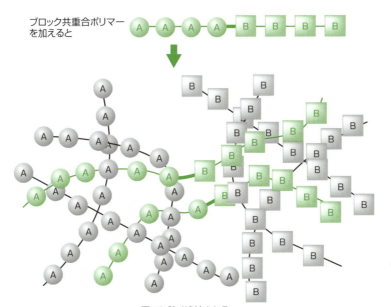

互いに強く連結される

2-7 プラスチックに形を与える（成型）

ここまで述べてきたのは、プラスチックの作り方ではなく、プラスチックのもととなるポリマーの作り方でした。こうして合成できるポリマーは粉末か塊で、それをコップや袋のような形に形作らなければなりません。

プラスチックは様々な形の製品にできることが特徴です。このように形を作ることを成型といいます。ポリマーは成型によって初めてプラスチックの製品となるのです。

粉や粒のポリマーから成型する

▶▶ 形を作るには、まず軟らかくする

プラスチックは、ガラスや金属に比べたら軟らかいとはいえ、粘土のように自由に成型できるわけではありません。プラスチックの塊から目的の形のものを削り出すという成型方法も可能ではありますが、手間がかかります。

プラスチックの成型は、まずプラスチックを軟らかくし、その状態で成型してから再び硬くするという手順をとります。プラスチックの成型はプラスチックを軟らかくする方法によって、溶媒を用いる方法と熱を用いる方法とに大きく分かれます。

2-7 プラスチックに形を与える（成型）

プラスチックを軟らかくする

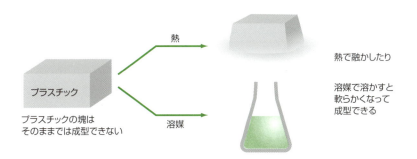

▶▶ 溶媒を用いた成型

　溶媒を用いる方法は、まず、プラスチックを適切な溶媒に溶かして溶液にします。これを適当な形にしたあとに溶媒を蒸発させて、ポリマーの成型体を得ます。この方法では、形を整えても溶媒が蒸発するので、その分、体積は減少します。そのため、溶媒を用いた成型は、いわゆるプラスチック製品を作るためには使われません。

　この方法が使われるのは、例えば接着剤です。接着剤の多くは（すべてではありません）ポリマーを適当な溶媒に溶かしたものです。これを接着面に塗り、溶媒が蒸発すると強いポリマーが残り、強い接着力が得られます。また、何かの表面にポリマーをコートするときには、強く密着させるために溶媒を用いる方法がしばしば用いられます。ペンキは、このようにして膜状に成型されたプラスチックです。

▼ペンキ

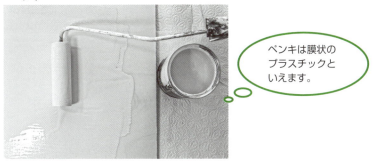

2-7 プラスチックに形を与える（成型）

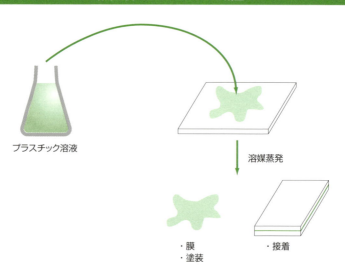

溶媒を使ったプラスチックの成型

▶▶ 熱を用いた成型

　私たちが普段目にするプラスチック製品のほとんどは、熱によってプラスチックが軟らかくなることを利用して成型されます。2-5節で述べたように、プラスチックはガラス転移温度あるいは融点以上に加熱すると軟らかくなり、流動性をもちます。この状態ではプラスチックを自由な形に変えることができます。必要な形になったところでそのプラスチックをガラス転移温度以下に冷却すると、流動性が失われ、硬いプラスチックに戻ります。これで成型が完了です。

　このようにして成型されたプラスチックでは、プラスチック内部でポリマーの分子の動きが凍結されているだけですから、再びガラス転移温度あるいは融点以上に加熱すれば再び軟らかくなり、別の形に成型が可能です。もし1種類のプラスチックだけが回収できるのであれば、そのプラスチックはこのようにして再利用することができます。

2-7 プラスチックに形を与える（成型）

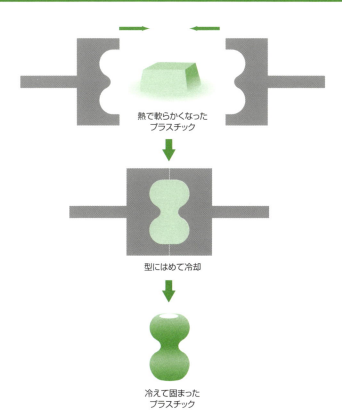

加熱によるポリマーの成型

熱で軟らかくなった
プラスチック

型にはめて冷却

冷えて固まった
プラスチック

　プラスチックの熱による成型では、ポリマーを軟らかくしたあとにどのように形を整えるかに様々な工夫がされ、実に多様な成型方法が使われています。必要なプラスチック製品の形状によって、適切な成型の方法が選ばれます。次節では、代表的な成型の方法を解説します。

2-8
熱による成型方法いろいろ

　プラスチックの成型の方法は、温めて軟らかくしたポリマーをどのようにして目的の形にするかということで分類することができます。型にはめる方法や風船のように膨らませる方法など、プラスチック製品の形状に応じて様々な成型方法が使われます。ここでは、その中から代表的な方法だけを簡単に紹介します。

▶▶ 射出成型

　私たちの身の回りにあるプラスチック製品の多くが、**射出成型**で作られています。射出成型は成型速度が非常に速いので、プラスチック製品の大量生産に向いています。

　射出成型は、金型と呼ばれる金属でできた型の中に、溶けたプラスチックを注入して成型します。金型は冷やしていますので、プラスチックはすぐに固まります。ただし、入り口のところで固まってしまわないように、金型の冷やし方を工夫しなければなりませんし、プラスチックを一気に注入する必要があります。

　プラスチックが冷えて固まったところで金型を開き、中から製品を取り出します。射出成型で生産速度を決めるのは、溶けたプラスチックをどのように流すかです。また、袋小路の先に必要な空気の逃げ場をどう作るか、金型をどのようにして開くかなども、製品の品質や生産速度に大きく影響します。金型をどのように作るかが、射出成型の最も重要な点です。

2-8 熱による成型方法いろいろ

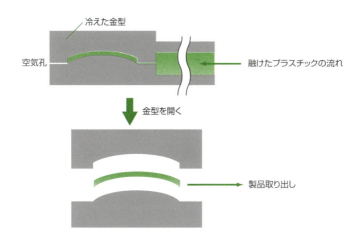

射出成型

押出成型

　溶融したプラスチックを丸や四角の口の開いた金型から押し出すと、プラスチックの棒を作ることができます。金型の口が同心円であれば、パイプを作ることもできます。また、T字やH字、コの字型など、様々な断面をしたプラスチックの製品を同様に作ることができます。このような成型法を**押出成型**といいます。

　押出成型では、射出成型と違い、製品の大きさが金型の大きさと無関係です。そのため、大量のプラスチックを連続的に供給すればいくらでも長いものを作ることができます。

2-8 熱による成型方法いろいろ

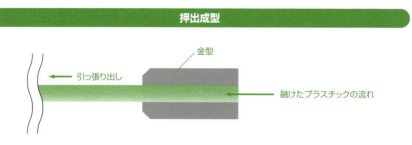

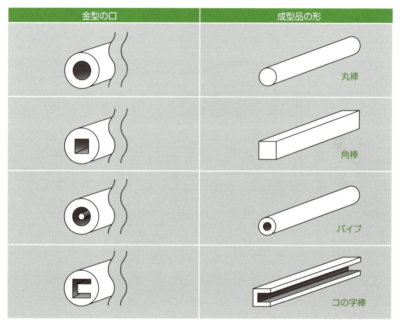

▶▶ フィルム成型

　プラスチックの特徴は、薄くて丈夫な膜に成型できることです。この特徴については他の材料の追随を許しません。膜を作る成型法のことを**フィルム成型**といいます。それは、膜のことを英語でフィルム（film）というからです。カメラで使うフィルム（デジタルカメラの普及で使わなくなりました）は、感光剤をフィルム状のプラスチックに塗っているので「フィルム」と呼ぶのです。

2-8 熱による成型方法いろいろ

　フィルム成型は押出成型の一種で、フィルムは、溶融したプラスチックを薄くて幅の広い口の開いた金型から押し出して成型されます。金型の口の厚さによってフィルムの厚さが決まります。押し出されてきたフィルムはロールに巻き取りながら冷却します。高性能のフィルムでは、様々な特性のフィルムを何層にも重ねて成型します。その場合、金型を何段にも重ねて同時に押し出し、まとめてロールに巻いて積層します。このとき、金型によって口の厚さを変えておけば、厚さの異なる層を同時に成型できます。

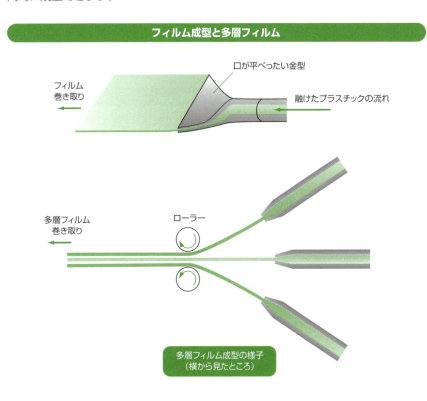

フィルム成型と多層フィルム

2-8 熱による成型方法いろいろ

▶▶ インフレーション成型

　ビニール袋のような薄いプラスチックの袋は、筒状のフィルムから作られます。筒状のフィルムは、パイプを作るときと同様な同心円の形をした口金を持つ金型を利用した押出成型で作られます。パイプを作るときと異なるのは、金型から出たプラスチックを空気で膨らませ、口金よりも径の大きな筒とすることです。この過程を**インフレーション**といいます。

　インフレーションによって、プラスチックの筒の壁を非常に薄くすることができます。袋にするときには、この筒状のフィルムをたたんだあと、適当な長さのところで溶融して密着させます。そして切断すると、袋ができあがるのです。

インフレーション成型と袋

巻き取り

インフレーション成型

押し出し成型と
同様の金型

空気

融けたプラスチックの流れ

インフレーション成型で作った
壁の薄いプラスチックの筒

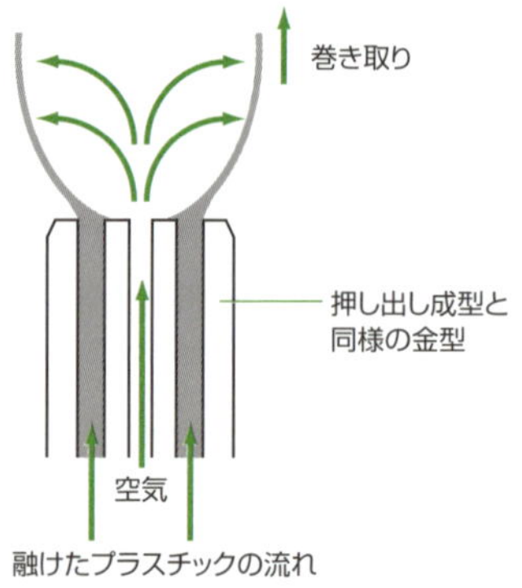

袋のつくり方

融かして封じたところ

100

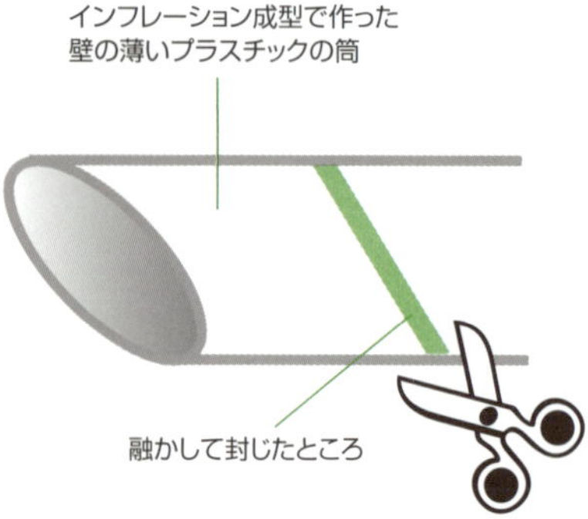

2-8 熱による成型方法いろいろ

▶▶ ブロー成型と真空成型

　空気の力を利用すると、様々な成型を行うことができます。**ブロー成型**はシャンプーやマヨネーズの容器など、中空のものを成型するときに使う成型法です。ブロー成型では、溶融したプラスチックの塊に空気を吹き込み、冷えた金型に密着させるように成型します。

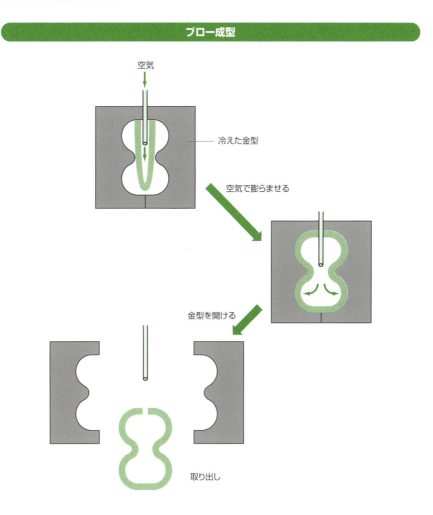

ブロー成型

2-8 熱による成型方法いろいろ

逆に、真空を利用するのが**真空成型**です。真空成型では、金型の上に軟らかくしたプラスチックのシートを載せ、金型との隙間の空気を吸い出すことでシートを金型に密着させます。真空成型は、卵パックやお惣菜を入れるポリ容器など、薄いプラスチック容器を成型するのに適しています。

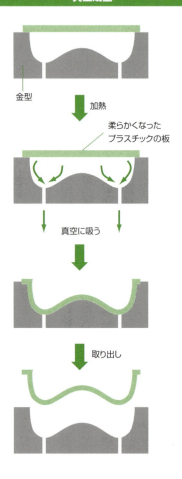

真空成型

金型

加熱

柔らかくなったプラスチックの板

真空に吸う

取り出し

プラモデルの成型
ランナーと呼ばれる枠に部品がついているものは射出成型で作られている。ランナーは金型でプラスチック樹脂を流すところである。飛行機やラジコンカーのポリカルボナート製のボディは真空成形で作られている。

2-9

融けないプラスチックを作る（架橋）

プラスチックは一般に、加熱すると融けてしまいます。一方、木材もポリマーからできていますが、木材は加熱しても焦げるだけで、強度を保ち、融けません。木材のようなプラスチックはどのようにすれば作ることができるのでしょうか。もっとも、プラスチックという言葉は、もともと「可塑性のある」という意味の言葉ですから、加熱しても融けずに焦げるだけのものは、もはやプラスチックとは呼ばないかもしれませんけれどね。

▶▶ 焦げるプラスチックの構造

焦げるということは、ポリマーの分子が熱で分解しているということです。私たちの使うプラスチックは、生物と同じく有機物でできています。有機物の中心となる炭素という原子の持つ手が作る結合は、どんなに安定なものでも、500℃を超えるような温度では少しずつ切れていきます。したがって、どんなに熱に安定なプラスチックでも、500℃を超えると分解していきます。木材も、有機物のポリマーでできていますから、それは変わりません。

2-5節で述べたように、ポリマーを加熱したときの性質はガラス転移温度と融点という2つの温度で表すことができます。木材のように、加熱しても焦げるだけで強度を保つということは、そのガラス転移温度が、分解する温度よりも高くなっているということです。ガラス転移温度というのは、プラスチック全体は動かないけれど、個々のポリマーの分子が動き始める温度です。したがって、ガラス転移温度を高くするためには、ポリマー分子同士を強く結びつけ、動けなくしてしまえばいいのです。

2-9 融けないプラスチックを作る（架橋）

融けるプラスチックと焦げるプラスチック

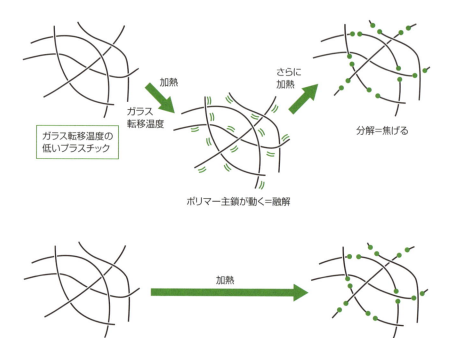

焦げるプラスチックのガラス転移温度

2-9 融けないプラスチックを作る（架橋）

▶▶ プラスチックの分子が結び合えば強くなる

　ポリマーの分子同士を結ぶ方法として、木材のようにポリマー分子間に強い相互
作用をもたせるという方法もあります。しかし、それではモノマーやポリマーの分
子の構造が非常に制限されてしまうだけでなく、加工性が悪くなってしまい、プラ
スチックとしての特徴が生かされているとはいえません。

　融けないプラスチックを作る方法として最も効果的なのは、ポリマー分子間を化
学結合で結んでしまうことです。

　つまり、まず、プラスチックを成型します。この状態のままでは加熱すると融けて
流れてしまいます。そこで、何らかの方法で、プラスチックを作っているポリマーの
分子間を化学結合で結んでしまうのです。いったん化学結合で結ばれてしまえば、
ポリマー分子は加熱してもプラスチックの中で動けなくなってしまいます。これは、
ガラス転移温度が上がったということと同じことです。こうしてできるプラスチッ
クは、硬くて、非常に強度が高く、加熱しても焦げるだけで融けず、どんな溶剤でも
侵されないものになります。

分子間相互作用でガラス転移温度を上げる

主鎖や側鎖の相互作用する部位は、ポリマーの主鎖を動けなくする

≡：分子間相互作用

　このように、ポリマー分子間に化学結合の橋を渡すことを**架橋**といいます。架橋
は、高強度のプラスチックを作るだけでなく、プラスチックに様々な性質をもたせ、
高度の利用を可能にするための基本的な操作です。

2-9 融けないプラスチックを作る（架橋）

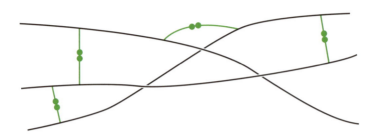

架橋

ポリマー同士を化学結合で結ぶと、ポリマー主鎖は動けなくなる

架橋と紙おむつ

ある物質が溶媒に溶けるという現象は、その物質が1分子までバラバラになって、周りを溶媒に取り囲まれるということです。溶媒の分子は極めて小さいものですが、架橋されたポリマーは目で見える塊1つが1つの分子で、その大きさには天文学的な差があります。そのため、架橋されたポリマーを溶媒が完全に取り囲み溶解することはできません。架橋が緩い場合には、溶媒分子が架橋構造の網の目に入り込んでいくことはできます。しかし、分子が大きすぎるので、やはり溶解には至りません。このように、ポリマーが溶媒を吸って膨れあがった状態を膨潤といいます。こんにゃくは水で膨潤したポリマーの典型的な例です。

ポリアクリル酸塩は非常に水に溶けやすいポリマーです。そのため、適度に架橋されたポリアクリル酸塩も水に溶けようとしますが、架橋が邪魔して溶けることはできません。その代わり、自分の重量の1000倍以上もの重さの水を吸って大きく膨潤します。このことを利用して、ポリアクリル酸塩は紙おむつに使われます。水で膨潤したポリアクリル酸塩は、単に繊維の間に水を保持しているだけの雑巾と異なり、絞っても水は出てきません。一方、ポリアクリル酸塩は単なる水よりも食塩水を吸いにくいので、膨潤したポリアクリル酸塩に塩をふると、水を放出します。

▶▶ 架橋の効果

　架橋によって、一次元のひものような構造だったポリマーは、三次元の網目構造を持つポリマーとなります。このような互いに絡み合った網目構造が、高強度の原因です。

　ガラスや陶器のような材料が高い強度をもつ原因は、これらの材料の中で原子が三次元の網目構造をもっていることにあります。ガラスや陶器では分子が有機物ではないので、ガラスや陶器を作る原子同士の結合は有機物が分解してしまうような温度でも切れません。そのため、加熱しても焦げることなく、非常な高温までその強度を保ちます。ただし、ガラスや陶器では、これらの材料を作る原子に一次元のひものような状態をとらせることができず、どのような場合でも三次元の網目構造となっています。

　それに対して、プラスチックでは必要に応じて一次元を三次元に変えることができます。そのため、プラスチックはガラスや陶器に比べて非常に融通のきく材料です。

三次元網目構造

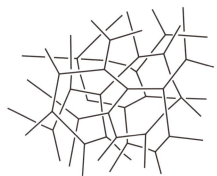

無限に続く三次元網目構造
ガラス、陶器も同様の構造を持つ
高強度・高耐熱性の原因

2-9 融けないプラスチックを作る（架橋）

▶▶ 架橋の方法

　一次元のポリマーから三次元の網目構造を形成するためには、平均してポリマーの分子1本あたり少なくとも2つの架橋点が必要です。もっとも典型的な場合では、ポリマー分子にビニル基のように重合する原子の組み合わせを入れておき、適切なモノマーと付加重合させます。ビニル基を持つポリマーを付加重合で作ることはできませんから、このようなポリマーは縮合重合で作られます。風呂桶など、強い強度を要求されるプラスチック製品はこのような方法で作られます。架橋が活躍するプラスチックはいろいろあります。ゴム（2-10節参照）や樹脂（2-11節参照）は、その代表的なものです。

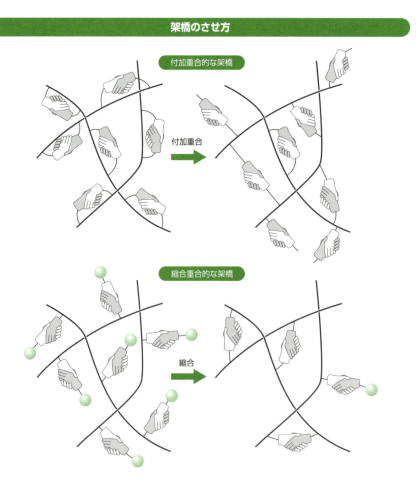

架橋のさせ方

2-10
ゴムとエラストマー

ゴムの性質は架橋によって現れます。なぜゴムには架橋が必要なのでしょうか。また、どういうポリマーを架橋するとゴムになるのでしょうか。

▶▶ ゴムは硫黄によってゴムとなる

ゴムは天然のプラスチックです。その名も「ゴムの木」という木からとれます。ゴムの木の幹に傷をつけると、**ラテックス**といわれる白い液が出てきます。これはゴムのポリマーが水に分散したものです。ラテックスを集めて、そこからゴムのポリマーを取り出します。こうしてできたゴムのポリマーは**生ゴム**と呼ばれます。この状態では、多少の弾力性は示しますが、私たちが知っているゴムのような強さはありません。形を作ろうとしてもすぐに崩れてしまいますし、加熱すると融けて流れます。

私たちの知っているゴムは、生ゴムに硫黄を加え加熱して作ったものです。この操作によってゴムは成形ができるほど強くなり、高い弾力性を示すようになります。また、加熱しても融けずに焦げるようになります。生ゴムを硫黄で処理する操作は、ゴムをゴムとして使うのに必須です。

生ゴムは硫黄と反応させることでゴムとなる

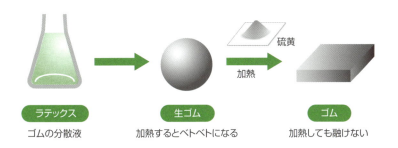

ラテックス
ゴムの分散液

生ゴム
加熱するとベトベトになる

ゴム
加熱しても融けない

2-10 ゴムとエラストマー

▶▶ ゴムは液体と固体の性質をあわせもつ

　ゴムの特徴は自由に変形でき、手を離すと元の形に戻ることです。輪ゴムを伸ばすと、その分輪ゴムは細くなります。つまり、ゴムが伸び縮みすることは、ゴムが変形することの一つの現れ方なのです。また、ゴムは伸びるだけではありません。ゴムの板を押せば圧縮されます。その際、力に対して横の方向には膨れることになります。いずれの場合も、力を取り除けば元の形に戻るわけですから、ゴムは固定した形状をもっているということができます。

　このように、力をかけると形が自由に変形することは、液体のもつ典型的な特徴です。それに対して、固定した形状をもつことは固体の典型的な特徴です。すなわち、ゴムとは、液体を液体のままで固体のように固めたものであるということができます。どうして、液体が固まっているのでしょうか。

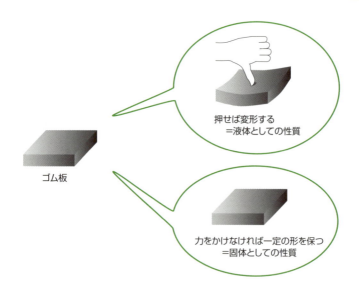

ゴムは液体でもあるし固体でもある

押せば変形する
＝液体としての性質

ゴム板

力をかけなければ一定の形を保つ
＝固体としての性質

ゴムの不思議な現象
多くの物質は温めると膨張し冷やすと収縮するがゴムは温めると収縮する。一般に物質は温度が上昇すると自由度が高くなる、ゴムは常温で伸びた状態で分子の動きが不自由な状態なため温めて自由度を高くすると縮む。

▶▶ 生ゴムのガラス転移温度は室温以下

ゴムの性質は、**ガラス転移温度**によって理解することができます。ガラス転移温度というのは、ポリマーによって決まっている温度です。ガラス転移温度以上にポリマーを加熱すると、ポリマーがあたかも液体であるかのように軟らかい固体となり、自由に変形できるようになります。しかし、この状態は粘土のようなもので、変形すると変形しっぱなしで、元の形に戻ることはありません。

ここで、ガラス転移温度が室温よりも低いポリマーを考えてみましょう。このようなポリマーは、室温ではガラス転移温度以上に加熱されているのと同じことですから、べたべたしたプラスチックです。粘っこい液体のようなものであったり、軟らかいガムのようなものであったりします。生ゴムとはまさにこのようなものです。生ゴムはガラス転移温度が室温以下のポリマーです。生ゴムは室温では液体です。

硫黄による架橋

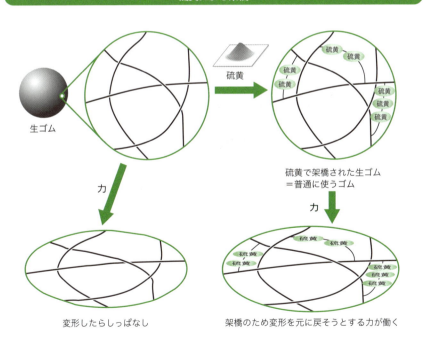

2-10 ゴムとエラストマー

▶▶ 生ゴムの硫黄による架橋

　生ゴムをゴムに変えるには、硫黄と加熱することを述べました。実は、生ゴムは硫黄と加熱することによって、架橋されるのです。架橋といっても、ガラス転移温度が上がらない程度に架橋されていることがポイントです。

　架橋によって三次元に架橋されることで、ポリマーの分子は全体的に動けなくなり、ゴムに形が与えられます。すなわち固体となるのです。しかし、ガラス転移温度は室温以下のままですから、液体としての性質は変わらず、変形は自由にできます。そして、変形すると、架橋点がバネのように働いて、形を元の状態に戻そうとする力が働くようになります。これがゴムです。すなわち、ガラス転移温度が室温以下の生ゴムを架橋することで、液体でも固体でもあるゴムとなるのです。

　ゴムに硫黄をたくさん入れて架橋をガチガチにすると、**エボナイト**と呼ばれる弾力性のない硬いプラスチックになります。これは、密度の高い架橋によってガラス転移温度が室温以上に上がってしまったからです。ガラス転移温度が室温以上になると、ゴムとしての性質を示さなくなります。

　ゴムは、ガラス転移温度以下ではゴムとしての性質を失い、普通のプラスチックのように振る舞います。例えば輪ゴムは、－100℃以下に冷やすと硬いプラスチックとなり、曲げれば折れるようになります。

ゴムとガラス転移温度

合成ゴムとエラストマー

　では、生ゴムでなくとも、ガラス転移温度が室温以下のポリマーを架橋したら、必ずゴムになるのでしょうか。その通りです。ゴムの性質は、ゴムの木の樹液に特徴的なものではありません。ガラス転移温度が室温以下のポリマーを架橋しさえすれば、必ずゴムになります。

　ゴムの木に頼らずにゴムを生産するために、様々な合成ゴムが開発されてきました。初期の頃は、生ゴムの分子構造を参考に、ネオプレンゴムやクロロプレンゴムなどと呼ばれる合成ゴムが開発されました。これらは、生ゴムから作られる天然ゴムとは異なる特性をもつゴムとして現在でも使われています。

　一方、最近では、生ゴムの分子構造とは似ても似つかない、ガラス転移温度が低いポリマーの架橋によるゴム状物質が次々と開発されています。これらは、分子構造が天然ゴムとは似ても似つかないだけでなく、架橋の方法も天然ゴムとは大きく異なるため、総称して**エラストマー**（elastmer）と呼ばれます。これは、弾力性のあるという意味のelasticという形容詞から作られた言葉です。ゴムはエラストマーの一種であるということができます。

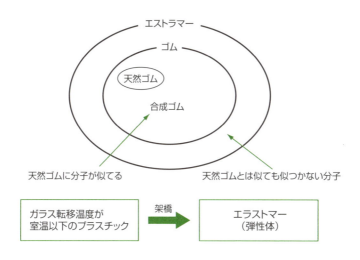

エラストマー

▶▶ 形状記憶樹脂

　ガラス転移温度が室温よりも高いポリマーを架橋すると、「室温ではプラスチック、温度を上げるとゴム」という材料ができます。**形状記憶樹脂**はこのような材料です。室温で変形させてしまっても、ガラス転移温度以上に加熱すれば、ゴムなので自分で元の形に戻るのです。

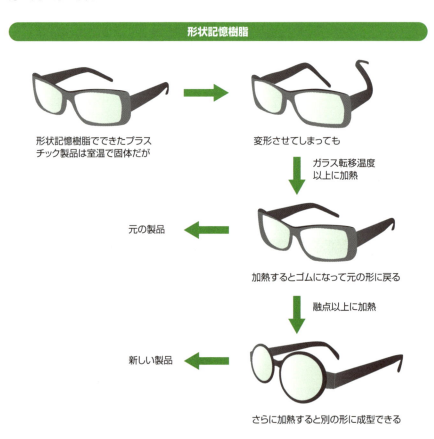

形状記憶樹脂

▶▶ 形状記憶繊維

また、ゴムとは異なりますが、**形状記憶繊維**も架橋をうまく利用した例です。最近、ワイシャツなどで、アイロンをかけなくともしわにならない、形状記憶繊維が広く利用されるようになっています。この場合、ワイシャツのしわが十分伸びた状態で、ワイシャツの繊維の間を架橋します。もちろん、強く架橋してしまったらガチガチのワイシャツができてしまって着ることはできませんから、繊維の弾力を失わない程度に軽く、しかし、繊維間の関係が保持できる程度には十分に架橋します。

しわというのは、繊維同士の関係がずれた状態です。しかし、繊維の間を架橋してあれば、しわができても元の位置関係に戻ろうとする力が働きます。これは、ゴムが元の形状に復帰しようとする働きと同じもので、そのような働きによって形状記憶繊維のしわは自然に伸びていきます。そのため、形状記憶繊維を使えば、しわにならないワイシャツができるのです。

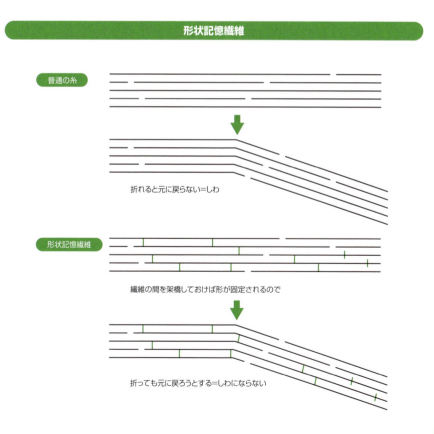

形状記憶繊維

2-11

樹脂

　樹脂とは液体あるいは半固体の物質で型に流し込み、さらに何らかの方法で固めてしまうことによって、型に応じた成型品を作ったり、中に大事なものを閉じ込めたりするものです。しばしば、プラスチックのことを合成樹脂と呼びます。これは、プラスチックを加熱して融かし、冷やして固めることで型を取ることができるからです。

▶▶ 樹脂とは

　松の幹に傷をつけると、鼻を突く臭いのする液体が出てきます。これを松脂（マツヤニ）といいます。松脂は水に溶けずに油に溶ける物質です。松脂は放置しておくと固まって、黄色く透明なプラスチックになります。このプラスチックはもう油にも溶けません。これは、松脂がプラスチックになる過程で架橋が起こっているからです。

　このように、木から出る油で、空気中で固まる性質をもつものを本来は樹脂と呼びます。しかし、現在では、液体状態のもので、何らかの刺激で固まるものを一般に樹脂と呼んでいます。

硬化性樹脂

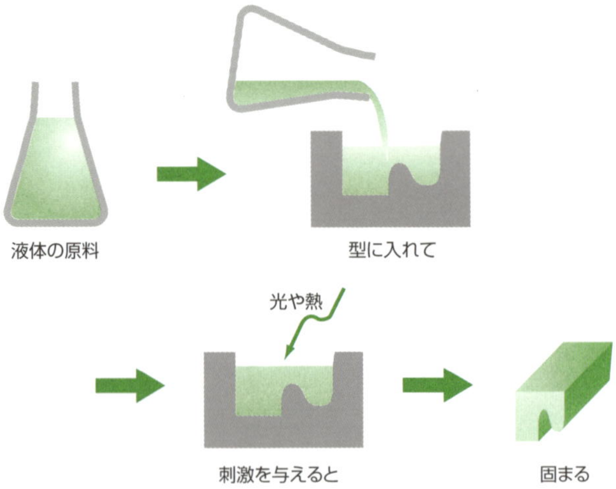

液体の原料 → 型に入れて

光や熱

→ 刺激を与えると → 固まる

116

樹脂には熱を加えて変形させたあとに冷やして固める**熱可塑性樹脂**と、成型と同時に形状が固定される**硬化性樹脂**があります（1-6節参照）。樹脂としての利用が特徴的なのは、硬化性樹脂です。

樹脂は最初が液体あるいは半固体ですから、型にはめるとか、塗るとか、詰めるとか、様々な形状をとらせることができ、それをそのまま固めることで形状を固定する用途に非常に多く使われます。

▶▶ 硬化性樹脂はどうして固まるか

硬化性樹脂は熱や光のような適切な刺激を与えることによって重合し、固まります。硬化性樹脂そのものはモノマーである場合もありますし、ポリマーである場合もあります。重合には、多くの場合架橋を伴ない、丈夫な成型品を得ます。何を重合させるか、何を刺激として重合させるか、どういう重合が起こるのかなどによって、実に様々な樹脂が作られています。2-9節で述べたような架橋ポリマーも硬化性樹脂の一種ですが、型に流し込むようなことを考えると、モノマー状の硬化性樹脂に、より多くの用途があります。ここでは、代表的な樹脂として、フェノール樹脂と歯科用樹脂について解説します。

硬化性樹脂は架橋させて固める

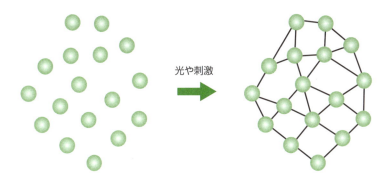

硬化性樹脂のモノマー（さらさら流れる）　　　架橋しながら重合して固まる

2-11　樹脂

▶▶ フェノール樹脂

　フェノール樹脂は、初めての人工プラスチックです（1-4節参照）。フェノール樹脂は、**フェノール**という化合物と**ホルムアルデヒド**という化合物から、水の脱離する縮合重合によって作られます。フェノールにはホルムアルデヒドと反応するところが3か所あります。ホルムアルデヒドにはフェノールと反応するところが2か所あります。その結果、フェノールとホルムアルデヒドが縮合重合すると、三次元網目構造を持つ硬い架橋体となるのです。

　フェノールとホルムアルデヒドの縮合は、酸あるいはアルカリの作用によって起こります。しかし、フェノールとホルムアルデヒドを型に入れ、酸あるいはアルカリを加えただけでは、きちんとしたフェノール樹脂とすることはできません。確かに、フェノール樹脂を得ることはできますが、縮合重合に伴って発生する熱と水のために、隙間だらけのものしか得られません。そもそも、フェノールもホルムアルデヒドも腐食性が高く、ひどく臭うのでとても使えたものではありません。

　そこで、まずフェノールとホルムアルデヒドを、流動性を失わない程度に軽く縮合重合しておきます。これを型に入れ、酸を加えて一気に固めることで、フェノール樹脂を成形します。あらかじめ一部重合が進行していますので、発生する水は少量ですみます。また、軽くとはいえ重合させておけば、フェノールやホルムアルデヒドの腐食性も臭いもなくなるのです。

▶▶ 歯科用樹脂

　虫歯ができると、削って、そこに詰め物をします。昔は金や銀などの金属を埋め、それぞれ、金歯、銀歯といいました。しかし、金属では加工性が悪いこと、美しくないこと、これらの金属が口の中で電池として働いたりすることから、最近では歯科用の樹脂が使われます。

　歯科用樹脂は、**アクリル酸エステル**と呼ばれるビニル型の化合物で付加重合します。アクリル酸エステルを単に付加重合しただけでは三次元網目構造はできませんが、1つの分子中にアクリル酸エステルのビニル基を2つ持つ化合物をモノマーとして用いることで、三次元網目構造ができるのです。また、アクリル酸エステルのビ

2-11 樹脂

フェノール樹脂の成型

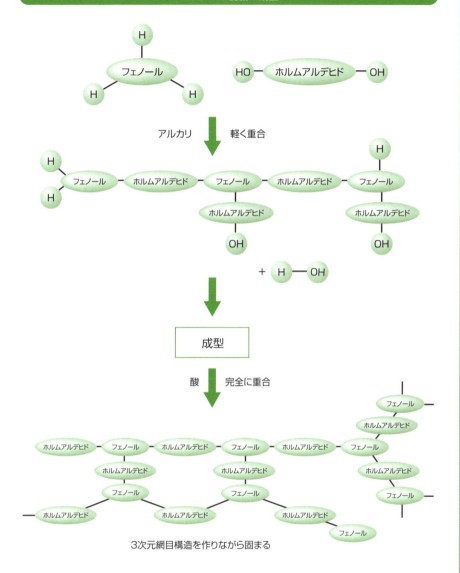

2-11 樹脂

ニル基を2つ持たせて分子を大きくすることにより、揮発しないので臭いがなくなり、歯科用樹脂として使うときに刺激が少なくなります。

アクリル酸エステルのビニル型の付加重合を開始する方法はいくつもありますが、歯科用樹脂としては、光照射による方法が使われます（5-1節参照）。これは、光を当てたところだけを重合して架橋させることができるからです。実際には、歯科用樹脂は歯を削ったところを埋め、そこに光を照射することで固めます。それによって、削った歯の形にきちんと合った詰め物ができあがります。また、光が当たったところだけが固まるので、歯科医が望む形に自由に新しい歯を成型することができるのです。

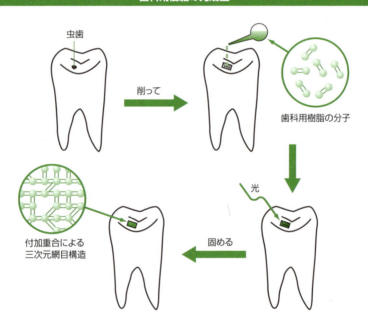

歯科用樹脂の光成型

コンポジットレジン
歯医者さんが虫歯の治療に使うレジン（樹脂）で紫外線で固まる性質をもったプラスチックである。従来の他の材料による治療より歯をあまり削らずに済む。最近は工作用のものが「UVレジン」という名前で販売されている。

2-12
プラスチックの大部分はプラスチックではない！

　プラスチック製品は、プラスチックだけでできているわけではありません。プラスチック製品は、プラスチックに様々なものを添加して製造されます。プラスチック製品を使用に耐えるようにするために、プラスチックそのものよりも添加剤の量の方が多い場合も珍しくはありません。プラスチックを使うために大事な添加剤について解説します。

▶▶ 着色剤

　プラスチックは一般に無色で、結晶性の部分を含むものは白色です。しかし、身の回りのプラスチック製品にはたいてい様々なきれいな色がついています。これは、プラスチックに染料や顔料などの着色剤が混ぜてあるからです。

着色剤

油に溶ける（なじむ）染料による均一な着色

不溶性の顔料による特殊な光学効果をもつ着色

2-12 プラスチックの大部分はプラスチックではない！

プラスチックは油の仲間なので、油によく溶ける染料によって均一に着色することができます。プラスチック製品がカラフルなのはそのためです。また、適切な顔料を用いることで、色をつけるだけでなく、大理石様の模様や光を反射する性質など、様々な光学的な性質を与えることもできます。

▶▶ 光安定化剤

プラスチックの多くは、太陽の光にさらすと分解していきます。これは太陽の光の中に紫外線といわれる光が入っているからです。この紫外線は、皮膚に当たると日焼けの原因となる光で、様々な反応を引き起こします。この光がプラスチックに当たると、プラスチックが分解し、強度が低下するだけでなく、黄色い色がついてきます。特に屋外で使うプラスチックでは、紫外線に当たっても分解しないように、**光安定化剤**といわれる添加剤が使われます。

光安定化剤は紫外線をよく吸収して無害な熱に変える物質です。それによって、プラスチックは紫外線の作用を免れることができます。

光安定化剤

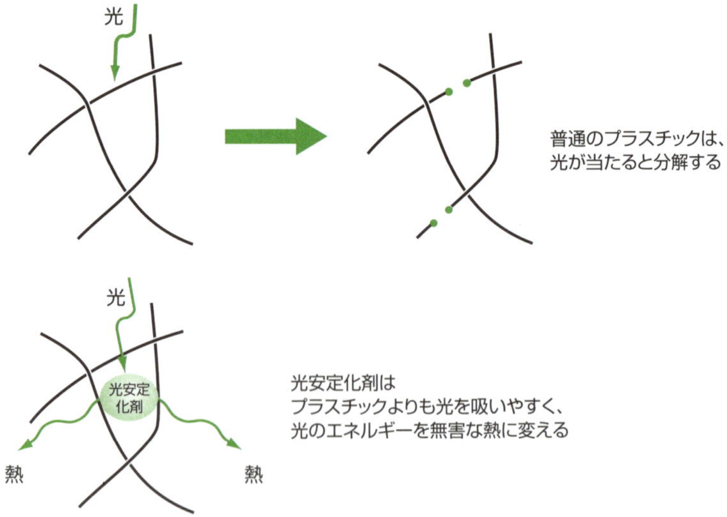

普通のプラスチックは、
光が当たると分解する

光安定化剤は
プラスチックよりも光を吸いやすく、
光のエネルギーを無害な熱に変える

2-12 プラスチックの大部分はプラスチックではない！

▶▶ 可塑剤

　プラスチックは、硬いものから軟らかいものまで様々です。しかし、硬いプラスチックに**可塑剤**といわれる添加剤を加えると、軟らかいプラスチックに変えることができます。「塑」というのは「形を変える」という意味で、硬いプラスチックを形を変えられるようなプラスチックに変身させる物質です。例えば、ポリ塩化ビニルというプラスチックは非常に硬いプラスチックですが、可塑剤を加えることによってその硬さを自由に調節できます。

　水道管に使うプラスチックと、ソファーに使うレザーとが、全く同じプラスチックから作られていることが想像できますか？　水道管は可塑剤をほとんど含まないポリ塩化ビニルで、レザーは可塑剤を多く含むポリ塩化ビニルです。

◀ソファ

フィラー

どんなに硬いプラスチックでも、石やガラスに比べると非常に軟らかいものです。2-9節で述べたように架橋をすれば強度を上げることはできますが、それでも限度があります。では、石のように硬くなければならない用途に対してはどうすればよいのでしょうか。

一つの方法は、硬くなるような混ぜ物をすることです。石のように硬くするには、石を混ぜればいいのです。プラスチックに石を混ぜると、プラスチックが接着剤のように働いて石同士の隙間を埋めます。それによって、まるで一枚岩のような硬いプラスチックができます。

石は燃えません。しかし、プラスチックはよく燃えます。そのため、プラスチックで家を建てると、火災に非常に弱い家ができてしまいます。では、プラスチックを燃えないようにするにはどうすればよいでしょうか。

一つの方法は、燃えにくくするような混ぜ物をすることです。石のように燃えなくするには、石を混ぜればよいのです。石を混ぜたプラスチックは燃えにくくなります。今では、家を造る材料の多くがプラスチックでできています。

多くのプラスチックは電気を通しません。そのため、静電気が非常にたまりやすく、時にはその静電気が原因で発火することすらあります。プラスチックに金属のような電気伝導性を与えるにはどうすればよいでしょうか。

一つの方法は、電気を通すような混ぜ物をすることです。電気を通すようにするためには、電気を通すものを混ぜればよいのです。金属の粉や黒鉛を混ぜたプラスチックは、程度の大小はともかく、電気を通すようになります。それによって、静電気による事故を防ぐことができるだけでなく、電気伝導性を利用した様々な用途に使えるようになります (5-7節参照)。

2-12 プラスチックの大部分はプラスチックではない！

　プラスチックの特徴は、いろいろなものを簡単に混ぜ込むことができることです。特に、石やガラスや金属のような無機物を混ぜ込むことによって、有機物であるプラスチックだけでは実現できない性能をプラスチックで実現できるようになります。しかも、プラスチックとしての特性は保ったままですから、様々な方法で容易に成型ができます。このような材料は、石やガラスの性能のすべてをもっているわけではありませんが、用途によっては石やガラスよりもはるかに便利に使うことができるわけです。

　プラスチックに混ぜ込むこのような無機物のことを**フィラー**といいます。フィラーとしては、均一に混ぜるために細かい粉末状のものが一般に使われます。どういうフィラーを混ぜるかによって、プラスチックに強度や難燃性だけでなく、断熱性、寸法安定性、防音性など様々な性質を与えることができます。

フィラーによるプラスチックの性能の改善

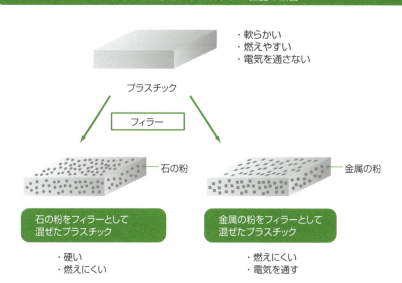

ゴム磁石、プラスチック
フェライト磁石やネオジム磁石などの磁性体をフィラーとしたもの。このような磁石を「**ボンド磁石**」と呼ぶ。最近では高分子材料そのものに磁性をもたせた機能性プラスチックの研究開発も進んでいる。

2-12 プラスチックの大部分はプラスチックではない！

　例えば自動車のタイヤが黒いのは、タイヤに**カーボンブラック**と呼ばれる細かい炭素の粒がフィラーとして混ぜられているからです。カーボンブラックを入れないタイヤは単なるゴムですから、消しゴムのようなものです。そんなタイヤはすぐに削れてすり減ってしまい、ちょっと走っただけで穴が開いてしまいます。ゴムはカーボンブラックを混ぜることではじめて何千kmも走れる耐久性をもつようになり、まともに走れるタイヤを作ることができるのです。

　最近、環境に優しいタイヤとして、燃費の良いタイヤが注目を集めています。これは、フィラーとして、カーボンブラックの代わりに、シリカゲルというガラスの親戚が使われています。フィラーが変わることによって、プラスチックの性能が大きく変化している好例です。

エコタイヤ

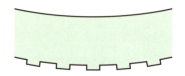

タイヤのゴムを普通のゴムで作ると、すぐに削れてしまう

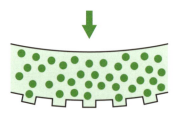

フィラーとしてカーボンブラックを入れると耐久性のあるタイヤができる

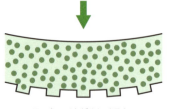

フィラーをシリカゲルにすると耐久性はそのままで燃費が上がる

▼タイヤ

2-12 プラスチックの大部分はプラスチックではない！

　ビニール袋などのごく単純なプラスチック製品でなければ、たいていのプラスチック製品にはフィラーが使われています。例えば、半透明のビニールのゴミ袋では炭酸カルシウムというフィラーが入っているといった具合です。

　プラスチックは軽いため、フィラーの量はプラスチック製品の中でかなりの量を占めます。プラスチック製品だと思っていても、そのほとんどがフィラーで、プラスチックはごくわずかしか含まれていない、などということも珍しくはありません。

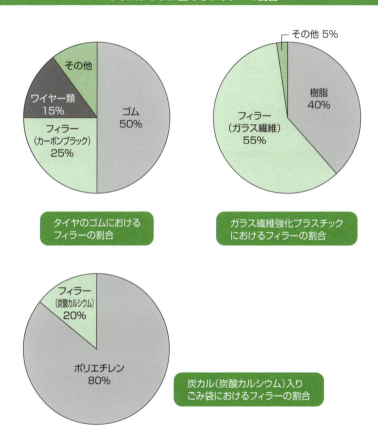

プラスチックに占めるフィラーの割合

タイヤのゴムにおけるフィラーの割合：ゴム 50%、フィラー（カーボンブラック）25%、ワイヤー類 15%、その他

ガラス繊維強化プラスチックにおけるフィラーの割合：樹脂 40%、フィラー（ガラス繊維）55%、その他 5%

炭カル（炭酸カルシウム）入りごみ袋におけるフィラーの割合：ポリエチレン 80%、フィラー（炭酸カルシウム）20%

2-12　プラスチックの大部分はプラスチックではない！

▶▶ コンポジット（複合材料）

　単にプラスチックにフィラーを混ぜて性能を改善するのではなく、もっと積極的に他の材料と複合化すると、それぞれの材料だけでは実現できない全く新しい性能を引き出すことができます。このように、材料を複合化して用いることによって、全く新しい材料となったとき、その材料を**コンポジット**（**複合材料**）と呼びます。

　例えば、繊維と**熱硬化性樹脂**との複合材料である**繊維強化プラスチック**は、繊維の粘り強さと熱硬化性樹脂の強度を併せ持つ超高強度材料となります。繊維質としてガラス繊維（ガラスの糸）を使ったガラス繊維強化プラスチックは、軽量であるにも関わらず金属材料よりも高強度の材料として、使用目的によっては、それまで金属材料によって作られてきた様々な部品や製品を置き換えてきました。例えば、極めて高い圧力に耐える必要がある深海艇は、ガラス繊維強化プラスチックを利用することでその性能が飛躍的に向上しました。

　コンポジットでは、それぞれの材料を個別に開発するだけでなく、その複合方法を開発することで、その性能を一段と向上させることができます。比重の高いガラス繊維を、より軽いにも関わらず強度の高い**炭素繊維**（**カーボンファイバー**）や**ホウ素繊維**（**ボロンファイバー**）に置き換えることで、より軽くより高強度の繊維強化プラスチックが開発されています。また、繊維の表面を改質することで熱硬化性樹脂との相性を高め、樹脂と繊維がより密着するようにすると、材料そのものはそのままで、性能が飛躍的に向上します。熱硬化性樹脂も、その樹脂自体の性能はむしろ低くとも、繊維とのコンポジットとしたときに、全体としてむしろ高強度となることもありえます。

　この他にも、プラスチックとコンクリートのコンポジット、**カーボンナノチューブ**などの先端ナノ材料とのコンポジットなど、様々なコンポジットが作られています。いずれも、単にプラスチックと混ぜるというだけでなく、どのように混ぜるかを工夫することで、その性能を大きく変えることができます。コンポジット化することは全く新しい性能を持ったプラスチック材料を作り出すための強力な手段なのです。

2-12 プラスチックの大部分はプラスチックではない！

コンポジット（複合材料）

プラスチック ＋ ガラス繊維／炭素繊維／ホウ素繊維

コンクリート

カーボンナノチューブ

▼カーボンナノチューブのモデルイメージ

・何を混ぜるか
・どのように混ぜるか

コンポジット（複合材料）

第2章 プラスチックができるまで

2-13 発泡体

　プラスチックの中には、発泡スチロールやウレタンマットのように、泡をたくさん含んだような構造のものがあります。このようなプラスチックを発泡体といいます。ここでは、どうやって発泡体を作るのかを見ていきましょう。

▶▶ 発泡スチロール

　発泡スチロールは、**ポリスチレン**というポリマーでできています。ポリスチレンは非常に油を吸いやすい性質をもっています。発泡ポリスチレンはこの性質を利用して作られます。

　まず、ポリスチレンを成型する前の粒に、簡単に蒸発する油をしみ込ませておきます。これを使って成型をすると、成型のときの熱でこの油が沸騰し、それによってできる泡が成型後も残って発泡ポリスチレンができます。水のようにさらさらの液体であれば、泡ができてもその泡はすぐに消えてしまいますが、ポリマーは分子が非常に大きいためネバネバした液体となり、いったん泡ができるとなかなかその泡が消えないからです。泡を作るときの油にどのようなものを使うかによって、様々な特性をもつ発泡ポリスチレンが作られています。

発泡スチロールの作り方

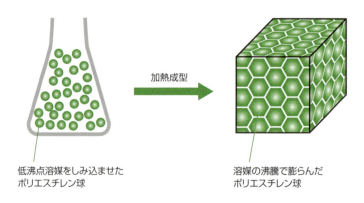

▶▶ ウレタンフォーム

ウレタンフォームや**ウレタンマット**といわれる発泡材料は、**ポリウレタン**というポリマーでできています。ポリウレタンは、イソシアナートというモノマーと、アルコールというモノマーの縮合重合で合成されます。

ウレタンフォームの作り方

基本的な反応

イソシアナート ＋ アルコール

→ イソシアナート ― アルコール ＝ ウレタン

ウレタンとは、イソシアナートとアルコールが結合したもののこと

イソシアナート —（水）→ イソシアナート ― イソシアナート ＋ 炭酸ガス

ポリウレタンフォームの作り方

イソシアナート ― イソシアナート ＋ アルコール ― アルコール ＋ 水

→ イソシアナート ― ウレタン ― ウレタン ― イソシアナート ― ウレタン ― ウレタン ― ポリウレタン
＋ 炭酸ガス

発生する炭酸ガスでポリウレタンは膨らむ

発泡スチロール
発泡スチロールの内部には気泡でできた微細な隙間がたくさんできるため、軽量で断熱性、耐衝撃性に優れる。また耐水性にも優れている。酸やアルカリには強いが有機溶剤には溶ける。

2-13 発泡体

　ここで、イソシアナートは、水に触れると自分自身で縮合し、その際に二酸化炭素（炭酸ガス）を発生するという性質をもっています。一方、アルコールは水に触れても何も変化をしません。そこで、重合を行うときに、アルコール側に水を混ぜておくと、二酸化炭素の気泡を発生しながらポリウレタンが生成してくることになります。この気泡は、発泡スチロールを作るときと同様、簡単には消えませんので、得られるポリウレタンは多数の泡を含むことになります。

　ポリウレタンの特徴は、縮合重合に使う2つのモノマーとしてどういうものを使うかによって、硬いものから軟らかいものまで、場合によってはゴム状のものまで、自由にその物性をコントロールすることができることです。また、アルコール側にどれほど水を含ませておくかによって、泡の割合を自由にコントロールすることもできます。そのため、ウレタンフォームは様々な特性のものを作ることができ、枕やベッドから自動車のバンパーまで、様々な用途に広く使われています。

第3章

私たちの暮らしと
プラスチック

私たちの身の回りには、プラスチックを素材とした製品が数多くあります。この章では、私たちの暮らしの中にあるプラスチックを、身近なものから順を追って紹介します。

3-1
家庭用品には汎用樹脂が活躍

家の中を見渡すと、プラスチック製品があふれていることがわかります。ここでは、家の中の様々な場所に目を向けて、どこでプラスチックが使われているかを探ります。

▶▶ 台所、お風呂場

　まず、台所を見てみましょう。シンクの中を見てみると、生ゴミを入れる三角コーナーがあります。蛇口のレバーがプラスチックでできていることもあるでしょう。その横には、食器の水を切るためのカゴがあります。さらに隣を見ると、鍋やフライパンがあります。鍋の取っ手はプラスチック製です。フライパンの中を見ると、金属ではない黒いものが塗られていることがあります。これもまたプラスチックの一つです。

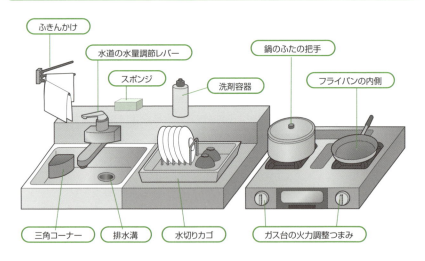

台所で見られるプラスチック

3-1 家庭用品には汎用樹脂が活躍

　冷蔵庫を開けてみれば、食品を保存している容器が目に入ります。これもプラスチックでできています。ケチャップやマヨネーズの容器やふたにも、プラスチックが使われています。

　冷凍室には製氷皿があります。昔はアルミ製でしたが、現在はポリエチレン製です。

冷蔵庫の中のプラスチック

　場所を変えて、お風呂場に行ってみましょう。石けん入れやいす、洗面器は、ほとんどがプラスチック製でしょう。バスタブもほとんどプラスチック製です。

3-1　家庭用品には汎用樹脂が活躍

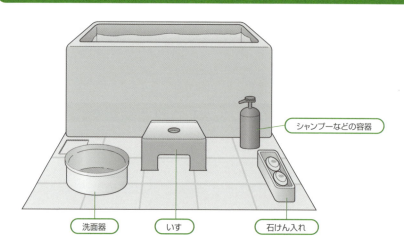

お風呂場で見られるプラスチック

▶▶ よく使われるポリエチレン、ポリプロピレン

　台所や風呂などの水まわりでは、プラスチック製品が多用されます。これは、他の材料に比べて水漏れが起きにくいこと、軽いこと、かびにくいこと、掃除がしやすいこと、着色しにくいことなどの性質によります。プラスチック製品には、**ポリエチレン（PE*）**、**ポリプロピレン（PP*）**がよく使われています。ポリエチレン、ポリプロピレンはいずれも、際立った性質をもっているわけではありませんが、日用品の素材としては、硬さや耐熱、耐冷温度の面で十分な性能をもっており、価格も安価であることから、幅広く活用されています。ともに、汎用樹脂として日本で最も多く生産されているプラスチックの一つです。

　例えば、食品を保存する容器のふたにはポリエチレンが、容器本体にはポリプロピレンが多く使われています。ポリエチレンは柔軟です。ポリプロピレンは、ポリエチレンよりも硬く、半透明で、中身が見えます。また、耐熱性があるので、電子レンジでの加熱が可能です。

　ポリエチレンは、エチレンの付加重合によって作られますが（2-2節参照）、重合の条件によって軟質なものから硬質なものまで、様々な種類のものを作り分けることができます。

＊PE　Polyethylene の略。
＊PP　Polypropylene の略。

3-1　家庭用品には汎用樹脂が活躍

　日用品でよく用いられているものは、そのうち軟質な**低密度ポリエチレン**（**LDPE** *）です。この素材は、乳白色で軟らかく、軽いという特徴をもっています。これを利用した製品の耐熱温度は60℃、耐冷温度は－30℃です（食品容器のふたの場合）。

　ポリプロピレンもプロピレンの付加重合によって作られますが、重合方法によって性質が違います。特殊な重合方法によって側鎖の方向を揃えたポリプロピレンは、ポリエチレンに比べ、硬く、透明に近い特徴をもっています。これを利用した製品の耐熱温度は140℃、耐冷温度は－20℃です（食品容器の本体の場合）。

プラスチックの食品保存容器

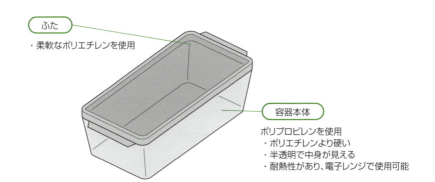

ふた
・柔軟なポリエチレンを使用

容器本体
ポリプロピレンを使用
・ポリエチレンより硬い
・半透明で中身が見える
・耐熱性があり、電子レンジで使用可能

▶▶ 材質の特徴を生かした利用例　……ポリスチレン、ポリメタクリル酸エステルなど

　調味料入れなど、中身がはっきりわかる必要がある容器には、透明な素材である**ポリスチレン**（**PS** *）や**ポリメタクリル酸エステル**が活用されています。これらのプラスチックは、透明性は高いのですが、割れやすいという性質があるので、取り扱いには注意が必要です。また、軟らかいので、ナイロンたわしなどで洗うとすぐ傷ついて、せっかくの透明性が失われるので注意が必要です。なお、ポリスチレンよりも剛性や耐衝撃性に優れたAS樹脂（SAN）の利用も進んでいます。

＊**LDPE**　Low Density Polyethyleneの略。
＊**PS**　Polystyreneの略。

3-1　家庭用品には汎用樹脂が活躍

　また、特殊な用途としては、焦げ付きを防止するためにフライパンや鍋の内側に使われている**フッ素樹脂**加工があります。これは商品名でテフロン加工とよく言われます。この加工に主に使われている**ポリテトラフルオロエチレン（PTFE＊）**は、他の物質と反応しづらく、水分を弾きやすいほか、すべりやすく粘着しづらい性質をもっていることから、焦げ付きづらいのです。

　水切りかごや三角コーナーなどの微生物が繁殖しやすいプラスチック用品では、しばしば抗菌処理がされています。これにはいろいろな方法があり、例えば表面グラフト反応は、表面だけを加工する方法として用いられています（2-6節参照）。

フッ素樹脂加工のフライパン

フッ素樹脂（PTFEなど）を塗っている
（焦げ付き防止）

 フッ素樹脂で加工した調理器具

　フッ素樹脂で加工した調理器具は、焦げ付きづらく、油をわずかしか使わなくても炒め物などの調理ができることから、フライパンの他にも、なべ、炊飯器、ホットプレートなどに利用されています。

　しかし、フッ素樹脂は、プラスチックの中では耐熱性に優れていると言っても、連続した加熱で耐えられる温度は260℃までで、高温にさらされると傷みます。また、フッ素樹脂より硬い金属などに強くこすられると、削られてはがれます。利用に当たっては、このようなフッ素樹脂の弱点に気遣いながら、上手に使うことが必要です。

　また、はがれたフッ素樹脂は、知らず知らずのうちに調理した食べ物の中に入り込んでいるので、フッ素樹脂を食べても大丈夫か気になるところです。日本フッ素樹脂工業会によれば、フッ素樹脂は食べたり、吸入したりしても毒性がないことが明らかになっており、調理の際に食べ物に入り込むフッ素樹脂はごく微量で食べても胃や腸に吸収されず体外に排出されるので、心配がないとのことです。

＊ **PTFE**　Polytetrafluoroethylene の略。

3-2

文具では用途に合わせて
様々な素材が活躍

　文具は、家庭やオフィスで欠かせないものになっており、その多くにはプラスチックが利用されています。筆記用具やそれに関連したものを見るだけでも、シャープペンシル、ボールペン、消しゴムなど、そのほとんどにプラスチックが活用されていると言えるでしょう。

▶▶ 筆記具

　例えば、シャープペンシル、ボールペンを見ると、その本体軸には、ポリプロピレン、ポリスチレン、ポリメタクリル酸メチル（**PMMA***、アクリル樹脂）などが使用されています。ポリスチレンやPMMAは安価で軽く、剛性があることから、繰り返し字を書くために使われる素材として優れていると言えます。また、最近はペンに付属しているエラストマー（1-2節参照）でこすることで、摩擦熱を起こし、その熱による化学反応で書いた字を消すボールペンも販売されています。書き直すことができ、消しゴムのかすが出ないなどの利点があります。

▶▶ 消しゴム

　消しゴムは、その名前のとおりもともとはゴム素材でしたが、昭和30年代に**ポリ塩化ビニル**に字を消す能力が高いことがわかったことから、これを活用した消しゴム*が普及しました。さらに、現在は環境への配慮から、ポリ塩化ビニルに代わる素材として、**ポリスチレン系エラストマー***などの素材が活用され始めています。

　消しゴムという製品は、プラスチックだからこそできるものと言えます。ゴムは、架橋されたポリマーなので（2-9節参照）、ゴムを紙の上でこするとゴムの細かい微粉末が出てきます。その微粉末の表面に鉛筆の芯の粉がくっつき、紙からはがされます。この繰り返しによって、字が消えるのです。

　このように削れるためには、消しゴムが紙よりも軟らかい材料でなければなりません。また、架橋されたポリマーでなければ、こすっても微粉末は発生しないのです。

＊**PMMA**　Polymethyl Methacrylate の略。
＊**消しゴム**　「プラスチック消しゴム」とよく言われる。
＊**ポリスチレン系エラストマー**　エラストマーについては2-10節参照。

第3章　私たちの暮らしとプラスチック

139

3-2 文具では用途に合わせて様々な素材が活躍

▶▶ 定規

　定規には、透明で剛性があり、成型時の寸法精度が良いポリスチレンなどがよく使われています。成型をするときには、いったんプラスチックを溶融し、型にはめて作ります（2-8節参照）。熱いプラスチックが冷えて固まるときには熱収縮があるので、少し縮むのです。定規では寸法を合わせるために、この熱収縮を考えて、少し大きく成型して室温で正しい寸法になるようにします。プラスチックに配向性などの特徴があると均等に縮まなくなり、定規として使えなくなってしまいます。ポリスチレンは熱収縮が均等で、寸法精度が良いと言えます。また定規には、線を描く際に力を加えても変形しない程度の剛性が求められ、定規を通して下の面が見える方が都合がよいことも材料を選ぶ基準になります。最近は、再生したポリエチレンテレフタラート（**再生PET**）を素材とする製品も増えています（6-8節参照）。

▶▶ パソコンのアクセサリー

　パソコンのアクセサリーにも、プラスチックは幅広く活用されています。

　マウスパッドは、机との間では滑らないようにする必要があることから、机と接する裏面には、粘着性がある**ポリオレフィン系シート**や、滑りづらい**ポリエチレンフォーム**が使用されています。逆に、マウスと接触する面には、すべりやすい材料として、**シリコーン樹脂**や再生PETなどのプラスチック素材が使われています。シリコーン樹脂は、シールの剥離紙など、低粘着が求められるものに多用される材料です。

ポリオレフィン
アルケン（一般式 C_nH_{2n} で表されるアルケンはオレフィンとも呼ばれる）をモノマーとするポリマーの総称である。代表的なものとして、ポリエチレン、ポリプロピレンが挙げられる。

3-2 文具では用途に合わせて様々な素材が活躍

机の上のプラスチック

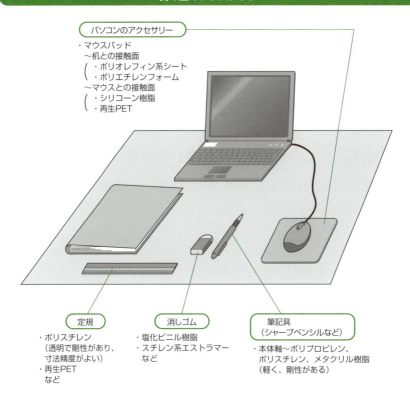

パソコンのアクセサリー
・マウスパッド
　〜机との接触面
　　（・ポリオレフィン系シート
　　　・ポリエチレンフォーム）
　〜マウスとの接触面
　　（・シリコーン樹脂
　　　・再生PET）

定規
・ポリスチレン
　（透明で剛性があり、
　　寸法精度がよい）
・再生PET
　など

消しゴム
・塩化ビニル樹脂
・スチレン系エストラマー
　など

筆記具
（シャープペンシルなど）
・本体軸〜ポリプロピレン、
　ポリスチレン、メタクリル樹脂
　（軽く、剛性がある）

第3章　私たちの暮らしとプラスチック

3-3

家電製品はメンテナンスが
少なくてすむ素材が活躍

家電製品の幅はとても広いですが、安価で加工が容易であることやメンテナンスが不要であることを生かして、そのいずれにも何らかの形でプラスチックが使われています。

▶▶ 機器の外箱に使われる耐衝撃性に優れた素材

家電製品やコンピュータをはじめとした情報機器は、家庭やオフィスで多数見られます。これらの機器の外箱（ハウジング）にはプラスチックが多く使われています。

ハウジングには、軽量であることや、内部の機器を守るため衝撃に強いことが求められるため、耐衝撃性に優れたアクリロニトリル－ブタジエン－スチレン樹脂（**ABS樹脂**）がよく用いられています。ABS樹脂はアクリロニトリル（A）、ブタジエン（B）、スチレン（S）の共重合体です（2-6節参照）。アクリロニトリルは強度を、ブタジエンは耐衝撃性を、スチレンは剛性を与えます。この三者の割合と重合方法を工夫するだけで、非常に広い用途に合ったプラスチックを作り出すことができるのです。

▶▶ 歯車や軸受けに使われるポリアセタール

機器の中身を見ると、電気製品でも歯車や軸受けなどの構造材料が用いられています。歯車や軸受けなどの構造材料には、金属、セラミックス、プラスチックが用途に応じて使用されています。

家電製品では、油をさすなどのメンテナンスが難しいことから、油がなくても摩耗せず滑りやすいプラスチック（主に**ポリアセタール**）が多用されています（5-6節参照）。

3-3 家電製品はメンテナンスが少なくてすむ素材が活躍

▶▶ 電子回路の配線の保護などに使われる熱可塑性エラストマー

　機器の中を見ると、電気の配線が見られます。電線は一般には、銅などの電気を通す金属を、電気を通さない素材で覆っています。この覆う素材として、**熱可塑性エラストマー**が利用されています。

　熱可塑性エラストマーは、架橋されていない熱可塑性樹脂でありながら、ゴムの性質をもつ素材です（2-10節参照）。これは、ガラス転移温度の低いポリマーを、化学反応によらず、ポリマー分子間の相互作用や長いポリマー分子の絡み合いを利用して物理的に架橋したものです。物理的な架橋がほどけるような高い温度では普通のプラスチックのように振る舞いながら、物理的な架橋ができてしまう室温ではゴムとして振る舞います。そのため、熱可塑性樹脂と同じように成形加工ができ、ゴムのような弾性をもっています。

　電線は、配線する場所に合わせて様々な形に曲げて使用します。また、他の電線や回路部分に電気が漏れてはなりません。このため、電線の被覆材には、伸縮性により電気を通さない熱可塑性エラストマーが使用されています。この素材は、電線の被覆材のほか、冷蔵庫などのパッキン、靴底などに幅広く利用されています。

▶▶ CD-Rに使われるポリカルボナート

　パソコンのデータや音楽ソフトの記録媒体として広く使われているCD-Rなどにも、プラスチックが用いられています。

　CD-Rなどは、パソコンなどのドライブの中で回転させ光を当てることによって、記録されているデジタル情報を読み取る仕組みになっています。微細な情報を、ずれることなく書き込んだり読み込んだりするには、光の進み方によって、光の屈折の仕方や波長の変化の仕方が変わってしまってはなりません。また、成形時の寸法精度が良く、傷が付きにくいことも必要です。これらを満たす材料として、**ポリカルボナート（PC *）**が使われています。

　ポリカルボナートはエンジニアリングプラスチック*の一つであり、金属材料などとともに、工業用資材として幅広く使われています。

＊**PC**　Polycarbonate の略。
＊**エンジニアリングプラスチック**　1-4節参照。

第3章　私たちの暮らしとプラスチック

3-3　家電製品はメンテナンスが少なくてすむ素材が活躍

家電製品とプラスチック

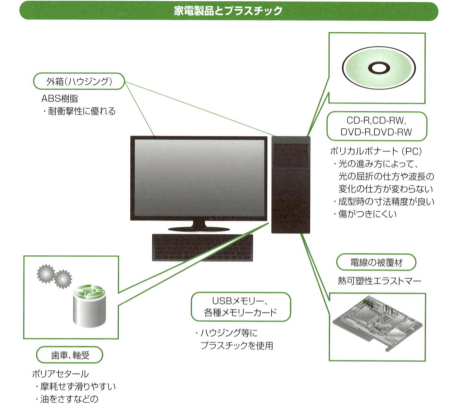

外箱（ハウジング）
ABS樹脂
・耐衝撃性に優れる

CD-R,CD-RW,
DVD-R,DVD-RW
ポリカルボナート（PC）
・光の進み方によって、光の屈折の仕方や波長の変化の仕方が変わらない
・成型時の寸法精度が良い
・傷がつきにくい

電線の被覆材
熱可塑性エラストマー

USBメモリー、各種メモリーカード
・ハウジング等にプラスチックを使用

歯車、軸受
ポリアセタール
・摩耗せず滑りやすい
・油をさすなどのメンテナンスが不要

ポリ塩化ビニリデン
塩素を含むビニリデン基を重合させた、非晶性の熱可塑性樹脂に属する合成樹脂である。熱安定性、耐薬品性、耐水性に優れ、適度な弾性を持つ。また、酸素や水蒸気を透過しにくい性質を持つことから、家庭用ラップ、食品包装用フィルムなどに使用されている。

3-4

包装はプラスチックの
最も大きな利用先

　プラスチックが最も利用されている分野として包装の分野があります。包装にプラスチックを活用することで、製造元で1個1個の製品を包装することが可能になったほか、配送しやすい統一的な形状で包装することで、大量に効率的に製品を流通することが可能になりました。このことは、スーパーマーケットが店舗を大きく増やすことや流通革命に大きな役割を果たしました。ここでは包装の中でもよく見られるものを取り上げます。

▶▶ 食品用トレイ、包装フィルム

　スーパーマーケットに行くと、魚の切り身や肉などの食材が白いプラスチック製のトレイに入れられて、フィルムに包装されて販売されています。いずれも食材を腐敗から守るための方法です。このトレイは、**発泡ポリスチレン**（発泡スチロール）でできています。発泡ポリスチレンは、軽量であり、食材を温度や湿度、衝撃から保護する性能をもっているほか、優れた印刷性、加工性をもった製品であり、トレー、弁当容器、麺カップなどの食品容器にも広く使われています。特に泡が断熱効果をもつことから、発泡ポリスチレンに入っている食材は、外部の温度変化の影響を受けにくくなります。そのため、いったん冷えてしまえば温まりにくく、菌の繁殖が抑えられます。

　また、トレイと食材を包装するフィルムには、食材を完全に密封する性能が求められます。それによって、空気中を漂う微生物やかびの付着を防ぎ、他の食品から臭いが移ることを避けられるからです。そこでフィルムには、粘着性が求められることから、**ポリ塩化ビニリデン**のシートが使われてきましたが、処分時に塩素ガスが発生するなど、環境への影響が懸念されることから、ポリエチレンなども活用されています（1-8、6-4節参照）。

　最近は、2022年に施行された「プラスチック資源循環促進法」の趣旨を踏まえ、以前より一層、過剰な包装をやめたり、トレイの薄肉化、軽量化が進められています。

第3章　私たちの暮らしとプラスチック

3-4　包装はプラスチックの最も大きな利用先

▶▶ ペットボトル

　以前ガラスびんに入れられて販売されていた清涼飲料の多くの容器は、ペットボトルに取って代わりました。ペットボトルは**ポリエチレンテレフタラート**（**PET**＊）を原材料として作られています。PETは高強度プラスチックとして以前より合成繊維（**ポリエステル**）として使用されてきましたが、繊維から固体への成型が可能となり、ボトルをはじめとして幅広い用途で使用されるようになりました。ペットボトルは、同容量のガラスびんよりも一般に軽量であり、持ち運びが容易で、輸送時の燃料削減になり、落としても割れない耐衝撃性などの利点があります。また、リサイクルが容易であり、再生された材料は、繊維、シート、成型品などに利用されています（6-8節参照）。

　最近は、食品用トレイと同様に、以前より一層の薄肉化や軽量化、多様なリサイクル（ボトル to ボトル、総菜容器へのリサイクル等）が図られています。

▶▶ レジ袋

　スーパーで会計を済ませると、いわゆるレジ袋が渡されます。レジ袋は主に**ポリエチレン**が用いられています。

　レジ袋については、ゴミの減量やリサイクル推進の観点から、使用を抑制すべきという意見があります。一方で、レジ袋はゴミ袋など幅広い用途で使用されていることや、焼却処分が可能であることから、焼却処分しその排熱を利用することで資源の有効活用は可能だとして、使用抑制に異議を唱える意見もあります。

　その結果2019年5月、日本政府は「プラスチック資源循環戦略」を策定し、ワンウェイプラスチック＊の使用削減の取り組みの一環としてレジ袋有料化義務化を行う方針を打ち出しました（6-3節参照）。

＊**PET**　Polyethylene Terephthalate の略。
＊**ワンウェイプラスチック**　一度使用した後にその役目を終えたプラスチック。

3-4 包装はプラスチックの最も大きな利用先

食品用トレイ、包装フィルム

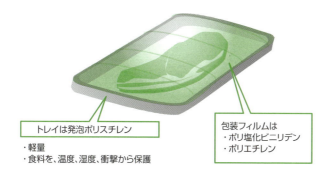

トレイは発泡ポリスチレン
・軽量
・食料を、温度、湿度、衝撃から保護

包装フィルムは
・ポリ塩化ビニリデン
・ポリエチレン

ペットボトルとリサイクル

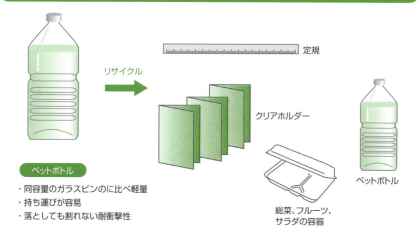

リサイクル

定規
クリアホルダー
総菜、フルーツ、サラダの容器
ペットボトル

ペットボトル
・同容量のガラスビンのに比べ軽量
・持ち運びが容易
・落としても割れない耐衝撃性

レジ袋を取り巻く様々な議論

レジ袋

使用を抑制すべき	使用を抑制すべきでない
・ゴミの減量 ・資源・環境問題 （6-3節参照） ・リサイクルの推進	・ゴミ袋として再利用可能 ・プラスチック製ゴミ袋用の消費が増える ・焼却処分しても排熱利用可能

異議

日本政府は、レジ袋の有料化義務化による使用抑制の方針に（2022年8月現在）。

第3章 私たちの暮らしとプラスチック

プラスチックと金属の表面の違い

　プラスチックの大きな特長の一つとして、化学的に安定していることが挙げられます。化学的に安定しているということは、薬品の影響を受けにくいことや、劣化しにくいという特長につながります（6章参照）。それではプラスチックは、なぜ化学的に安定しているのでしょうか。金属との比較で考えてみましょう。

　プラスチックはポリマーが絡み合ってできています。また、それぞれのポリマーの中でつなぎ合っている原子の「手」は余っていません（2-1節参照）。したがって、プラスチックは化学的に安定した存在と言えます。もしプラスチックを切断して新しい表面を作っても、それまで絡み合っていたポリマーどうしがほどけるだけで、ポリマーの中でつなぎ合っていた原子の「手」が引き離されるわけではありません。

　これに対して金属は、原子同士が手をつなぎ合ってできています。このため、金属を切断して表面を新しく作ると、最も外側にある原子の手が余ってしまいます。この手は、早く他の原子と結びついて落ち着きたがります。このため、新しい表面ができると、表面にある原子は、すぐに空気や水などと反応して別の物質に変化します。

　プラスチックが化学的に安定しているということは、他の物質と接着しにくいという特長も持っていると言えます。しかし、金属などの他の材料とプラスチックをうまく接着することで、双方の素材の利点を持つ工業材料の実用化が進められています。例えば、フッ素樹脂（PTFEなど）加工のフライパンの多くは、金属のヘラでこするとフッ素樹脂の表面に傷がついてしまいます。これらのフライパンは、下処理の後、基材の金属の表面に、直接フッ素樹脂を吹き付けて加熱乾燥するという処理で製造されています。しかし現在は、基材の表面をセラミックス（基本成分が金属酸化物で、高温での熱処理によって焼き固められたもの。身近に使用されている例として、ナイフの刃があります）で覆い、その表面をさらにフッ素樹脂で覆うことで、金属ヘラでこすっても傷がつかないフライパンが市販され始めました。このような処理をする理由として、セラミックスが基材の金属に比べて固いため、従来の製品に比べて、金属のヘラで押し付けてもへこみにくいこと、このため、フッ素樹脂の面が掘り起こされにくいことなどが挙げられます。

3-5

衣料には適度な強度と肌触りが大事（合成繊維）

衣料には、昔は綿、絹、麻などの天然繊維が用いられてきましたが、19世紀の終わりに木材パルプや綿花に含まれている繊維素（天然の高分子）を一度薬品で溶かし、繊維に再生したレーヨンが実用化されました。20世紀に入ると、人工的に合成された合成繊維が活用されるようになりました。

▶▶ ポリエステルはPET繊維

現在、最も使用されている合成繊維として、ポリエチレンテレフタラートでできた繊維（**PET繊維**）があります。PET繊維は衣料品の製品表示を見ると一般に「ポリエステル」と書かれています。ポリエステル（PET繊維）は、非常に強い繊維の一つで、ぬれても強さが変わりません。また、こすっても摩耗しづらく、滑りやすい性質があります。また、合成繊維の中では比較的熱に強いほか、しわになりにくく、天然繊維に比べて吸湿性が少なく、洗濯しても伸び縮みせずすぐ乾きます。このため、ポリエステルは、婦人服、子供服、紳士服をはじめとして多くの衣料に使われているほか、寝具やカーテン、産業用のシートなどに幅広く使われています。

さらに、洗濯した後に乾かすと元の形に戻る形状記憶繊維が、ワイシャツなどで製品化されています。形状記憶繊維とは、セルロース繊維やセルロースとポリエステルの混合繊維などでできた織物などに、アンモニア、ホルムアルデヒドまたはホルマリンによる処理を行い、ポリマー間の架橋反応により構造を安定させるものです（2-10節参照）。

第3章 私たちの暮らしとプラスチック

3-5　衣料には適度な強度と肌触りが大事（合成繊維）

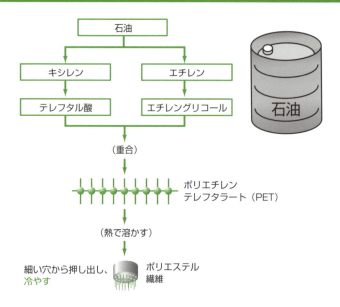

3-5　衣料には適度な強度と肌触りが大事（合成繊維）

▶▶ ナイロン

　合成繊維でもっとも古く実用化されたものとして、**ナイロン（ポリアミド：PA***）があります。ナイロンは、ほかの繊維に比べて摩耗や折り曲げに対して強く、しなやかな感触をもっていることが大きな特徴です。このため、薄くて軽く柔軟性に富んだ織物や編み物を作ることができることから、ストッキングや靴下などに利用されています。また、水をほとんど吸わない性質を利用して、スキーウェアや水着などにも使われています（5-6節参照）。

▶▶ ビニロンなど

　日本で開発され使用されるようになったものとして、**ビニロン（ポリビニルアルコール（PVAL***）でできた繊維）**があります。ビニロンは、1939年に京都大学の桜田一郎教授とその研究グループによって開発され、その後日本、中国、北朝鮮で製造されるようになりました。ビニロンは、ポリ酢酸ビニルを原料に繊維化したものです。合成繊維の中では最も吸湿性があり、もめんによく似た合成繊維といわれ、作業服、学生服、漁網、ロープなどに活用されています。

　このほか、羊毛に似た,風合いをもつ**アクリル繊維（ポリアクリロニトリル（PAN***））**がセーターや靴下、カーペットなどに使われています。

＊**PA**　　Polyamideの略。
＊**PVAL**　Polyvinyl Alcoholの略。
＊**PAN**　　Polyacrylonitrileの略。

COLUMN 不織布マスクにもプラスチックが活用されています

　様々な感染症の世界的な感染拡大が懸念される時代にあって不織布マスクが感染予防で活躍しています。**不織布マスク**は一般に本体・フィルター・鼻あて部・耳ひもにポリプロピレンやポリエチレンなどのプラスチックが使用されています。

　不織布は文字どおり織らずに繊維を何らかの方法で絡ませたり接着したりして作った繊維状のシートのことです。日本産業規格（JIS L0222）では「繊維シート（中略）で繊維が一方向またはランダムに配向しており、交絡、融着、接着によって繊維間が結合されたもの。ただし、紙、織物、編み物（中略）を除く」と定義されています。

　不織布の繊維にもポリプロピレン、ポリエステルなどのプラスチック繊維が用いられています。不織布の製造方法には**スパンボンド方式**と**スパンレース方式**、**メルトブローン方式**などがあります。スパンボンド方式はポリマーの溶融又は溶解によってノズルから紡糸された連続繊維（フィラメント）を動くスクリーン上に積層し結合するものです。強度が大きく寸法安定性に優れており幅広い用途に利用されています。スパンレース方式は短繊維を原料にして高圧水流で繊維を絡ませるものです。布のようなソフトな手触りを持った不織布となる特色があります。

　メルトブローン方式はポリマーを高速熱ガス流中に紡糸して繊維状にし冷却後動くスクリーンに集積し結合するものです。繊維径が細かく様々な径の小さい孔ができることから、この方式で製造された不織布は主にフィルターとして利用されています。

　飛沫防止などマスクの機能として重要なフィルターはメルトブローン方式で製造されたフィルターとなる不織布をスパンボンド方式やスパンレース方式で製造された2枚の目の粗い不織布で挟んだ構造となっています。

　不織布マスクは使い切りで衛生的ですがプラスチックですので環境中に投棄しないようにしなければいけません（第6章）。

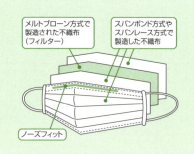

3-6

軽くて高機能なメガネ、コンタクトレンズ

　日本人は、近視が多いと言われており、令和4年度の学校保健統計調査では小学生の約38%、中学生の約61%が裸眼視力1.0未満となっており、さらに低下傾向が続いています。このため、視力を矯正するために、メガネやコンタクトレンズは欠かせないものとなっており、その機能の向上が図られてきました。その中で、プラスチックを活用したレンズが広く使われています。

▶▶ メガネのプラスチックレンズ

　プラスチックレンズを使用したメガネが発売されたのは昭和50年といわれています。プラスチックレンズを活用したメガネは、割れやすいガラスレンズに対する不安から、主にスポーツ選手の間で使用され、その後、一般の利用が広がりました。

　プラスチックレンズは、ガラスレンズより軽量で割れにくい利点がありますが、その一方で、ガラスレンズより屈折率が小さく、度数が大きい場合はレンズが厚くなることや、細かい傷が付きやすい欠点がありました。

　しかし、近年、プラスチックレンズをハードコートするなどの表面強化技術が進み、以前よりも傷が付きにくくなっています。また、プラスチックの加工しやすい利点などを生かして、縁なしメガネを実現するなど、メガネのデザインに幅をもたせることができました。最近は、プラスチック素材のみで製作された耐荷重100 kgのルーペ（拡大鏡）も開発・販売されています（5-1節参照）。

　さらに、特定の反射光をカットしてまぶしさを防ぐために、プラスチックレンズの間に**ポリビニルアルコール（PVAL＊）**でできた偏光膜を挟む構造のレンズも利用されています（偏光レンズ）。

＊**PVAL**　Polyvinyl Alcohol の略。

第3章　私たちの暮らしとプラスチック

3-6　軽くて高機能なメガネ、コンタクトレンズ

プラスチックレンズ、ガラスレンズの利点・欠点

	プラスチックレンズ	ガラスレンズ
利点	・ガラスレンズに比べて軽い ・衝撃に強く、割れにくい ・表面を自由に加工できる ・大量生産が可能 ・PVALを狭み込むことで特定の反射光を遮ることが可能	・傷がつきにくい ・プラスチックレンズに比べ、レンズを薄くできる
欠点	・傷がつきやすい ・レンズがガラスレンズに比べ厚くなる ・熱に弱い	・プラスチックレンレンズに比べ、重い ・衝撃を受けると割れやすく、割れると目をけがする恐れがある

プラスチックレンズの活用例

縁なしレンズ　　　　偏光レンズ

プラスチックレンズ

ポリビニルアルコール（PVAL）

ポリビニルアルコール
ポリ酢酸ビニルを酸またはアルカリで加水分解することにより得られる、水酸基を持つ水溶性のポリマーである。「ポバール」とも呼ばれる。強い親水性を活かし界面活性剤、接着剤、洗濯のりに用いられているほか、偏光フィルムなどに利用されている。

▶▶ コンタクトレンズ

　コンタクトレンズは、近視の度合いが強い人などに活用されていますが、レンズが角膜を覆うため角膜に酸素が供給されにくくなり、目が充血して痛むなどの課題がありました。

　このため、酸素を透過しやすいコンタクトレンズをいかに開発するかが大きな課題でした。特にハードコンタクトレンズでは、光学的な特性を維持しながらその課題を乗り越える困難が大きかったのですが、現在は、表面が微細な網目構造をとり、網の目から酸素が透過する仕組みのレンズが開発されています。このレンズの素材には組成を操ることが可能であるプラスチックが活用されました (5-1節参照)。

酸素を透過するコンタクトレンズ

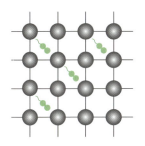

●：ハードコンタクトレンズの分子
●●：酸素分子

▼コンタクトレンズ

3-7

錆びない材料で維持しやすい住居

住居構造は、木造や鉄筋コンクリート造が多く、一見プラスチックが使用されていないように見えますが、実は内装や配管などにプラスチックは幅広く使われています。いくつかの例を紹介します。

▶▶ 配管

水道管はもともと鉄製や鉛製でしたが、長期間の使用で赤さびが発生したり、有毒な鉛が溶け出す懸念があったことから、昭和30年代以降、ポリ塩化ビニル製の配管（塩ビ管）が普及しました。現在は、ポリ塩化ビニル製をはじめとして、**繊維強化プラスチック（FRP**＊）、フッ素樹脂の使用、金属との複合化が進んでいます。

また、塩ビ管は、切断や接続加工が容易で、建築現場で状況に応じて加工することが可能なことから、電気配線用の配管としても幅広く活用されています。

▶▶ 雨どい

住宅の雨どいは、以前はブリキ製のものが多く使われていましたが、使用に伴う赤さびの発生や劣化に問題があり、昭和30年代以降、硬質ポリ塩化ビニル製のものに置き換わってきました。といの部分は押出成形で作られ、といをつなげる部品は射出成形で作られますが、これらを組み合わせて使用される雨どいは、耐久性があり施工性にも優れています。

▶▶ 浴室ユニット

浴室ユニットも多くはプラスチックで作られています。集合住宅のユニットバスでは、床、壁、天井、ドア、浴槽、すのこ、収納棚とほとんどのものが、**ガラス繊維強化プラスチック（GFRP**＊）やポリ塩化ビニルなどで作られており、水を使用しても錆びたり、腐ったり、水漏れしたりせずに、長期の使用が可能となっています。

＊ **FRP**　　Fiber Reinforced Plastics の略。
＊ **GFRP**　　Glass Fiber Reinforced Plastics の略。

3-7 錆びない材料で維持しやすい住居

▶▶ 畳表

　畳表には従来は天然のい草が使用されてきましたが、近年、い草の代わりにポリプロピレンを用いた畳表が使用されるようになりました。この畳表は従来のい草の畳表に比べて耐久性があり、時間の経過に伴う変色もほとんどなく、ダニやカビも発生しません。また、工業製品であるため商品ごとのばらつきがなく、安定した品質を確保できる利点があります。また、ポリプロピレンは着色が容易なことから、様々な色の畳表も作られています。

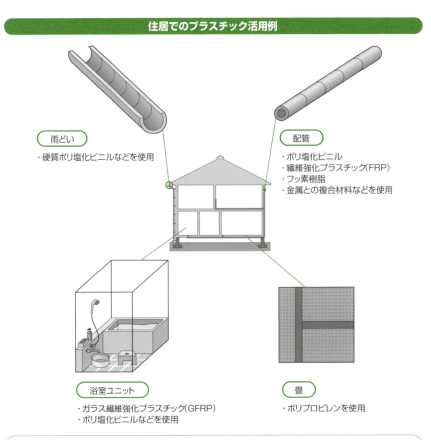

住居でのプラスチック活用例

雨どい
・硬質ポリ塩化ビニルなどを使用

配管
・ポリ塩化ビニル
・繊維強化プラスチック(FRP)
・フッ素樹脂
・金属との複合材料などを使用

浴室ユニット
・ガラス繊維強化プラスチック(GFRP)
・ポリ塩化ビニルなどを使用

畳
・ポリプロピレンを使用

繊維強化プラスチック
ポリエステル樹脂、エポキシ樹脂やフェノール樹脂などに、ガラス繊維、炭素繊維、アラミド繊維などの繊維を複合して強度を向上させた強化プラスチックである。軽量で強度の高い材料である一方、素材の分離が困難であるため、一般にリサイクルや廃棄処分が難しいという課題がある。利用例としては3-7節、3-8節、4-1～4-4節、4-9節参照。

3-8
スポーツ、レジャーでは軽くて強い素材が活躍

スポーツ、レジャーの分野では、天然素材の材料に代わってプラスチックが活用されてきています。ここでは、プラスチックの特性を生かした利用例を紹介します。

▶▶ ゴルフクラブ、テニスラケット、釣り竿、スキー

ゴルフクラブのシャフトなどでカーボンファイバー製、またはカーボン製と呼ばれているものは、**カーボンファイバー（炭素繊維）** を束ねて織物のように編み込んだものにエポキシ樹脂などを流し込んで作った**炭素繊維強化プラスチック**（**CFRP**＊）でできています。

CFRPは、機械的な強度が高く、錆びず、鉄より軽い素材です。その特性を生かして、ゴルフシャフトやテニスラケット、釣り竿、スキー、自転車のフレームなどのスポーツ用品で利用されており、競技用の自転車のフレームでの活用も始まっています。

CFRPの特色と利用例

CFRP（炭素繊維強化プラスチック）
・機械的な強度（硬さ、耐衝撃性など）が強い
・錆びない
・鉄より軽い

＊**CFRP**　Carbon Fiber Reinforced Plasticsの略。

▶▶ ジョギングシューズ

　ジョギングシューズは、靴底の厚さが目を引きますが、この部分が走るときの衝撃を和らげています。この部分には、軽量で反発性をもつエチレン酢酸ビニル共重合体（**EVA*樹脂**）が使われています。

　また、多様な路面に対応できるようにするため、EVA樹脂に合わせ、人工皮革とポリウレタンなどのプラスチックを靴底に用いることで衝撃を吸収し、地面の凹凸に柔軟に対応し、地面を確実にとらえる役割を担っています。最近は、EVA樹脂を上回る反発性があるなどの利点を持つ熱可塑性ポリウレタンエラストマー（5-1節参照）を靴底に使った商品もあります。

　ジョギングシューズには、他にもプラスチックが幅広く使用されている一方、メーカーではプラスチックを減らしたジョギングシューズの商品づくりを行う動きもあります。

ジョギングシューズの靴底

＊**EVA**　Ethylene Vinyl Acetate の略。

▶▶ シュラフ（寝袋）

　シュラフは、羽毛などを中綿に用いたものが従来よりありますが、濡れたときに乾きやすく、濡れていても比較的保温力を維持できる合成繊維を用いたものも増えています。さらに近年は、中綿に用いる繊維を中空にして繊維の中に空気を保持することによって、保温性能を高めたものも登場しています。

シュラフの中綿に用いられている繊維

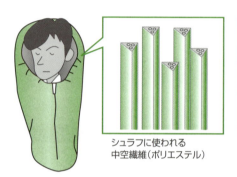
シュラフに使われる
中空繊維（ポリエステル）

従来のポリエステル繊維

3-9
子どもが安心して遊べる素材を

　子どもたちの身の回りには、様々な玩具があります。その種類や材質はとても幅広いですが、その多くにはプラスチックが利用されています。日本では、大正時代にセルロイド製のキューピー人形が誕生し、戦後はプラスチックの製作が始まり、それまで伝統的な玩具の素材であった木やブリキなどに取って代わりました。ここでは、玩具に求められる3つの視点からプラスチックの利用について解説します。

▶▶ 豊かな色合い

　玩具は、様々な色が使われており、特に乳幼児を対象とする玩具では、目を引く色づかいが印象的です。このため、玩具の素材に着色が容易で発色が良いものが活用されています。プラスチックの場合は塗装しなくても、成型の際にあわせて着色剤を練り込むようにすることで、容易に着色でき、色落ちしない加工をすることができます（2-12節参照）。素材としては、もともと透明であり着色も容易なポリスチレンやポリプロピレンがよく使用されているほか、軟質な素材として、ポリエステルやポリ塩化ビニルが使用されています。

▶▶ 多様な形

　人形やプラモデルなど、本物を模倣した玩具には、その細部が再現されることが求められています。また、乳幼児向けの知育玩具を見ても、求められる形状は多様であり、容易に様々な形に成形できる素材が使用されるようになっています。プラスチックは、射出成形をはじめとして様々な形に成型製造することが可能なことから、この目的を満たすために活用されています。例えば、プラモデルでは、細部を実現するために精密に加工された金型を用いてプラスチックが成型されています。

▼おもちゃのブロック

第3章　私たちの暮らしとプラスチック

3-9 子どもが安心して遊べる素材を

▶▶ 安全性

　幼児向けの玩具の多くにも、プラスチックが使用されています。乳幼児の場合は特に、口に玩具を入れるなど大人が予想できない行為をすることから、素材の安全性にも注意が払われています。例えば、乳幼児が玩具を体にぶつけてけがをしないよう、角を丸く加工している場合がしばしばあります。プラスチックは、射出成形などを用いれば金型の加工で角を丸くすればよく、個々の部品を切削して加工する必要がない利点があります。

　また、ポリ塩化ビニルの添加剤に、フタル酸ジー２－エチルヘキシルなど、環境ホルモンの疑いがもたれているフタル酸エステル類が使われている場合があることなどから、日本玩具協会では、3歳未満向けの**ST基準内商品***を対象にして、製造者がおもちゃの材質表示をするよう求めており、安全性の指標としています。

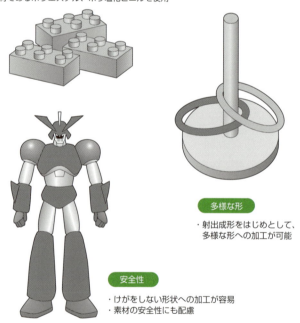

玩具とプラスチック

豊かな色あい
・着色が容易なポリスチレン、ポリプロピレン
・軟質素材であるポリエステル、ポリ塩化ビニルを使用

多様な形
・射出成形をはじめとして、多様な形への加工が可能

安全性
・けがをしない形状への加工が容易
・素材の安全性にも配慮

---

* **ST基準内商品**　日本玩具協会が策定した「おもちゃの安全基準」を満たした商品で、「STマーク」という表示がされている。万一、このマークがついているおもちゃが原因で事故が起きても、賠償される制度がある。STは「セーフティ・トイ」の略。

3-10

携帯電話、スマホ、タブレットにもプラスチックを幅広く活用

　私たちの生活には、なくてはならないものになった携帯電話、スマートフォン、タブレット（以降、携帯電話等と言います）ですが、いずれも持ち歩くという点で軽くて丈夫であることが求められます。その要求に応えるために、様々なプラスチックが使用されています。

▶▶ 携帯電話等は部品の多くがプラスチック

　携帯電話等の部品の多くにプラスチックが使われています。例えば、携帯電話等の外箱（ハウジング）は、衝撃に強い**ABS樹脂（ABS**＊）や**ポリカルボナート（PC**＊）が使われています。また、液晶の画面を明るく表示するためのバックライトの重要な部品である導光板やプリズムシートには、透明度が高い**ポリメタクリル酸メチル（PMMA**＊）が使用されています。そのほか、携帯電話のボタンにはポリカルボナートが使われています。

　スマートフォンやタブレットでは、画面に直接触れることで操作できる、タッチパネルが採用されています。タッチパネルの仕組みには、静電容量方式、抵抗膜方式などの様々な方式がありますが、スマホやタブレットでは、主にマルチタッチが可能な静電容量方式が採用されています。

　静電容量方式の構造は、大まかには、2つの電極の膜の間に絶縁膜が挟まっている構造となっており、絶縁膜にはプラスチック素材としては、**ポリエチレンテレフタレート（PET**＊）が使用されています。

　また、スマートフォンやタブレットの表示部分には、液晶ディスプレイの代わりに省電力である有機EL（エレクトロルミネセンス）ディスプレイを使用する商品も現れています。この有機ELディスプレイの電子回路の基板には、プラスチック素材の中でも、高温の加工に耐え強固である**ポリイミド**素材が主に使用されています。

＊**ABS**　　Acrylonitrile、Butadiene、Styrene の頭文字。
＊**PC**　　　Polycarbonate の略。
＊**PMMA**　Polymethyl Methacrylate の略。
＊**PET**　　Polyethylene Terephthalate の略。

3-10 携帯電話、スマホ、タブレットにもプラスチックを幅広く活用

携帯電話、スマートフォン、タブレット（携帯電話等）に使われるプラスチック

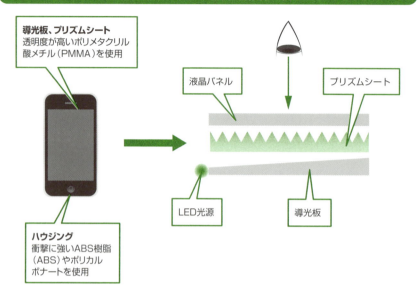

▶▶ アクセサリでも様々に使用

　携帯電話等でも見られましたが、スマートフォンやタブレットではアクセサリとして、**ケース**や画面の液晶の**保護フィルム**が販売されるようになりました。ケースはスマートフォンを落とした場合の衝撃などから守るだけでなく、ケースを取り替えることで様々な色や形のスマートフォンを楽しむことができます。

　素材としては、ハードケースの場合、衝撃からスマートフォンを守るという機能を重視して、耐衝撃性を有する**ポリカルボナート（PC）**が用いられています。

▼スマートフォン

＊**TPU**　Thermoplastic Polyurethane の略。

3-10 携帯電話、スマホ、タブレットにもプラスチックを幅広く活用

　また、ソフトケースには、柔軟性を持つ**シリコーン樹脂**や、シリコーン樹脂より強く耐久性に優れ、他のプラスチック素材よりも弾力性を持つ**熱可塑性ポリウレタン**（**TPU**＊）が使用されています。

　液晶保護フィルムでは、表面にはタッチパネルとして使用されることに適した素材として、耐摩耗性に優れ、透明度が高い**ポリエチレンテレフタラート（PET）**が使用されています。また、画面との接触面には、接着剤を用いずに画面に簡単に貼ったり剥がしたりすることができる、シリコーン樹脂が使用されています。

スマートフォンのアクセサリに使われるプラスチック

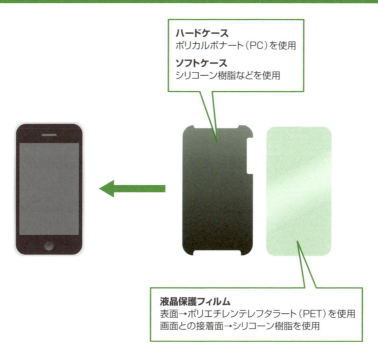

ハードケース
ポリカルボナート（PC）を使用

ソフトケース
シリコーン樹脂などを使用

液晶保護フィルム
表面→ポリエチレンテレフタラート（PET）を使用
画面との接着面→シリコーン樹脂を使用

---

memo　熱可塑性ポリウレタン
ポリウレタン系樹脂の一種類であり、技術的には熱可塑性エラストマーに属することから、「ポリウレタン系熱可塑性エラストマー」とも呼ばれる。機械的強度、ゴム弾性、耐摩耗性、耐屈曲性、耐油性などに優れる。スマホケースのほか、自動車部品や工業部品をはじめ、靴底部材、キャスターホイール、ホースチューブ、電線ケーブル被覆材など、幅広い用途で使用されている。

165

memo

第4章

産業で活躍する
プラスチック

3章では、私たちの身近にあるプラスチック製品を見渡してきましたが、一歩家から外に出れば、さらに様々なプラスチックの利用例に出会うことができます。この章では、産業分野での活用例を取り上げていきます。

4-1
自動車では内装からエンジンルームまで幅広く使用

外から見れば金属製に見える自動車ですが、各々のパーツに目を向けると、プラスチックが様々なかたちで利用されています。例えば、内装には多くのプラスチックが使われています。プラスチックを使うことで、車体が軽量化できるからです。自動車の軽量化は使用する燃料の低減につながります。ここでは、主な例を取り上げます。

▶▶ 内装

メーターや計器類が納められているインストルメントパネル（インパネ）の芯材には、メーターや計器類を保持するために、高い剛性をもつ**ガラス繊維強化プラスチック**（GFRP＊）が活用されています。

自動車の内装

インストルメントパネル

表皮材〜見た目の良さ→軟質塩化ビニル
基材〜耐衝撃性→ABS樹脂、変性PPE
芯材〜高い剛性→ガラス繊維強化プラスチック(GFRP)を使用
・ガラス繊維強化ABS樹脂
・ガラス繊維強化アクリロニトリルスチレン樹脂

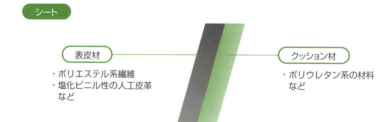

シート

表皮材
・ポリエステル系繊維
・塩化ビニル性の人工皮革
など

クッション材
・ポリウレタン系の材料
など

＊ GFRP　Glass Fiber Reinforced Plastics の略。

4-1　自動車では内装からエンジンルームまで幅広く使用

　また、インパネの芯を覆っている基材には、安全性を向上するために耐衝撃性が求められており、**アクリロニトリルーブタジエンースチレン樹脂（ABS*樹脂）**、**変性ポリフェニレンエーテル（変性PPE*）** などが活用されています。そして、目に見える部分である表皮材*には、見た目の良さが求められており、**軟質ポリ塩化ビニル**などが利用されています。

　また、シートでは、表皮材とクッション材にプラスチックが利用されています。表皮材には繊維系である**ポリエステル**（PET繊維）系のものや、ポリ塩化ビニル製の人工皮革などが用いられています。クッション材には、ポリウレタン系の素材が使用されています。

▶▶ 外装

　バンパは、現在はほとんどプラスチックです。材料は**変性ポリプロピレン**などが活用されています。また、高衝撃に対応するバンパでは、バンパ本体の中に**ポリウレタン**や**発泡ポリプロピレン**などの発泡体を組み込んで、衝撃を吸収できる仕組みとなっています。

　また、ホイールカバーは、場所によっては130～150℃程度の耐熱性が求められます。自動車のFF（前輪駆動）化に伴って、前輪にかかる重量が増加し、ブレーキを使用した際の発生熱量が多くなったためです。このため、ABS樹脂、変性PPEやポリアミド（PA、ナイロン）のポリマーアロイなどが使われています（2-6節参照）。その他、ライトカバーには透明で高い強度をもつポリカーボナートが使用されています。フロントガラスには、破損を避けるために、ガラスの間にポリビニルブチラールフィルムがはさみ込まれています。

　ボディについて、現在は鉄が主流ですが、プラスチックにできると自動車の軽量化や低燃費化が可能になります。特に電気自動車にとって軽量化は重要であり、量産可能なプラスチック製ボディの開発が進められており、繊維強化プラスチック（FRP）によるバックドア、ボンネットフードへの利用などが進みつつあります。

第4章　産業で活躍するプラスチック

＊**ABS**　Acrylonitrile、Butadiene、Styreneの頭文字。
＊**PPE**　Polyphenyleneetherの略。
＊**表皮材**　車によっては、基材が表皮材を兼ねている場合もある。

169

4-1 自動車では内装からエンジンルームまで幅広く使用

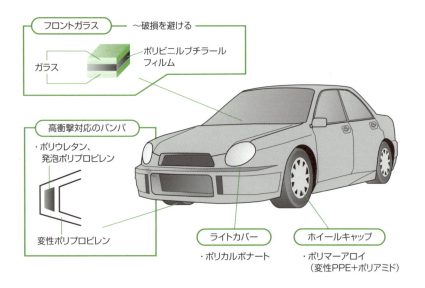

自動車の外装

▶▶ エンジン、燃料系部品

　エンジン周辺の部品や燃料を送る配管などの部品については、使用される場所の温度が高いことや振動が大きいこと、さらに、燃料、エンジンオイル、ウォッシャー液などに触れるなど、厳しい使用条件の下での信頼性が求められるため、他の場所に比べてプラスチックが利用される範囲は限られています。

　エンジン周辺では、吸排気系のエアクリーナーやラジエータータンクでガラス繊維強化プラスチック（GFRP）が使用されています。また、燃料タンクではプラスチックへの切り替えが進んでおり、主に**高密度ポリエチレン（HDPE*）**や、**ポリアセタール（POM*）**が使用されています。

---

* HDPE　High Density Polyethyleneの略。
* POM　Polyoxymethyleneの略。

4-1　自動車では内装からエンジンルームまで幅広く使用

COLUMN　プラスチックボディの車？旧東ドイツのトラバント

　日本では、乗用車のボディは主に鋼材で作られており、プラスチックの利用は限られています。しかし、東西ドイツ統一（1989年）前の東ドイツでは、プラスチックをボディの主な材料として使用した乗用車が走っていました。これをトラバント（Trabant、同伴者の意味）といい、1958年から1991年までに約300万台製造されました。

　トラバントは、排気量約600cc（1962年以降に製造されたモデル）、定員4名と、現在の日本の軽自動車と同じぐらいの排気量と定員です。また、エンジンは直列2気筒の空冷エンジンで、日本で昭和30年代に製造され大衆車として親しまれたスバル360と同様の仕組みのものを利用しています。

　トラバントの車体は、日本の乗用車で一般的な**モノコック構造**＊とは異なり、**ラダーフレーム構造**＊であったことから、ボディそのもので車の強度を確保する必要がなく、プラスチックが一部使用されました。使用された素材は、布とプラスチックの積層材料＊などでしたが、ボディの断面は一見すると段ボールに見えるために、日本では、段ボール製の車が東ドイツで走っていると話題になったこともあります。

　東西ドイツが統一された当時、ベルリンの壁にはトラバントが壁を突き抜けてくる絵が描かれていました。旧西ドイツ製の最新の大型乗用車と、古くからデザインが変わらず小柄なトラバントがベルリンの街を並んで走る様は、東西ドイツの統合の象徴的な風景の一つでした。

　トラバントは、東西ドイツの統一後、その存在が幅広く知られることになりましたが、エンジン音が大きいことや排気ガスの浄化の対応と燃費改善が難しく、1991年に製造中止になりました。それ以降、環境問題に対する関心が高いドイツ国内では、急速に見かけることが少なくなりました。

　その後、時は流れて21世紀に入り、多くのトラバントが廃車になる一方で、「旧東ドイツの生活はそんなに悪くはなかった」というオスタルギーと言われる郷愁と相まって、クラシックカーとしての評価が高まっています。

　かつてのトラバントの生産工場のあった街では、毎年トラバントのファンが、自身の自慢のトラバントを持ち込んで盛り上がる、ファンミーティングも開催されています（2017年現在）。

第4章　産業で活躍するプラスチック

＊モノコック構造　　フレームとボディが一体的な構造。このため自動車のボディの現在の主流は鉄である。
＊ラダーフレーム構造　強度が確保されたフレームにボディを載せる構造。
＊布とプラスチックの積層材料　FRPの一種であるが、ガラス繊維や炭素繊維で強化されたものに比べて強度は低い。

4-2

鉄道車両とプラスチック

自動車とともに陸上交通機関の代表格である鉄道車両でも、内装を中心にプラスチックが活用されてきました。最近では、これまで金属材料が中心だった車体にも、プラスチックが利用され始めています。

▶▶ つり革、つり輪

以前は、電車のつり革のベルト部分には、その名のとおり革が使われていました。現在は、手に持つ部分とベルト部分がともにプラスチック製となっています。

手に持つ部分は、プラスチックの中では早い時期（1918年）に開発された**ユリア樹脂**が今でも使用されています。ユリア樹脂は、白色で着色が容易であるほか、硬く、表面が滑らかで触感が良い特長があります。この樹脂は、昭和30年代後半から40年代にかけては国内で最も多く生産されたプラスチックで、食器や玩具など幅広い分野で使用されました。しかし、ユリア樹脂製の食器に熱湯を入れるとホルマリンが融け出すことや、加工方法が大量生産に向かない**圧縮成型***であることから利用が減少しており、現在は麻雀牌や漆器用の素地など限られた用途での使用となっています。

また、ベルト部分には、ポリ塩化ビニルが使用されています。

▶▶ 内装、床材

鉄道車両の内装には、**メラミン樹脂**が幅広く用いられています。メラミン樹脂はプラスチック材料の中では最も硬く、傷がつきにくいことや、熱に強く550℃のたばこの火にも耐えること、また、色や模様を自由につけられることなどの利点があります。

また、床材には、ポリ塩化ビニルなどの摩耗しづらく耐水性に優れた材料が使われています。

---

* **圧縮成型**　加熱した雌型の金型に成型する材料を入れ、雄型の金型を雌型の金型にはめ込み、加熱・加圧して材料を固め、成型品を取り出す方法。主にフェノール樹脂やユリア樹脂などの熱硬化性樹脂の加工に使われる。

4-2 鉄道車両とプラスチック

▶▶ 下回り

　鉄道車両の台車などがある下回りは、内装に比べ使用環境が厳しくなることから、プラスチックが利用される部分は限られます。例えば、床下に設置されている飲料水のタンクには、**繊維強化プラスチック**（**FRP**＊）が使用されています。FRPは強度があり軽いほか、半透明にすることでタンクの中身を外側から目で確認できる利点があります。

▶▶ 車体

　電車や客車の車体は、鉄道事業が始まった頃は木製でしたが、その後鋼製となり、近年は省エネルギーを目的として、軽量化のためステンレスが使用されるようになりました。プラスチックが主体の車体はまだ日本では現れていませんが、車体の中でも複雑な形状を必要とする部分や電気絶縁性を要する部分などではプラスチックが使用されています。利用されている例としては、新幹線の前面の流線型の部分やパンタグラフの風防などがあげられます。材料としては、強度が必要であることから、FRPが使用されています。

▼新幹線

前面の流線形の部分やパンタグラフの風防にプラスチックが使用されています。

＊FRP　Fiber Reinforced Plasticsの略。

4-2 鉄道車両とプラスチック

鉄道車両のプラスチック利用例

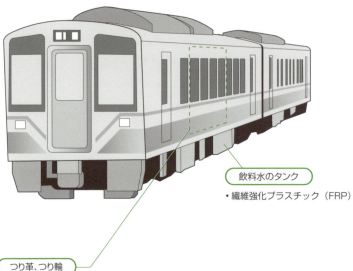

飲料水のタンク
- 繊維強化プラスチック（FRP）

つり革、つり輪
- ユリア樹脂（手に持つ部分）
  硬く、滑らかな表面
  →つかみやすく、重さにも耐える
- ポリ塩化ビニル（ベルトの部分）

内装
- メラミン樹脂
  - 熱に強い（たばこの火にも耐える）
  - 自由に着色したり、模様をつけたりできる

床材
- ポリ塩化ビニル
  摩耗しづらく、耐水性に優れる

▼鉄道車内

つり革、つり輪、内装、床材に幅広くプラスチックが使用されています。

4-3 駆体は鋼板から繊維強化プラスチックへ（船舶、航空機）

船舶は海の上で、航空機は空で、それぞれ陸上の交通機関に比べて厳しい条件の中で利用されています。これらの交通機関ではこれまで金属や木材が使われてきましたが、徐々にプラスチックが活用されるようになりました。

▶▶ 船舶

いかだ船や木をくり抜いて作られたくり船以来長い間、船体の材料は木でしたが、19世紀には鉄製の汽船が登場しました。その後鋼製の船が現れて普及し、船の大型化が進みました。

現在でも鋼製の船舶は数が多いですが、20世紀に入り、鉄より強くアルミより強いのが売りの繊維強化プラスチック（FRP）が登場し、救命艇やモーターボートなどの小型船舶の船体に使用され始めました。FRPは当初は、鋼に比べて加工や整形が困難なことから小型の船舶に使用が限られていましたが、現在は、より大型の船体に採用されるようになり、巡視艇、監視艇などにも使用されるようになりました。

船体にFRPが使用されるようになった理由としては、鋼に比べ強度が大きく軽量であるほか、海水（塩水）に常に触れていても腐食しにくく、耐水性に優れていることが挙げられます。

船舶での使用例

船体　木→鉄→鋼→FRP
・海水に触れても腐食しにくい
・耐水性に優れる

4-3 躯体は鋼板から繊維強化プラスチックへ（船舶、航空機）

▶▶ 飛行機

　限られたエンジンの出力でいかに遠くまで安定して飛行できるかは、飛行機にとっての大きな課題です。その課題を克服する一つのポイントは、飛行機をいかに軽量化するかということです。単純に、同じ材料と構造を用いて軽くしようとすれば、使用する材料の量を減らしていくしかありません。そのことは例えば、骨組みの材料や外壁の厚さを薄くするといったことになり、結果的に強度を損なうことになります。飛行機の場合、飛行中に空気の流れによって大きな力を受けるので、それに耐える強度を確保することは重要なことです。構造の強度を維持しながら軽量化を図るためには、それらを両立し得る材料を見いだしていかなくてはなりません。

　このため、現在は比重が軟鋼の3分の1と軽く、強度が高いアルミニウム合金が、航空機の外板や構造部などに広く使われています。しかし、近年生産されている飛行機では、**炭素繊維強化プラスチック（CFRP＊）** が垂直尾翼や水平尾翼などに使われ始め、すでに胴体の半分近くにCFRPを用いた航空機も現れました（1-1節参照）。

　この他にも、窓ガラスにはアクリル樹脂、壁材には発泡ポリウレタン、シートにはポリ塩化ビニルなど、内装を中心に幅広くプラスチック材料が活用されています。

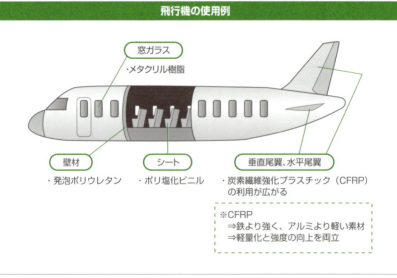

飛行機の使用例

＊ CFRP　Carbon Fiber Reinforced Plastics の略。

4-4

スポーツ施設で活躍する
プラスチック

スポーツの世界でも、様々なかたちでプラスチックが利用されています。ここでは、プロスポーツに共通する利用例を取り上げます。

▶▶ 人工芝

人工芝は、野球場などで使用されるようになっています。従来は、**ナイロン（ポリアミド）** や**ポリプロピレン**を用いたじゅうたんのような織物でしたが、芝の長さが短く、選手の足腰への負担が大きいものでした。しかし、大阪ドームの人工芝は**ポリエチレン**製で、芝の長さもこれまでより長く、芝の下にある古タイヤチップのクッション材や砂とともに、選手の足腰に加わる衝撃を減らしています。

また、ポリエチレン製の人工芝は、夏に用いるスキーのジャンプ台に利用されています。スキーのジャンプ競技は一般には冬に行われますが、人工芝を利用したスキージャンプ台は、1990年代に夏のトレーニングを目的として開発されました。具体的には、スキーのジャンプ台の着地部分に人工芝が敷き詰められており、滑った際に生じる摩擦熱や日光による加熱に伴う芝の劣化を防ぐために、スプリンクラーによる水まきを行うなどの工夫がされています。近年はスキーのジャンプ台以外に、夏に利用可能なスキー場やボブスレー場などの遊戯施設でも人工芝が活用されています。

第4章　産業で活躍するプラスチック

177

4-4 スポーツ施設で活躍するプラスチック

プロスポーツでの使用例

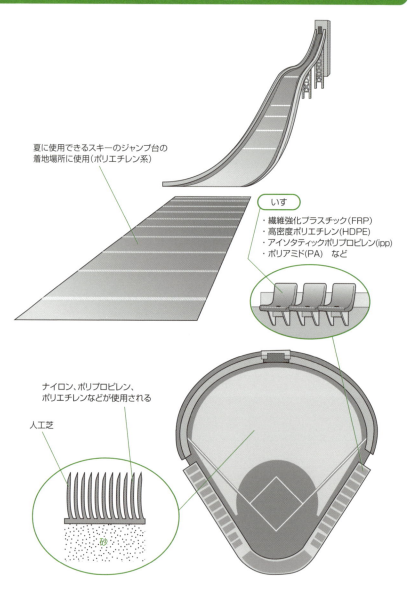

夏に使用できるスキーのジャンプ台の着地場所に使用（ポリエチレン系）

いす
・繊維強化プラスチック(FRP)
・高密度ポリエチレン(HDPE)
・アイソタティックポリプロピレン(ipp)
・ポリアミド(PA)　など

ナイロン、ポリプロピレン、ポリエチレンなどが使用される

人工芝

砂

4-4 スポーツ施設で活躍するプラスチック

▶▶ 観客

野球場やサッカー場などでは、人工芝の他にも様々な場所でプラスチックが使用されています。例えば観客席のいすには、丈夫なこと、風雨にさらされても劣化しにくいこと、汚れがつきにくいこと、などが要求されます。特に丈夫さが要求されていたことから、繊維強化プラスチック (FRP) が使用され

▼プラスチック椅子

てきました。しかし、FRPはリサイクルや廃棄処分が難しく、また、高価なことが問題でした。近年、樹脂製造技術と成型技術、光劣化防止技術の進歩により、各々のスタジアムシートに求められる耐衝撃性や耐候性などの特性に合わせて、高強度ポリオレフィン材料 (高密度ポリエチレン(HDPE)、アイソタティックポリプロピレン(iPP)など) やポリアミド(PA)などの多用な材料が使用されるようになってきました。

▶▶ ボール

球技で使うボールにおけるプラスチックの利用例を見てみましょう。

野球のボールには、あまり使われていません。表面に牛皮を用いることなどが詳細に公認野球規則で定められているため、芯にゴム材が使われるケースがある程度です。

また、ボーリングのボールは、表面はポリエステル、ウレタン、硬質ゴムなどが用いられており、プロボーラーはレーンの表面状態に合わせて、適当な材質と表面形状をもったボールを選んで使用しています。

4-5

実は軽くて強い発泡スチロール（土木）

　土木工事の分野で使われる材料としては、まずコンクリートが挙げられます。しかし、目立たないかたちですが、徐々にプラスチックの利用が広がってきました。ここでは、幅広く利用されている例を取り上げます。

▶▶ EPS工法

　EPS *工法（**発泡スチロール土木工法**）とは、発泡スチロール（**発泡ポリスチレン**）の大型ブロックを盛土の材料として積み重ね、一体化していくものです。この工法は、軟らかい地盤の上や地滑り地の盛土、構造物の背面の盛土など、すべてを土で盛ると重みで地盤が崩れるなどの問題がある箇所で行うものです。軽い発泡スチロールを盛土の代わりに用いることで、かかる重さを軽くし、土圧を低減することができます。この工法は軽い発泡スチロールを扱うことから、大型建設機械を必要としないため、工事の際に周辺環境に影響が少ないというメリットもあります。

　発泡スチロールといえば、軟らかいものという印象がありますが、EPS工法で用いる発泡スチロールのブロックは、1 m²に10 tから30 tの重さまで耐えることができるものであり、盛土として十分な強さをもっています。

　EPS工法で使われた発泡スチロールは土の中に埋まっているため、工事を終えたあとは外から見ることができませんが、道路の改修や公園、宅地の造成、駅ホームの延長など、様々な場所で活用されています。

＊EPS　Expanded Poly-Styrol の略。

▶▶ 植生マット

　宅地を造成したり高速道路を建設する際に、山や谷を切り崩して造ることがあります。その際、新たにできた斜面をそのままにしておくと、地滑りを起こして崩壊する危険性があります。このため、斜面に芝を張るなどの植生をして保護する必要があります。

　この際、芝が順調に育つよう、のり面の表面の土や芝の種そのものが流れ落ちないように、芝の種をまく箇所にプラスチック製のマットを敷いています。使用されているプラスチックとしては、ポリエチレンなどが利用されていますが、最近は**生分解性プラスチック**（5-5節参照）も活用され始めました。

▶▶ コンクリートの補強剤としてのプラスチック利用

　これまでコンクリートは、強度を確保するために鉄筋とともに使用されてきましたが、コンクリートがひび割れると、その隙間から入った水分によって鉄筋がさび、強度が落ちる場合があります。

　これを避けるために、鉄骨の代わりに**カーボン繊維**や**アラミド繊維**などを**エポキシ樹脂**で固めて板状や棒状にした材料を用いる方法が開発され、使用されています。この方法であれば、水分による劣化はしませんし、鋼材より軽量であることや磁化しないという特長もあり、発電所など大きな電力を扱う構造物での使用にも有利と考えられます。

アラミド繊維
芳香族ポリアミド系樹脂の総称で、軽量かつ高い強度、耐久性、衝撃吸収性、非導電・非磁性、電波透過性を持つ合成繊維である。消防士用の防火衣、警察などが着用する防弾ベスト、船体の補強や縄、光ファイバーの補強材などに使用されている（5-6節参照）。

4-5　実は軽くて強い発泡スチロール（土木）

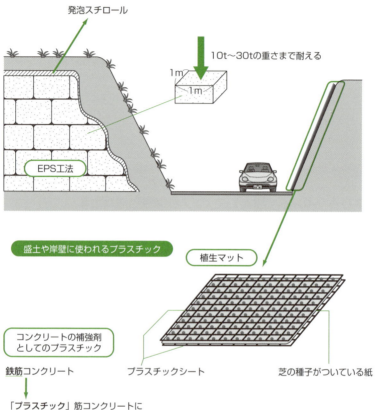

4-6

季節に関わらず様々な食材を
得るために（農業、水産業）

　私たちの食生活は戦後の経済成長とともに年々豊かになりました。豊かな食生活を支える農業や水産業では、その収穫量を確保する上で、プラスチックが大きな役割を果たしています。ここでは、代表的な例を取り上げます。

▶▶ ビニールハウス

　近年、本来の収穫時期ではない冬に、トマト、きゅうり、なすびなどの野菜を食べることができるようになりました。季節に関係なく様々な野菜が食べられるようになった大きな要因が、ビニールハウスによる野菜の栽培が広がったことです。ビニールハウスには、その名のとおり、プラスチックのフィルムが活用されています。

　ビニールハウスに使用されているプラスチックのフィルムには、以前はポリ塩化ビニル製やポリエチレン製のフィルムが使用されていました。しかし、いずれも製品の寿命が2〜3年と短いことから、廃棄物の発生を抑え資源を有効利用し、取り替える作業を軽減するために、近年では、長期間の使用が可能であるポリエチレンテレフタラート（PET＊）系やフッ素系のフィルムの使用が増えています。

　PET系フィルムには、気候により劣化しづらくなるように、紫外線の吸収剤が練り込まれています。このためフィルムが紫外線を通さず、紫外線を受けないと紫にならないナスの栽培には使えないなど、使用にあたっての課題も残っています。

　フッ素系フィルムは、汚れがつきにくく熱や寒さに強いほか、材質の強度も十分で、紫外線も十分に通すなど、優れた面があります。その一方で、焼却時に有毒なフッ素ガスが発生することから、使用後の廃棄処理に課題があります。

＊PET　Polyethylene Terephthalate の略。

第4章　産業で活躍するプラスチック

4-6　季節に関わらず様々な食材を得るために（農業、水産業）

▶▶ 農ビ、農ポリ、農PO

　野菜には、温度が高い方が生育がよいものとそうでないものがあります。このため、フィルム資材で土壌表面を覆い地温を高めたり、作物を覆うことにより気温を高めて、栽培期間を早めたり遅らすことができます。使用されているフィルム素材としては、**ポリ塩化ビニル（PVC**＊**）**を主な素材としたフィルム（**農ビ**）、**ポリエチレン（PE）**のフィルム（**農ポリ**）、ポリエチレン（PE）と**エチレン酢酸ビニル共重合体（EVA）**を重ね合わせ、保温性その他の性能を改善したポリオレフィン系の特殊フィルム（**農PO**）などがあります。

　フィルム資材を用いた栽培方法としては、直接土壌を農ポリなどのフィルムで覆う「**マルチ栽培**」や、半円型の支柱に農ポリや農POなどのフィルムをかけ、その中で野菜を栽培する「**トンネル栽培**」があります。

　これらのフィルムもビニールハウスでも用いるプラスチックと同様に、処分に課題があることから、マルチ栽培に**生分解性プラスチック**（5-5節参照）のフィルムを用いるなどの新たな試みがなされています。また、マルチ栽培用のフィルムにとうがらしの粉末を練りこむことで、防虫機能を持たせたものなども現れています。

▼ビニールハウス

壁、屋根などにプラスチックのフィルムが使用されています。

＊ **PVC**　Polyvinyl Chlorideの略。

4-6 季節に関わらず様々な食材を得るために（農業、水産業）

▶▶ 種まき等での活用と農業用プラスチックのリサイクル

　水に溶けるプラスチックである**ポリビニルアルコール（PVAL***）のテープに、大根やニンジンなどの作物の種を封入しておき、これをのばして置いていくことで畑に種をまくという手法が実用化されています。少ない労力でむらなく種をまくことができる利点があります。

　また、紙おむつにも使用されている、ポリアクリル酸塩を使用した高吸水性高分子（コラム「架橋と紙おむつ」参照）が、農業分野でも幅広く活躍されています。具体的には、土壌保水材、育苗用シートなどに利用されています。

　農業用プラスチック（農業用マルチシート等）の使用は、大きく広がっている一方で、その再利用については、約8割が再生利用（マテリアルリサイクル＝別の素材としての利用、サーマルリサイクル＝熱利用）されており、今後も更なる再生利用を進めるべく官民の取り組みが進められています。

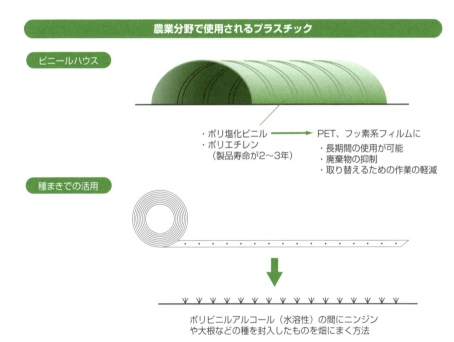

農業分野で使用されるプラスチック

ビニールハウス
・ポリ塩化ビニル ／ ・ポリエチレン（製品寿命が2〜3年）
→ PET、フッ素系フィルムに
・長期間の使用が可能
・廃棄物の抑制
・取り替えるための作業の軽減

種まきでの活用
ポリビニルアルコール（水溶性）の間にニンジンや大根などの種を封入したものを畑にまく方法

＊ **PVAL**　Polyvinyl Alcoholの略。

▶▶ 魚礁

　海底の岩が盛り上がって浅くなっているところには、様々な魚が集まっています。これを天然礁といいます。このような場所では、潮の流れが複雑になり、海底に近い養分を多く含んだ水がかき混ぜられます。そのため、プランクトンがたくさん増えて、このプランクトンをえさとする小魚が集まり、さらにこの小魚をえさとする大型の魚が集まるようになります。また、魚礁の複雑な構造は、魚が外敵から身を守るのに適しています。

　天然礁のような場所を人工的に作ることが、以前から行われてきました。これを**人工漁礁**といいます。これまでは、廃船を沈めたりコンクリートブロックを沈めたりしていましたが、近年は廃プラスチックに砂を混ぜて加圧、加熱し、固めたものが使われるようになりました。

漁業分野で活用されるプラスチック

漁礁

構造物を置く ⇒ 潮の流水が複雑に
→ プランクトンが増える
→ プランクトンを小魚が食べる
→ 小魚が増える
→ 小魚を大型の魚が食べる
→ 大型の魚が集まる

人工漁礁

人工漁礁
→ 廃船やコンクリートブロックから、廃プラスチックを加工したものに

4-7

風雨などから素材を守る（塗料）

　建物や自動車をはじめとして、私たちの身の回りの工業製品の表面の多くは、塗料で塗装されています。この塗料の目的は、外観を美しく見せることも一つですが、それとともに、金属材料であればさびを防ぐなど、塗装するものが簡単に劣化しないようにする役割を果たしています。塗料に求められる一般的な性質として、塗ったあとに早く乾く（固まる）ことや、平らで光沢のある膜となること、できた膜（塗膜）が硬く、容易にはがれないことなどがあります。プラスチックは、このような多様な性質を満たすことができる素材といえます。

▶▶ 溶剤型の塗料（ラッカーなど）

　塗膜を構成する主なものがプラスチックで、塗る前には溶剤にそのプラスチックが溶かされているものを**溶剤型の塗料**といいます。一般にラッカーといわれるものがこれに当たります。

　このタイプの塗料は、溶剤の揮発のみによって塗膜を形成するため、乾燥が早く、手軽に使えるという利点があります。しかし、溶剤が揮発して作業者の健康に悪影響を及ぼしたり、比較的塗装がはがれやすいなどの課題があります。

溶剤型の塗料

ラッカー塗料
プラスチックを溶剤に溶かしたもの

・利点・乾燥が早い
　　　・手軽に使える（スプレーで噴射するだけ、など）

・欠点・溶剤が作業者の健康に影響
　　　・比較的、塗装がはがれやすい

ラッカー塗料に溶かされているプラスチック
ラッカー塗料に溶かされているプラスチックには、主にアクリル樹脂やニトロセルロースが用いられている。ニトロセルロースは接着剤でも用いられている（第4-8節参照）。

4-7 風雨などから素材を守る（塗料）

▶▶ 硬化性の塗料

　塗る前には小さなポリマーだったものが、塗ったあとに空気中の酸素などの作用や加熱によって重合して、大きなポリマーとなり固まるものを**硬化性の塗料**といいます。例としては、漆、フェノール樹脂塗料、油ペイント、エポキシ樹脂塗料などがあります。この塗料は乾燥が遅く、塗装する際に2つの液を混ぜ合わせるなど、使用にあたっての不便があるにも関わらず、塗膜が硬くはがれにくいことから、最近の合成樹脂塗料の大部分はこちらの性質をもつものになっています。

硬化性の塗料

・利点・塗膜が溶剤系の塗料に比べて硬く、はがれにくい

・欠点・乾燥が遅い
　　　・硬化のために、2つの液を混合したり、
　　　　加熱するなど、手間がかかる

硬化性塗料　　漆、油ペイント、エポキシ、樹脂塗料

▶▶ エマルジョン塗料

　溶剤型の塗料の問題点である有害な溶剤の利用を避けるため、**エマルジョン塗料**というものが現れています。**エマルジョン**とは、油のような性質の微粒子が水に拡散している状態をいいます。身近にある例としては、牛乳があげられます。塗料の樹脂成分を水に拡散させたのがエマルジョン塗料であり、溶剤を使わないため、溶剤の揮発に伴う環境への悪影響がないという利点があります。ただ、利用できる樹脂が限られていることや、仕上げ面の品質に課題があります。

エマルジョン

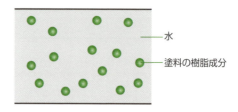

水
塗料の樹脂成分

4-8

飛行機の構造材から付箋紙まで、様々なものを結ぶ（接着剤）

私たちの身近にある製品の多くは、ものとものをくっつけることによって組み立てられています。くっつけるための手段としては、接着剤がよく使用されており、その素材としてプラスチックが使用されています。

▶▶ 溶剤系接着剤とエマルジョン系接着剤

接着剤がもの同士をくっつけるためには、液体になって接着面を濡らすこと、接着後に液体から固体に変わること、一度固まれば性質が変化せず、外部からの力に対して極めて強いことが必要です。これらの性質を満たす素材としてプラスチックは最適であり、様々な形でプラスチックが接着剤として利用されています。

溶剤系接着剤と**エマルジョン系接着剤**は、もっとも身近で使用されている形態の接着剤です。固まりくっつける役割を果たすプラスチックが溶剤に溶けているものが溶剤系接着剤で、水に分子状になって分散しているもの（エマルジョン）がエマルジョン系接着剤です。いずれも接着する場所に塗ったあとに、溶剤や水が揮発していくことでプラスチックが固まり、もの同士をくっつける役割を果たすものです。

身近な例としては、溶剤系接着剤としてはゴム系のプラスチックを溶剤に溶かした黄色いねばねばした接着剤や、**ニトロセルロース**を溶剤に溶かしてチューブに詰めた工作用の接着剤などがあります。エマルジョン系接着剤としては、ポリ酢酸ビニル系のプラスチックをエマルジョン化している木材同士の接着に適した白色の接着剤などが挙げられます。最近は、ポリウレタン系のプラスチックを溶剤に溶かした接着剤が、幅広い材料の接着に向いていることから、利用が広がっています。

また、荷造りに使用する粘着テープや事務用品のセロファンテープも溶剤系接着剤の仲間であり、蒸発しにくい溶剤を用いて粘着性を保っています。粘着剤には、ゴム系のプラスチックや天然素材であるセルロースなどが使用されています。

ニトロセルロース
硝酸繊維素、硝化綿ともいい、セルロースを硝酸と硫酸の混酸で処理して得られるセルロースの硝酸エステルである。白色または淡黄色の綿状物質で、着火すると激しく燃焼する。ラッカー塗料、接着剤のほか、火薬に使用されている。

第4章 産業で活躍するプラスチック

4-8 飛行機の構造材から付箋紙まで、様々なものを結ぶ（接着剤）

溶剤系接着剤とエマルジョン系接着剤

溶剤系接着剤　　エマルジョン系の接着剤　　荷造りテープ

▶▶ 化学反応を用いた接着

　化学反応によって接着剤のポリマー化が進み固まることで接着するものや、光を当てることで化学反応が起きて接着するものなどがあります。

　前者の例としては、**エポキシ系接着剤**が挙げられます。エポキシ系接着剤は、耐水性や耐熱性に優れており、家庭用をはじめとして、土木建築、電気工事、航空機、自動車などの分野で幅広く使われています。

　後者の例としては、光硬化性樹脂（5-1節参照）を用い、透明なガラスの接着や歯の充塡、接着に使用されているものがあります。

エポキシ系接着剤

A液とB液に分かれていて、使用するときに
それらを混ぜ合わせて使う形態のものが多い

エポキシ系接着剤 ▶

4-8 飛行機の構造材から付箋紙まで、様々なものを結ぶ（接着剤）

▶▶ 瞬間接着剤

　数滴垂らすだけでわずかの時間で強力に接着することができる、瞬間接着剤があります。これは、**シアノアクリレート**というモノマーが、わずかな水分に反応して瞬間的に重合してポリマーになって固まる性質を利用しています（2-1節参照）。瞬間接着剤は一般に、金属やセラミックス、ガラスなどの材料の接着を得意とする反面、ポリエチレンなどのプラスチック材料の接着には向きません。また、この接着剤は硬くてもろいため、衝撃にもろいという弱点もあります。

瞬間接着剤

接着剤による接着の仕組み

　接着剤による接着は、「接着剤を媒介とし、化学的もしくは物理的な力またはその両者によって2つの面が結合した状態」と言えます。

　しかし、接着の仕組みについては、統一的な理論が確立されておらず、様々な説が主張されています。

　様々な説の中で、主なものは「機械的結合」「物理的相互作用」「化学的相互作用」の3つです。

　1つ目の「機械的結合」は、「アンカー効果」や「投錨効果」といわれるもので、材料表面の孔や谷間に液状の接着剤が入り込み、固まることで接着するという仕組みです。

　2つ目の「物理的相互作用」は、接触面において、分子間力（ファン・デル・ワールス力）という、あらゆる分子の間に働く引力によって接着するという仕組みです。

　3つ目の「化学的相互作用」は、接触面の原子同士が共有結合をしたり、水素結合をしたりすることで接着するという仕組みです。

4-9 自然エネルギー利用で活躍するプラスチック（風力発電、太陽光発電）

昨今の原子力エネルギーへの依存を見直していこうという動きの中で、再生可能なエネルギー源である風力や太陽光などの自然エネルギーの活用が広がりつつあります。自然エネルギーを活用する機器にも、プラスチックが使われています。

▶▶ 風力発電

　現在の日本で風力発電は、水力発電、地熱発電と共に、大きな自然エネルギー供給源の一つです。電力会社に電気を供給している風力発電機（事業用の風力発電機）は、日本ではプロペラ型で1基3,000 kW（3.0 MW）の設備容量の発電所が半数を超え、発電機の大型化が進んでいます。風力発電機の羽根とナセル（発電機などの機械機器が収納されている部分）のハウジング（外箱）には、**ガラス繊維強化プラスチック**（**GFRP**）が使われています。風力発電機にプラスチックを利用することは、発電機としての機能を確保する上で、重要な意味を持っています。

　例えば1,000 kWの風力発電機では、その羽根の長さは30 m程度、重量は1枚の羽根で2 t程度（一般には羽根は3枚、羽根の重量の合計は羽根3枚分）になります。また、発電機などの機器が収まっているナセルの重量は40 t程度あります。風力発電のナセルや羽根は地上から、数十メートル、ビルで言えば十数階の高さになります。このような高い場所に、重量が大きいものを安定して固定することは容易ではありません。

▼風力発電

4-9　自然エネルギー利用で活躍するプラスチック（風力発電、太陽光発電）

　また、風力発電で電気を効率よく起こすためには、羽根を軽くする必要があります。また、発電できる電気を多くするためには、羽根を大きくして風を多く受けるようにする必要があります。しかし、羽根を大きくすればその分羽根は重くなり、電気を起こす効率が悪くなります。また、発電できる電気を増やせばその分発電機を含むナセルも大きくしなくてはなりません。

　したがって、羽根やナセルを出来るだけ軽くし、かつ高い強度にすることが、風力発電機にとって極めて重要です。このため、これらの機能を両立する素材として、ガラス繊維強化プラスチック（GFRP）が使われています。

▶▶ 太陽光発電

　太陽光発電は、積極的に導入が進められている自然エネルギーの一つであり、かつて日本が世界で導入量第1位になったこともあります。太陽光発電の電気を起こす部分（太陽電池）そのものはシリコーンなどでできていますが、太陽電池モジュールにはプラスチックが使用されています。

　太陽電池そのものは薄く脆い構造であり、一個の電池では起電力が十分でないことから、複数の太陽電池を一組のパッケージにして使用されています。このパッケージを**太陽電池モジュール**と言います。

　太陽電池モジュールのうちの代表的なスーパーストレート型は、複数の太陽電池を充填剤で閉じ込めたものを、太陽電池の受光面の側のガラス製のフロントカバーと裏側のバックシートで挟みこみ、アルミ製のフレームで固定した構造となっています。これらの部品のうち、充填剤とバックシートにプラスチックが使用されています。充填剤は、光を十分に通す素材であることが必要であることや、20年以上に渡って日光にさらされることを考慮して、透明で紫外線に対する耐性に優れた**エチレン酢酸ビニル共重合体（EVA＊）**が主に使用されています。

▼太陽電池

＊ EVA　Ethylene-Viny Acetateの略。

4-9 自然エネルギー利用で活躍するプラスチック（風力発電、太陽光発電）

風力発電で使われるプラスチック

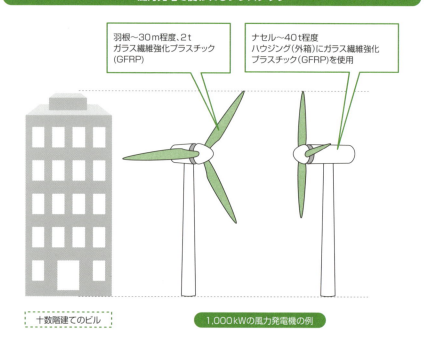

太陽光発電で使われるプラスチック

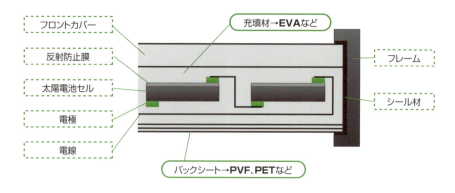

4-9 自然エネルギー利用で活躍するプラスチック（風力発電、太陽光発電）

またバックシートには、直接屋外にさらされることや電気絶縁性を持つ必要があることから、紫外線や腐食に対する優れた耐性を持つ**ポリフッ化ビニル**（**PVF**＊）や**ポリエチレンテレフタラート**（**PET**＊）などの多くの種類のフィルムを重ねたものとなっています。

また、実用化が近づいている**色素増感太陽電池**の基板にもプラスチックフィルムが使用されています。色素増感太陽電池は、発電効率は従来のものに比べて低いものの、プラスチックシートを基板に使用することで、変形可能な太陽電池を製造することができます。さらにそのシートをロール状にまとめることで、印刷するように太陽電池を連続生産でき、製造コストの低減にも寄与すると考えられています。色素増感太陽電池には、基板として透明な電気を通すプラスチックフィルムの活用が検討されています。

太陽電池
（PN接合型太陽電池と色素増感太陽電池）

現在、多く使用されている太陽電池（PN接合型）は、P型とN型の半導体が接合されてできています。これらの半導体が光を受けることで、半導体の中の電子が励起され、N型半導体の中にある電子がP型半導体に移動します。このことが繰り返し起こることで、電気が起きます。

色素増感太陽電池とは、上記の半導体を接合したものとは異なり、次の2つの電極の間にヨウ素溶液などの酸化還元体（電解液）を挟み込んだ構造を持ちます。

・陰極〜透明な板（プラスチックシートなど）の電気を取り出す方の面に透明な電気を通す薄膜をつくり、もう一方の面に有機色素を吸着させた二酸化チタンなどの微粒子を吹きつけ固定した電極
・陽極〜白金や炭素などの電極

この電池は、次の①〜③のプロセスを繰り返されることで、電気が起きます。

①透明な板に当たる光によって、二酸化チタンに吸着された色素の中の電子が励起される。
②この励起された電子が二酸化チタンを経由して電極（陰極）に移動し、電流として外部回路へと送り出される。
③送り出された電子は外部回路を経由して対向電極（陽極）に戻る。

電子は、電極間に挟まれた電解質（ヨウ素溶液などの酸化還元体）の中のイオンを経由して再び二酸化チタンに吸着された有機色素へと戻ります。

＊ **PVF**　Polyviny Fluorideの略。
＊ **PET**　Polyethylene Terephthalateの略。

4-10
電子回路を使用した製品で活躍するプラスチック

3-10節でも記しましたが、パソコンや携帯電話、スマホ、タブレットなどの携帯情報端末の性能が飛躍的に高まる技術的な要素として、プラスチックを活用した電子回路が重要な役割を果たしています。

▶▶ 電子回路の基板としての役割

これまでも、プリント基板などの電子回路の基板として、プラスチック材料は幅広く使われていますが、近年実用化されている技術にも、素材の特性を生かしプラスチック材料が活用されています。有機ELディスプレイの基板には、プラスチック素材が使われています。有機ELディスプレイを基板に固定する加工をする際に熱を加える必要があることから、熱に強い素材である**ポリイミド**素材が使用されています。具体的には、光る部分である有機材料を固定する基板として、ポリイミド素材が使用されています。

▶▶ 導電性プラスチックの応用例

2000年に電気を通すプラスチックとして、導電性の**ポリアセチレン**を発見したとして、白川英樹博士がノーベル化学賞を受賞して以来、広く存在が知られるところになり、プラスチック特有のフィラー（添加剤）の添加内容を工夫するなど、様々な素材開発が行われています。現在は、タッチパネルのタッチする部分である透明電極膜の素材、電解コンデンサ、電子機器のバックアップ用電池、携帯電話やノートパソコンに使用されているリチウムイオン電池の電極などに使用されています。今後、有機ELへの活用などが期待されています（5-7節参照）。

導電性ポリマー発見のエピソード
導電性ポリマーであるポリアセチレンの発見には、合成のために用いる触媒の量を誤って1,000倍入れて実験を行った結果、次の研究に繋がる薄膜状のポリアセチレンが合成できたことが大きかった。

電子回路の加工方法への活用

電子回路を製造する場合、以前より、プラスチックなどの絶縁体に電気を通す素材（導体）を貼り付けて製作するものがあります。しかし、年々より小型で高性能な電子回路を製造するためには、このような手法では対応しきれない場合も出て来ました。

そこで、近年は光を受けると溶けたり、固まるプラスチックを使用して、より精密な電子回路を製造する手法が実用化されています。これを**フォトレジスト**と言います。

フォトレジストの具体的な方法の例は大まかな位は、次のとおりです。（光を受けると溶けるプラスチックを用いる場合）

❶最初に平らな絶縁体（例えば基材に金属酸化膜を塗ったもの）の基板の表面に、光を受けると溶けるプラスチックを塗り固める。

❷❶で回路にしたい部分（導体にしたい部分）に光を当てる。すると光を受けた部分のみが溶けて取り除ける。

❸❷で光を受けて溶けた部分に回路にする導体を化学的な方法で貼り付ける。（エッチング）

❹導体が固まれば回路ができる。

❺その後、残ったフォトレジスト（プラスチック）を取り除く。

この方法を使うと、光を凸レンズで集光して狭い範囲に当てることができ、先に記したような従来の方法に比べて緻密な電子回路の製作が可能となります。

4-10　電子回路を使用した製品で活躍するプラスチック

フォトレジストの仕組み

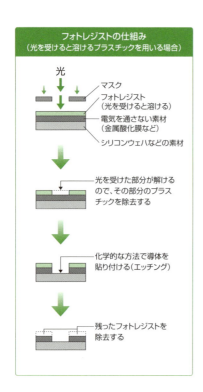

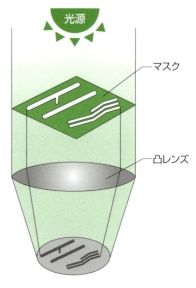

マスクを切り取った部分から光が通り抜け、
レンズを通して投下した光を縮小できる。
その結果、より小さく基盤にマスクに
残した回路を移すことができる

微細な電子回路(LSIなど)の加工に使用

4-11

医療用器具で幅広く使用される
プラスチック

日頃より、病院のお世話になることはありますが、患者の間で細菌感染を防ぐためや、生体との適合性が高い（拒絶反応が少ない）素材として、プラスチックが幅広く使われるようになりました。

▶▶ 注射針

日本に注射の技術が入ってきたのは、明治初期のことです。導入された当初の注射器は、全体が金属製でしたが、明治中期になりガラス製の注射器が導入され、国産化されました。昭和に入ってからも注射器・注射針は再使用が前提となっていたため、使用後は洗浄と消毒と滅菌を繰り返すことができる、金属やガラスが主流でした。特に注射針は、繰り返して使っていると刺さりにくくなりましたが、その都度研磨して再利用していました。

しかし、昭和30年代に入ると病院内の患者間の感染（院内感染）の問題が明らかとなり、感染予防への関心が高まりました。その結果、それまで繰り返し使用されてきた注射器も、一回の使用で処分する「シングルユース」の方向へと変化し、それまで金属やガラスが主流だった注射器は、プラスチック製（針は金属）の滅菌ディスポーザブル*製品へととって変わり、現在に至っています。

▶▶ 輸血関連製品

1950年代に日本で本格的な献血が始まったころ、採血はゴムチューブに金属の針が接続された採血セットを用いて、ガラスビンと献血者の血管を繋いで行われていました。その後1960年代にはそのゴムチューブが**ポリ塩化ビニル**（PVC）製に置き換わってディスポーザブルとなり、その後20年近く使用されました。

その後、ガラスビンと、血管とガラスビンを繋ぐチューブは、1980年代に管と袋が一体的になったポリ塩化ビニル製の血液バックへと変わり、現在に至っています。

第4章　産業で活躍するプラスチック

4-11 医療用器具で幅広く使用されるプラスチック

ディスポーザブル注射器の例

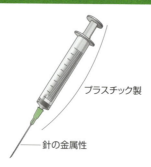

プラスチック製

針の金属性

白血球除去フィルターが組み込まれた血液パック

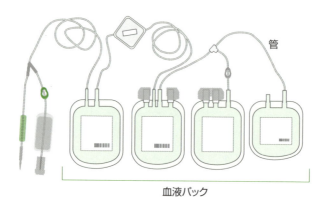

管

血液パック

輸液セットの例

管

4-11　医療用器具で幅広く使用されるプラスチック

また、血液バックからの輸血については、長く様々な部品を組み立てて使用していた輸液セットが使用されており、それらも再利用が一般的でした。このため、発熱、悪寒、感染などの副作用がしばしば起こっていましたが、これらの部品を一体化してディスポーザブルにすることで、副作用が激減しました。

採血や輸血に用いる製品を、ディスポーザブルとする過程には、透明で軟質であって生体に影響を与えないポリ塩化ビニルの開発をしていく必要がありました。一般用途でフィラー（添加剤）として使用されている鉛、カドミウム、スズなどの重金属が医療用途に適さないため、これらに代わるものとして、安全性の高いカルシウムなどが使用されるなどの改良が重ねられました。

最近は、ポリ塩化ビニル製以外で機能性と安全性を兼ね備えた素材による製品開発も進められています。

▶▶ 人工血管

近年は様々なインプラント＊があります。その中で生体との適合性の高さからプラスチック材料がしばしば活用されています。人工血管はその代表的なものの一つです。素材としては、試行錯誤が続きましたが、現在は、ペットボトルの素材としても使われている**ポリエチレンテレフタレート**（PET）や、**延伸ポリテトラフルオロエチレン**（ePTFE＊）が一般的には使用されています。

▶▶ 医療用ディスポーザブル製品の処分

先ほど記したように、ディスポーザブル製品が増えれば、その処分が問題となります。その位置づけは基本的には産業廃棄物ですが、注射針を含む注射器などは医療系廃棄物として、一般的な産業廃棄物とは区分され、十分に加熱滅菌した上で処分されています。具体的には、業界団体（全国産業廃棄物連合会）が処分についてのマニュアルを定めており、それに基づき安全に運搬、処理されています。

＊**インプラント**　体内に埋め込まれる器具。
＊**ePTFE**　expanded Polytetrafluoroethylene の略。

memo

第 5 章

進化する プラスチック

プラスチックは日々進化しています。毎日のように新しいプラスチックが生まれ、新しいプラスチックの作り方が提案されています。それは、プラスチックを作るポリマーの原子の並びだけでなく、プラスチック同士をどう組み合わせるか、どのように加工するかで、無限の可能性があるからです。この章では、代表的な技術分野を取り上げ、その中でプラスチックがどのように進化していっているのかに焦点を絞って紹介します。

5-1
光とプラスチック
（透明性と光応答性）

　光には電波、マイクロ波、赤外線、可視光、紫外線、X線、γ線などがあります。どのような物質も必ず光と相互作用しますが、物質によってどの光とどのように相互作用するかが異なります。そのような相互作用をうまく利用することで、様々な光機能性をもつプラスチックが進化してきました。

▶▶ 光ファイバー

　電気は、その流れを制御することで、懐中電灯からコンピュータまで様々な仕事をさせることができます。光も、その流れを制御すれば同様のことができると期待されています。しかも、光は電気よりもずっと高速に流れるので、例えば光を使ったコンピュータは従来のコンピュータよりもはるかに高速で動作すると考えられています。そのためには、電気が電線を伝って流れるように、光を流す「線」が必要です。そのような線は**光ファイバー**と呼ばれます。

　光ファイバーは、光をできるだけ遠くまで、減衰することなく運ばなければなりません。したがって、光ファイバーで重要なことは、光が外に漏れず、また、ファイバーが光を吸収しないことです。光を外に漏らさないためには、光がある条件下で全反射するという性質を利用します。ですので、光ファイバーの性能を決めるのは、光を通す芯の部分がどれほど透明か、ということになります。

　透明なものといえば、ガラスが思い浮かびます。しかし、光ファイバーに要求される透明性は、ガラスの比ではありません。普通の窓ガラスに使うガラス板を横から見ると、緑色に濁っていて向こうがほとんど見えないことに気がつくと思います。これは、ガラスがわずかでも光を吸収することと、ガラスの中に不純物が含まれていることによります。

▼光ファイバー

＊**石英**　ガラスよりもはるかに透明である。
＊**PMMA**　Polymethyl Methacrylateの略。

5-1 光とプラスチック（透明性と光応答性）

　光ファイバーは、水晶を作る**石英**＊という物質を非常に高純度にしたもので作られています。石英で作られた光ファイバーは、構造によっては100 km以上も光を伝えることができます。しかし、石英は硬くて加工しにくく、折れやすいために、電線のように自由に曲げることができません。重いので、扱いも面倒です。さらに、光ファイバー同士を接続するのに高度の技術を必要とします。

　そこで、光ファイバーをプラスチックで作ることが検討されてきました。光ファイバーをプラスチックで作れば、軽く、安価で、加工しやすく、曲げやすくなります。しかもプラスチックですから、融かすことによって簡単に光ファイバー同士を接続できます。

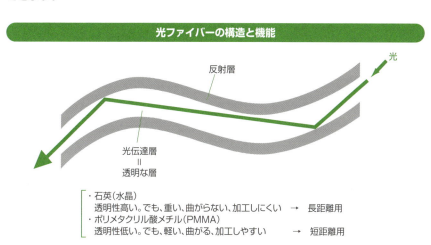

光ファイバーの構造と機能

- 石英（水晶）
  透明性高い。でも、重い、曲がらない、加工しにくい　→　長距離用
- ポリメタクリル酸メチル（PMMA）
  透明性低い。でも、軽い、曲がる、加工しやすい　→　短距離用

　ポリメタクリル酸メチル（**PMMA**＊）は、安価で最も透明度の高いプラスチックとして知られています。そこで、PMMAを用いてプラスチック光ファイバーが作られました。しかし、PMMAもわずかに光を吸収します。そのため、PMMAで作った光ファイバーでは、不純物を極限まで除いたり、重合方法を工夫したりしても、せいぜい数十mしか光を届けることができません。しかし、それだけ伝えられれば、家の中などで使う分には十分です。現在、家庭内や車内での光配線には、安価なPMMAの光ファイバーが主に使われています。

高速プラスチック光ファイバー
PMMA分子の水素原子を質量の大きい重水素やフッ素に置換することで、伝送損失を低く抑えた高速の光ファイバーの研究開発も進んでいる。

5-1 光とプラスチック（透明性と光応答性）

　プラスチック光ファイバーで伝送距離をさらに伸ばすためには、PMMAよりも吸収の少ないプラスチックを使う必要があります。そのために、PMMA中の水素を、重水素やフッ素といった自然界にはほとんど存在しない元素で置き換えることが試みられてきました。このようなプラスチックは極めて高価ですし、性能はまだ石英光ファイバーに及びませんが、プラスチックの特性が生かせるため、多くの場面で使われるようになってきています。

▶▶ コンタクトレンズ

　コンタクトレンズは、最初はガラスで作られましたが、割れる可能性があるため危険でした。コンタクトレンズが普及するようになったのは、割れないプラスチックで作られるようになってからです。

　コンタクトレンズは透明性が大事ですので、まずPMMAで作られました。PMMAは硬く、加工しやすいということもコンタクトレンズに向いています。これがハードコンタクトレンズです。

　しかし、PMMAは酸素をほとんど通さないため、長時間つけていられないという問題がありました。目の表面の角膜を作る細胞には血管がないので（あったら目が見えません）、角膜の細胞は涙を通して酸素を受け取っています。角膜の表面がPMMAのコンタクトレンズで覆われてしまうと、角膜の細胞が酸素不足に陥るのです。

　そこで、酸素透過性ハードコンタクトレンズが開発されました。プラスチックは、その構造中にフッ素やケイ素といった元素を含むと酸素を透過しやすくなる性質があります（5-8節参照）。そこで、PMMAを基本に、特にケイ素を含む構造で一部を置き換えることにより、酸素透過性を高めたプラスチックを使うのです。現在、ハードコンタクトレンズと言えば酸素透過性ハードコンタクトレンズを指すといってもいいでしょう。酸素透過性ハードコンタクトレンズに使うプラスチックは、ケイ素を含むためPMMAに比べて軟らかく、PMMAだけからできたハードコンタクトレンズに比べると傷つきやすくなっています。

　一方、ハードコンタクトレンズは使用感があまり良くないという問題を抱えています。これは、素材が硬い以上どうしようもありません。そこで、ソフトコンタクトレンズが開発されました。

コンタクトレンズの発明
レオナルド・ダ・ヴィンチの1508年の古い写本には、水を入れた底の丸い透明な器に顔をつけて、器越しにものを見ると見え方が変わるとの記載がある。

5-1 光とプラスチック（透明性と光応答性）

　ソフトコンタクトレンズの原理は、こんにゃくと同じです。こんにゃくは大量の水を含むことによって、軟らかく、しかも透明になっています。水を吸うにもかかわらず水に溶けてしまわないのは、こんにゃくを作るポリマーが架橋されているからです。ソフトコンタクトレンズに使われるプラスチックも、本来は硬くて水に溶けるプラスチックです。これに水を吸わせることによって、軟らかく、透明度の高い状態に変化させます。さらに、水を吸っても溶けてしまわないように、架橋させておきます（2-9節参照）。

コンタクトレンズの種類と酸素透過性

ハードコンタクトレンズ

ポリメタクリル酸メチル（PMMA）
・酸素を通さないので長時間装着不可

酸素透過性ハードコンタクトレンズ

ケイ素を含むPMMA
・酸素を通すので長時間装着可

ソフトコンタクトレンズ

ポリメタクリル酸ヒドロキシエチル（PHEMA）
・水を含ませてはじめてレンズとなる
・水によって酸素が通る
・装着感が良い

> PHEMAは水を含んでいるときは柔らかいが乾くと硬くなり破損しやすくなるため、ソフトコンタクトレンズは専用の保存液に浸しておく必要がある。

▼コンタクトレンズ

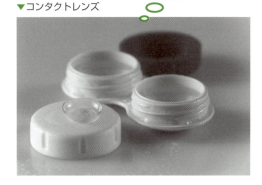

第5章　進化するプラスチック

5-1 光とプラスチック（透明性と光応答性）

　ソフトコンタクトレンズの場合も、PMMAが基本的な構造として使われます。PMMAは水を全く吸いませんから、PMMAに水ととても仲の良い水酸基という部分構造を導入した**ポリメタクリル酸ヒドロキシエチル（PHEMA***）というプラスチックが使われます。水を吸っていれば肌のように柔らかいPHEMAも、本来は硬いプラスチックです。ソフトコンタクトレンズは、乾くと硬くなり破損しやすくなりますので、乾かさないほうがよいでしょう。

　PHEMAは、PMMAと同じく酸素を透過しにくいプラスチックです。しかも、酸素透過性ハードコンタクトレンズに使われるケイ素は、プラスチックの吸水性を低下させる働きがあるため、ソフトコンタクトレンズに使うことはできません。そのため、本来ソフトコンタクトレンズは酸素透過性の低いものです。しかし、水を吸った状態では、水の働きによって酸素を透過させることができます。したがって、ソフトコンタクトレンズでは、いかに含水率を上げるか（含水率が上がると一般に透明度も増す）、いかに薄くするか（薄ければ酸素も通る）、を目標に、各メーカーがしのぎを削っています。

▶▶ 光硬化性樹脂

　光によって固まるポリマーである**光硬化性樹脂**は、現代のハイテクを支えるプラスチックです。しかし、大量に使われるものではないので、その存在に気づくことはほとんどないでしょう（2-11節参照）。

　光硬化性樹脂は、光が当たったときにどのような仕組みで固まるかによって、非常に多くの種類があります。いずれの場合も、光が当たるとポリマーの間に新たに結合ができるように工夫したものです。最初はポリマーの間には結合がありませんから溶媒に溶けますが、光が当たると、できる結合によってポリマーが架橋し、固まります。また、これとは逆に、最初は溶媒に不溶で、光があたると溶媒に溶けるようになるようにしたポリマーもあります。

　このように、光によってその固さや溶解度を自由に変えられるポリマーは、現代社会を支える電気製品の製造に欠かせません。例えば、パソコンやスマホの中心部品であるLSIや配線基板は、光硬化性樹脂を縦横に利用することで製造されます。

＊ **PHEMA**　Poly（2-hydroxyethyl methacrylate）の略。

5-1 光とプラスチック（透明性と光応答性）

まず、基板の上に光硬化性樹脂を塗っておきます。ここに適当なマスクを通じて光を当てると、光が当たったところは光硬化性樹脂が固まりますが、光が当たっていないところは固まりません。これを適当な溶媒で洗うと、基板の上に樹脂が固まったところだけが残ります。これを利用して、マスクの形を基板の上に正確に移すことができます。こうしてできたパターンを利用して、基板の上に配線したり、電子部品を作り込んだりするのです。ここでレンズを使えば、光を絞り込んで像を小さくできますので、目に見えないような非常に細かいパターンを基板の上に作ることもできます。私たちの使う情報機器類が非常に小さく軽いのに極めて高性能なのは、このようにして配線や電子部品を最小化することができるからです。

昔は、印刷物を作るのに活字を拾って活版を作っていました。手間もかかりますが、非常に重いので取り扱いも大変です。しかし、今ではまるで印刷でもするように、光硬化性樹脂を固めて活版を作ることができます。そのような活版は軽くて取り扱いが容易で印刷の速度は格段に向上し、また、間違いも少なくなりました。

このような光硬化性樹脂は三次元プリンターにも使われています。これについては5-9節で述べます。光で固める樹脂は、ネイルアートや虫歯の治療など、加熱できない場所で、形に合わせて固める用途にも広く使われています。

光パターン成形

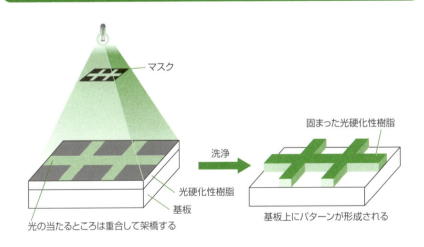

5-1　光とプラスチック（透明性と光応答性）

▶▶ プラスチックレンズ

　メガネや望遠鏡に使われるレンズはガラスで作られてきました。プラスチックは加工性がよいのでプラスチックレンズを作ること自体は簡単です。しかし、プラスチックがレンズの材料としてガラスの代わりに使われるようになるまでには、様々な技術革新が必要でした。

　プラスチックをレンズとして使う場合、まずプラスチックに求められるのは透明性です。プラスチックが不透明となるのは、ポリマーの結晶化によるものです。したがって、結晶性を持たないことは、プラスチックレンズに使うポリマーとして最も大事なことです。その他に、無色であることも、プラスチックでレンズを作るための大事な性質です。アクリル板などにも使われる**ポリメタクリル酸メチル（PMMA***）は非常に透明度が高く、安価で、無色のポリマーであるため、簡便な用途に使うプラスチックレンズはPMMAで作られます。

　しかし、PMMAは屈折率が低く、拡大率を上げることができません。PMMAで作ったレンズでメガネを作ると、極めて厚いレンズを持つメガネとなってしまいます（3-6節参照）。プラスチックレンズの歴史は屈折率の高いプラスチックを開発する歴史と言っても過言ではありません。

　屈折率は、レンズで光を操作するために最も重要な性質です。屈折率は物質の中での光の速度によって決まります。その物質が光と強く相互作用をするような電子を持っていると屈折率は大きくなります。屈折率を大きくするためには大きく2つの方法が知られています。1つは、硫黄やセレンなどの原子番号の大きな重い原子を導入することです。しかし、原子番号の大きい原子を持つと色がつくことがあり、色がついていなくても、光に当たると容易に色がついてしまい、レンズとして役に立たなくなってしまうことがあります。もう1つはベンゼン環と呼ばれる動きやすい電子系を持たせることです。しかし、ベンゼン環は平面性が高く、容易に積み重なるような構造を取るため、ベンゼン環を導入するとポリマーは結晶性を持ちやすくなります。また、ベンゼン環が積み重なった方向とそうでない方向では屈折率が違ったり（複屈折）、屈折率が色によって変わってしまったり（色収差）します。

＊…**使われています**　プラスチックの耐熱性はガラスに比べると低いので、高い耐久性が要求されるような分野でもガラスが使われる。

210

5-1 光とプラスチック（透明性と光応答性）

　そのため、屈折率が上がってもレンズには使えないことがあります。このように、屈折率を上げるために有効な方法はレンズに使うプラスチックとしての性能を損なうことが多く、屈折率が高いプラスチックを作るのは難しいのです。

　それでも、複屈折を持たせないように工夫しながら、ポリマーの構造を屈折率が高くなるように変えていくことで、現在ではかなり屈折率の高いプラスチックが開発されてきました。現在では、かなり度の強いものでも、ほとんどのメガネはプラスチックレンズで作られています。それでも、プラスチックの屈折率はまだまだガラスの屈折率には及びません。私たちの身の周りのレンズはほとんどがプラスチックレンズに置き換わりましたが、本当に高い屈折率が要求される分野では未だにレンズの材料としてガラスが使われています＊。プラスチックの屈折率をめぐる戦いはまだまだ続くのです。

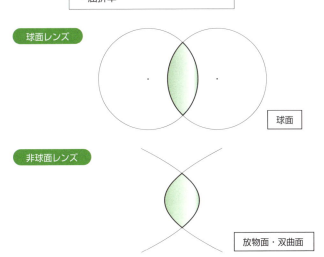

レンズに使うプラスチックに求められる性質

- ・透明
- ・無色
- ・屈折率
- ・複屈折がないこと
- ・色収差がないこと

球面レンズ　　　球面

非球面レンズ　　放物面・双曲面

コーティング
プラスチックレンズには様々なコーティングを施すことができる。傷防止、反射防止、紫外線カット、青色光カット、撥水、調光などを目的としたコーティングがある。

第5章　進化するプラスチック

5-1 光とプラスチック（透明性と光応答性）

　たとえ屈折率でガラスに及ばなくとも、プラスチックの高い加工性を利用することで、非球面レンズと呼ばれる性能の高いレンズをプラスチックで容易に実現できるようになってきました。非球面レンズは表面が球面ではないレンズです。レンズの材料としてガラスを使った場合、表面が球面であるならば研磨してゆがみを取り除くことは容易ですが、表面が球面でないとゆがみを取り除くためには高度の技術を要求されます。

　それに対して、プラスチックは金型によってどのような表面形状でも実現することができます。これまで、色収差やゆがみの無い像を作り出すために、複数のレンズを組み合わせた複雑なレンズ系が使われてきましたが、非球面レンズを使うことで、簡単に色収差やゆがみの無い像を結ぶことができるようになりました。スマホのカメラやDVD再生装置の小型化は非球面レンズの発達があって初めて可能になったことです。

▶▶ 偏光フィルター

　光は波として空間を伝わり私たちの目に届きます。波ですから、当然、振動する方向（振動面）があります。普通の光は、様々な振動面を持つ光の集まりです。それに対して、振動面が一方向に揃った光を偏光といいます。後述のような特殊な加工をしたポリマーは「光のすだれ」のように働き、「すだれ」の方向に振動面を持つ光だけを通します。このような「光のすだれ」を**偏光フィルター**といいます。

　普通の光を偏光フィルターに通すと、「すだれ」の方向に振動面を持つ偏光が得られます。この偏光の振動面のことを偏光面といいます。偏光は、私たちの目には普通の光のように見えますが、偏光フィルターを利用すると偏光面によって異なる光のように見えます。

　偏光フィルターはパソコンやスマホの液晶ディスプレイの最も重要な部品です。液晶ディスプレイでは2枚の偏光フィルターを使います。基本的な考え方は、一枚目の偏光フィルターと二枚目の偏光フィルターの「すだれ」の方向が揃っている場合は光を通すのに対して、一枚目の偏光フィルターと二枚目の偏光フィルターの「すだれ」の方向が直交している場合には光を通さない、ということです。

＊**光のすだれ**　「光のすだれ」の方向は、延伸した方向と直交した方向。

5-1 光とプラスチック（透明性と光応答性）

偏光フィルターの仕組み

偏光
＝振動面が揃っている

普通の光
＝振動面が揃っていない

偏光フィルター

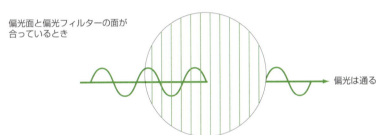

偏光面と偏光フィルターの面が
合っているとき

偏光は通る

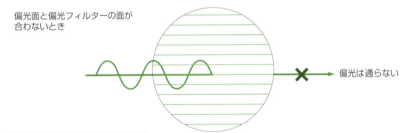

偏光面と偏光フィルターの面が
合わないとき

偏光は通らない

◀偏光フィルター

第5章　進化するプラスチック

5-1　光とプラスチック（透明性と光応答性）

　液晶ディスプレイでは、二枚の偏光フィルターの間に特殊な性質を持った液晶と呼ばれる物質を挟み込みます。この液晶は次の２つの性質を持ちます。

---

①そのままの状態では偏光面を進行方向に９０度回転させる*

②電圧をかけると、偏光面を回転させなくなる

　二枚の偏光フィルターの「すだれ」の方向が揃っている場合、電圧をかけなければ光は通らず、液晶ディスプレイは黒く見え、電圧をかけると光が通り、液晶ディスプレイは光って見えることになります。液晶ディスプレイでは、そのようにして光の通過を制御することで画面を作るのです。

　偏光フィルターは、色素を含むプラスチックのフィルムを延伸（5-6節参照）することによって作られます。延伸により、プラスチックを作るポリマーの鎖の方向が揃い、それに沿って色素が配置することで「光のすだれ」としての効果が現われるのです。現在使われている偏光フィルターの多くは、プラスチックとしてポリビニルアルコールを、色素としてヨウ素を使ったものです。

　偏光サングラスは、それほど色が濃くないにも関わらず、まぶしさを大幅に減らすことができます。それは、光が何かの面に反射すると、反射光が反射面に沿った偏光に変化することを利用しています。偏光サングラスでは、レンズ部分に偏光フィルターを使っており、反射光を効果的に遮ることができるのです。例えば、魚釣りの際に使うと水面の反射が抑えられるため水中が見えやすくなります。

　反射光を遮る効果があることから、偏光フィルターはカメラのフィルターとしても用いられます。偏光フィルターを通して撮影すると、窓や水面からの反射光が遮られるため、窓や水面への写り込みを消して、内部を撮影することができるようになります。この時、反射光の偏光面と偏光フィルターの「すだれ」の方向が９０度でないと効果は出ません。

---

*…**回転させる**　ここで、液晶が偏光面を何度回転させるかで様々な方式がある。

5-2

音とプラスチック（防音と発音）

音とは、空気の振動です。音は、空気だけでなくいろいろなものを伝って伝わりますが、それの硬さや重さによって、伝わる速度や効率が変わってきます。プラスチックは軟らかいものから硬いものまで作ることができるだけでなく、様々な形に容易に加工できます。そのため、音を伝えたり遮ったりする目的に合わせてプラスチックも進化してきました。

▶▶ 防音材

音という振動を効果的に減衰させることのできる素材であれば、防音材として利用できます。軟らかいプラスチックは、音の振動を効果的に吸収するだけでなく、様々な形状に加工できるので、優れた防音材を設計することができます。

どんなに軟らかい素材を使っても、それが一枚板であるならば、どうしても振動を伝えてしまいます。振動を伝えないためには、軟らかいだけでなく、その材料が細かい区画に分かれている必要があります。発泡性のプラスチックは理想的な区画構造を持っており、これを利用すると優れた防音材が作れます。また、特殊なフィラー（2-12節参照）を用い、フィラーを区画として利用する防音材もあります。

防音材の構造

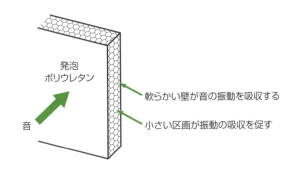

5-2 音とプラスチック（防音と発音）

防音材として使われる発泡性プラスチックは、主に**ポリウレタン**です。ポリウレタンは縮合重合によって作られます。モノマーとして適切なものを選ぶと、その性質を非常に軟らかく防音材として適したものにすることができます。特に、ゴムとしての特性をもつものは防音材として優れています。

防音材の目的にもよりますが、軟らかいだけでは防音材として困ります。それなりに強度を有していなければ、自立させることができません。かといって、剛直な枠組みで構造を保たせると、その枠組みが音を伝えてしまいます。プラスチックを使うと、素材としては軟らかくても、架橋を適当に持たせることによって強度を高く保つことができます。泡の入れ方、軟らかさと剛直性のバランス、それらをどのように組み合わせるかによって、様々な防音材を設計することができるのです。

COLUMN 高分子圧電材料

音というのは、振動のことです。私たちの耳に聞こえる振動は空気の振動ですが、骨伝導の補聴器やイヤホンが売り出されていることからわかるように、何らかの振動が音として聞こえます。例えばスピーカーの面が振動すると、それによって空気が振動し、それが音として聞こえるのです。

プラスチックの中には、電気的な性質が一方向に揃っているものがあります。ポリフッ化ビニリデン（PVDF）はその代表的なものです。PVDFのフィルムを変形させると、それに伴ってフィルムの電気的な性質が変わり、それに応じてPVDFのフィルムに電圧が生じます。逆に、PVDFのフィルムに電圧をかけると、PVDFフィルムはその電場に応じて変形します。このような性質を圧電性といいます。

PVDFフィルムを振動させると、振動に応じて向きが変化する交流電圧が取り出せます。逆に、PVDFフィルムに交流をかけると、スピーカーのように振動します。PVDFを中心とするプラスチック材料は、圧電性を利用して機械的変形と電場との相互変換を行うために用いられるだけでなく、電荷をためるキャパシターなどへ広く利用されています。

▶▶ スピーカー

　音響機器で処理された音の信号は、最終的にはスピーカーから出力されます。このとき、音の信号を忠実に再生するためには、スピーカーは硬くて、しかも軽い材料で作る必要があります。スピーカーの振動で壊れてしまわないしなやかさも兼ね備えていなければなりません。

　このような特性をもった素材として、従来は紙や布が使われてきました。しかし、より高性能のスピーカーを作るために、必要な特性をもつプラスチックが設計され使われるようになってきました。例えばポリプロピレン（PP）は、軽量で強度が高く丈夫と、スピーカーに要求される特性を兼ね備えていることから、PPを元にした、より優れたスピーカー材料の開発が続けられています。

COLUMN プラスチックによる電線の被覆

　プラスチック（熱可塑性樹脂）の有用性は、第二次世界大戦中に、まず電気を通さないという性質（絶縁性）から認められました。電線をプラスチックで被覆することによりはじめて、電気の漏れのない信頼性の高い回路を作ることができるようになったのです。これは、プラスチックで電線を包装したと見ることもできます。それまでは、布などで電線同士を絶縁していましたが、布は破れやすいだけでなく、水を吸うと絶縁性がなくなるので、過酷な条件での電気回路の信頼性は今では考えられないほど低かったのです。

　プラスチックで絶縁した回路で武装したアメリカ軍は、不十分な絶縁材料しか持っていなかった日本軍を圧倒します。日本がアメリカに負けたのは、単に資源の量だけの理由ではありませんでした。

5-3

包装を変えたプラスチック
（食品はもう腐らない）

　プラスチックによる包装・ラッピングは、特に食品の流通と保存を革命的に変革しました。プラスチックを利用することで、食品を腐敗から守るための密封が容易になったからです。より薄いプラスチックでより完全に包装するために、プラスチックはさらに進化を続けています。

▶▶ 気密フィルム、遮光フィルム

　プラスチックによる包装の初期には、食品をカビや細菌などの微生物から守ることが重要でした（3-4節参照）。この目的のためには、プラスチックは大成功を収めましたが、それだけならばそれほど高性能のプラスチックは必要ありません。

　食品を劣化させるのは微生物だけではありません。特に影響が大きいのは、酸素と光です。プラスチックは、光はもちろんのこと、意外と気体を通すものです。よくデパートなどで浮かぶゴム風船を配っていますが、あの風船は1日もすると浮かなくなってしまいます。それは、風船の中に入っている軽い気体が、ゴムの膜を通って少しずつ外に出て、逆に、空気がゴム風船の中に入っていくからです。つまり、単純にプラスチックで密封するだけでは、空気中の酸素がどんどん中に入ってきます。微生物はプラスチックを通ることはできませんから腐ることはありませんが、酸素と光によって中身はどんどん劣化します。プラスチックの包装技術の進歩の主要な部分は、酸素と光をどのように遮断するかというところにあります。

　酸素の通りやすさは、プラスチックによって異なります。プラスチックの中でも**ポリビニルアルコール（PVAL＊）**は酸素を通しにくいプラスチックです。しかし、PVALで作ったフィルムは弱く、すぐに破れてしまいます。これでは包装になりません。そこで、多層フィルムの技術を使います（2-8節参照）。

　例えば、PVALを中央に挟んで両側に丈夫なプラスチックを配した三層フィルムは、PVALの層で酸素の透過を防ぎながら、外側の層がフィルムの強度を保ちます。

＊**PVAL**　Poly Vinyl Alcoholの略。

5-3 包装を変えたプラスチック（食品はもう腐らない）

さらに、光の透過を防ぐ層を積層すれば、酸素だけでなく光も遮断した包装ができます。光を遮断するのに使う物質はしばしば、PVALと接触することでその性能を失います。そういう場合、両層の間にさらにプラスチックの層を挟み込みます。

浮かぶ風船には、金属光沢をもち、ゴムでない風船がありますが、この風船はいつまでも浮いています。これは、この風船を作るプラスチックが全く気体を透過しないからです。金属光沢をもつのは金属（一般にはアルミニウム）の薄い膜を挟み込んでいるからです。気体は金属を通り抜けられないので、金属膜を挟み込んだフィルムは気体を透過しません。

しばしば、金属光沢をもつプラスチックで包装された製品を見ますが、それは、このフィルムが酸素を通さないからです。この場合も、金属の薄い層だけでは強度がないので、丈夫なプラスチックの層で挟み込んでいます。

ただし、金属は光も通しません。そのため、金属を挟み込んだプラスチックフィルムで包装されてしまうと、中身が見えなくなります。酸素の透過を防ぐのに、PVALなどを使った多層フィルムを使うか、金属を挟み込んだフィルムを使うかは、商品によって選ばれます。

気密フィルムの構造

透明なもの
- 保護層
- 気密層（PVAL）
- 中間層
- 光の吸収層
- 保護層

金属光沢のあるもの
- 保護層
- 金属層（アルミニウム）
- 保護層

第5章 進化するプラスチック

昔の包装は？
プラスチック容器がない頃、鮮魚店や青果店では魚や野菜を新聞紙で包んでいた。新聞紙のインクが食材を汚すなど衛生的とは言えなかった。

5-3　包装を変えたプラスチック（食品はもう腐らない）

▶▶ ペットボトル

　店に並ぶジュースなどの飲料の多くは、**ポリエチレンテレフタラート**（**PET***）と呼ばれるプラスチックの容器に入っています。PET（ペット）は丈夫なプラスチックではありますが、同じ厚さの鉄やアルミニウムほど丈夫なわけではありません。そのため、炭酸飲料のように圧力のかかる飲料や、詰めたあとに加熱殺菌が必要な飲料では、破裂の恐れがありました。しかし、現在では、そのような飲料でもペットボトルに詰めて売られています。

　このようなことが可能になったのは、ペットボトルの加工法が進歩したからです。ペットボトルをよく見ると、非常に複雑な凹凸が一面に入っていることがわかります。そのような凹凸によって内部の圧力に耐えられるようになるからです。単純な筒に比べるとこのような複雑な形状に成型するのは困難ですが、成型技術の進歩によってペットボトルの利用範囲は非常に広がってきたのです。

　ペットボトルは透明性が高いため、内部がよく見えるという利点があります。しかし、このことは、ペットボトルの内部が光にさらされるということでもあります。飲料によってはお茶のように、光が当たると味が変わってしまうものがたくさんあります。そういう飲料を詰めるペットボトルでは、光（特に紫外線）を通さないように、ラップでくるまれています。

表面に複雑な凹凸を持つペットボトル

この凹凸は飾りではない。

＊ PET　Polyethylene Terephthalate の略。

5-4
医療を変えたプラスチック（衛生と生体適合性）

プラスチックは非生物的な材料なので、細菌やウイルスによる汚染を最小限にすることができます。そのため、プラスチックは医療用材料として適しています。しかし、高度な性能や品質管理が求められる医療用材料にプラスチックが用いられるようになるためには、材料としての面からも、製品管理の面からも、多くの進化を遂げる必要がありました。

▶▶ 感染の防止

　医者の使う材料で大事なことは、細菌の汚染を受けないことです。体液に触れる部分に細菌がついていると、そこから感染が起こり、治療前よりも重篤な状態になりかねません。特に、注射器やガーゼ、ガーゼを扱うピンセット、手袋などが細菌に汚染されていると、大変なことになります。

　昔は、このようなものは専用の機械で加熱殺菌されていました。しかし、不注意や不十分な処理によって殺菌が十分でなかったり、手間がかかったりするという理由により、現在では多くの病院でプラスチック製の使い捨ての器具が使われてれます。

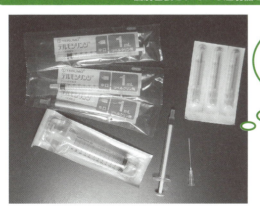

個別包装されている注射器と針

放射線（電子線）で完全に殺菌されている。使用直前に開けられ、使ったらすぐに捨てられる。

5-4　医療を変えたプラスチック（衛生と生体適合性）

　使い捨ての注射器はプラスチックでできており、一本一本がプラスチックで包装されています。そして、いったん使うと、洗ったりすることなく、すぐに捨てられます。このため、他の患者の病原菌を含んだ体液と接触する心配はありません。

　また、すべての注射器はプラスチックに包装されたままで殺菌されていますので、感染の心配もありません。従来の注射器はガラス製でしたから、加熱で殺菌できました。しかし、プラスチックでできた注射器を加熱殺菌することはできません。そのため、放射線（電子線）による殺菌が行われています。

　注射針も同様に一本一本個別に包装されており、消毒不十分による感染の心配はなくなりました。

▶▶ 人工器官

　体の器官が損傷したとき、自然修復だけではその部分を再生できないとなると、人工器官が使われます。例えば、義足や義手などです。義足や義手でも加工性に優れたプラスチックは広く使われていますが、プラスチックならではの人工器官は、軟らかさと高度な機能が要求される人工心臓や人工血管などの人工臓器です。

　人工臓器は、本来の臓器の形と機能をそのまま人工材料に置き換えればいいというものではありません。例えば、人工血管として、単なるプラスチックのパイプを使うことはできません。血液には、血管と異なる材質のものに接触すると凝固するという性質*があるからです。人工臓器のほとんどは血液と接触する場所に使われるものですから、このような凝血を引き起こす性質をもつプラスチックでは人工臓器を作ることはできません。プラスチックでポンプを作ったとしても、単にそれだけでは人工心臓にはならないのです。

　人工臓器についてのプラスチックの進歩は、凝血作用との戦いと言っても過言ではありません。戦いの方向は、主に2種類に分かれます。

＊…という性質　これは、血液中の血小板という粒が、血管とは異なる表面の刺激により互いに寄り集まり、凝血塊を作るという性質による。いったん凝血塊ができると、それがさらに刺激となって新たな凝血塊が作られる。血液のこの性質は、血管が破れたときに、そこに栓をして出血を止めるために必要な機能である。しかし、人工血管で凝血塊ができると、塞ぐべき出血箇所はないから、そのまま血流に伴って流れていく。そして、どこか血管が細くなっているところを詰まらせる。それが心臓の血管であれば心筋梗塞を、脳の血管であれば脳梗塞を引き起こす。

5-4 医療を変えたプラスチック（衛生と生体適合性）

　一つは、プラスチック材料そのものの凝血作用をなくす方向です。ある材料の表面に血液が接触したとき、血液の凝固が始まるかどうかを決める因子の一つは、その表面の水になじむ性質（親水性）と水をはじく性質（疎水性）のバランスであることが示唆されています。親水性の表面だけでもよくなく、疎水性の表面だけでもだめです。両者が適切な大きさと割合で混じり合っている必要があるのです。

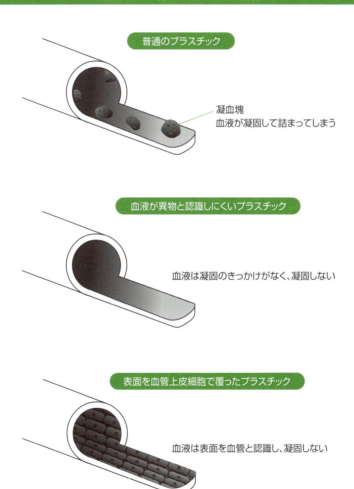

凝血しにくい材料を用いた人工器官

普通のプラスチック
凝血塊 血液が凝固して詰まってしまう

血液が異物と認識しにくいプラスチック
血液は凝固のきっかけがなく、凝固しない

表面を血管上皮細胞で覆ったプラスチック
血液は表面を血管と認識し、凝固しない

5-4 医療を変えたプラスチック（衛生と生体適合性）

　そのような表面を、単独のプラスチックで作ることはできません。臓器としての軟らかさも失うわけにいかず、長期間の使用に耐える耐久性ももたせなければならない中で、どのようなプラスチックをどのように作るかという多くの工夫によって、凝血作用の非常に低いプラスチックが作られるようになってきました。それでも、凝血塊がわずかでもできてしまうと、そこから凝血がさらに進行する危険性もあります。さらに凝血作用の少ない人工臓器を目指して、プラスチック材料の進歩はまだまだ続きます。

　もう一つは、生体の細胞を活用する方法です。血管の内側は、血管上皮細胞という細胞でできています。血管上皮細胞は、その表面が凝血を引き起こさないという特別な性質をもった細胞で、私たちが生きていられるのは、血管が血管上皮細胞で内張りされているからです。そこで、プラスチック材料の役割は構造を保持するだけとして、その表面を血管上皮細胞で覆えば、凝血を起こさない材料を作ることができるはずです。この戦略はある程度の成功を収めています。それでも、血管上皮細胞だけをどのようにして生やすかというだけでなく、そのようなプラスチック材料をどのようにして組織に適合させるのかといった問題などを解決するために、今でも多くの研究がなされています。

5-5

微生物や光で分解するプラスチック（分解性材料）

　多くのプラスチックは、環境中では非常に安定なものです。紙や木ならばいずれ土にかえっていきますが、道端や野山や海岸などに放置されたプラスチックのゴミはいつまでも無残な姿をさらし、非常に不愉快なだけでなく、野生の生物に深刻な健康被害をもたらしています。このような問題を解決しようと、環境中で分解していく分解性材料が進化してきました。しかし、分解性材料だけで環境問題が解決するわけではありません。大事なのはその使い方です。

▶▶ 生分解性プラスチック

　生き物は多くの種類のポリマーを作って生活しています。例えばセルロースのように、自らの体を作る構造材料として利用するポリマーもあります。デンプンのように、非常用食料として栄養備蓄に利用するポリマーもあります。DNAのように、遺伝子や情報伝達の手段として使われるポリマーもあります（2-3節参照）。

　どのように利用されるにしろ、生き物はそれらのポリマーを作るだけでなく、分解もします。そのポリマーを作った生き物が、材料を再利用するために分解することもありますし、そのポリマーを含む生き物を他の生き物が食べるときに分解することもあります。いずれにせよ、生き物が作ったポリマーは必ず生き物によって分解可能です。

　生き物が作るポリマーの中には、セルロースやデンプンのようにプラスチックとしては利用しにくいものもありますが、プラスチックとして良好な特性をもつものもあります。そういうプラスチックは、石油から化学的に作られたプラスチックと同様に利用することができます。

　生物由来のプラスチックは、それを分解できる生き物が必ずいますから、たとえ環境中に放置されていたとしても、いずれ生き物の力で自然にかえります。それに対して、石油から化学的に作られたプラスチックは、そのほとんどが環境中で分解されません。

第5章 進化するプラスチック

5-5 微生物や光で分解するプラスチック (分解性材料)

例えば、紙のコップを捨てればそれはいずれ土にかえります*が、プラスチックのコップは土に埋めていてもいつまでも新品のようでしょう。紙のように、生物が分解できるプラスチックが**生分解性プラスチック**です (6章参照)。

生分解性プラスチックには多くの種類があります。例えば**ポリヒドロキシブチラート** (**PHB** *) は、ある種の微生物が作り、そのままプラスチックとして利用できるポリマーです。しかし、このタイプのプラスチックは製造コストが高いので、なかなか実用化していません。

デンプンは、そのままではプラスチックとしては使えませんが、デンプンを汎用のプラスチックに混ぜると、擬似的に生分解性にすることができます。すなわち、デンプンの部分を微生物が分解することにより、全体の強度がなくなって崩壊するというものです。このようにすると、たしかに目に見えない形にすることはできます。

しかし、崩壊した後でもプラスチックの部分が変化したわけではありません。細かい粒にしただけで、むしろプラスチックの廃棄物を拡散しているという強い批判があります。

生物が作るポリマーを改変して、生分解性を保ったまま有用なプラスチックとすることもできます。例えば、納豆の粘り気は**ポリグルタミン酸** (**PGA** *) というポリマーによるものです。PGAそのものはネバネバなだけですからプラスチックとして使えません。しかし、このPGAに例えばエステル化という操作をすると、優れたプラスチックとしての性質を示すようになります。

ここで、エステル化されたPGAは天然のポリマーではありませんが、天然のPGAと同様に環境中で分解されていきます。これは、エステル結合を分解する微生物とPGAを分解する微生物が共同で働くからです。このように、天然のポリマーや化合物を改変することで、様々な性質をもった生分解性プラスチックを得ることができます。

---

*…**かえります**　実際の紙コップは、中身がしみ出さないようにプラスチックで内張りされており、放置しても分解されない。
* **PHB**　Poly (2-hydroxybutyrate) の略。
* **PGA**　Poly (γ-glutamic acid) の略

5-5 微生物や光で分解するプラスチック（分解性材料）

　生物が作るプラスチックとは無関係に生分解性を示すものもあります。**ポリ乳酸**や**ポリグリコール酸**がそれで、近年、生分解性プラスチックといえば、主にポリ乳酸を指します。ポリ乳酸は乳酸発酵でつくられた乳酸を縮合重合したもので、天然に産するポリマーではありませんが生分解性を示します。乳酸は天然に広く存在する化合物であり、それが優れた生分解性を保証しています。

　生分解性プラスチックは、廃棄プラスチックのかさを減らすことを目的として開発が進められてきました。確かに、生分解性プラスチックはゴミとして放置してもいずれ土にかえっていきます。しかし、生分解性プラスチックだからといって、そこらに放置していいというものではありません。生分解性プラスチックといっても立派な資源です。回収して再利用するに越したことはありません。そもそも、生分解性プラスチックは、使用する時の安定性を考えると、分解性をほどほどに抑えておく必要があります。つまり、ポリ乳酸が生分解されて土に還るまでには長い時間がかかります。ポリ乳酸で作られた製品が環境に排出されると、環境はむしろ汚染されます。そのため、生分解性であることよりも、原料が再生可能な資源である生物由来であることが注目されるようになってきました。このような観点では、生分解性プラスチックは**バイオマスプラスチック**と呼ばれます。私たちの生活を支えるプラスチック類は、再生不可能化石燃料である石油をもとに作られてきましたが、持続可能な社会を構築するために、バイオマスプラスチックには大きな期待が寄せられています。

　乳酸は微生物発酵で作られますので、それを重合して作ったポリ乳酸はバイオマスプラスチックです。ここで注意しなければならないのは、乳酸が発酵で作られているからといって、ポリ乳酸まで発酵で作られているわけではない、ということです。乳酸からポリ乳酸を作る時には石油（燃料や石油由来の薬品）を必要とします。

　汎用ポリマーをバイオプラスチックに置き換えると、見掛けの上で石油の使用量は減ります。しかし、生産工程全体を見渡せば、必ずしも石油の使用量が減っているとはいえません。バイオマスだけでプラスチックを生産し、持続可能な社会を構築するためには、さらに多くの技術的進歩が必要です。

5-5 微生物や光で分解するプラスチック（分解性材料）

なお、乳酸は石油から作ることもできます。発酵で作ろうが石油から作ろうがポリ乳酸であることに変わりはありません。ではなぜ乳酸を発酵でつくっているのかというと、石油から作るよりも安いからです。バイオマスプラスチックだからといって原料が生物であるとは限りません。

逆に、一般には石油から作られるポリマーをバイオマスから作ることもできます。例えば、発酵で作られるエタノール（酒）からポリエチレンを作ることができます。ポリエチレンは典型的な石油系ポリマーですが、エタノールから作ったポリエチレンは**バイオマスポリエチレン**（あるいは**グリーンポリエチレン**）と呼ばれます。もちろん、バイオマスポリエチレンは、石油から作ったポリエチレンと全く同じものです。通常のポリエチレンと同様、バイオマスポリエチレンにも生分解性はありません。

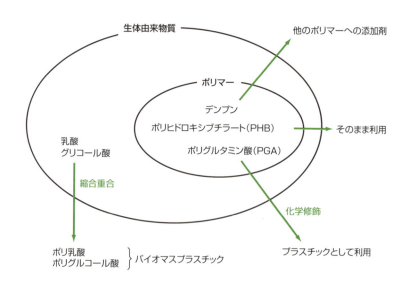

生分解性プラスチックの用途
包装材料、医療・衛生用品、情報関連機器、各種日用品および工業用品などに使われている。また、漁業用釣り糸や網、農業用シートなど、環境に放置されやすいもので実用化が進んでいる。

5-5 微生物や光で分解するプラスチック（分解性材料）

▶▶ 光分解性プラスチック

　光分解性プラスチックは、光によって分解する性質をもつプラスチックです。光分解性プラスチックには、使用した後に環境中の光で分解するようにしたものと、光による分解で性質が変わることを利用するものとがあります。

　環境中の光で分解する光分解性プラスチックは、ポリマーの主鎖に光で開裂する部分構造を持つもので、通常は**ケトン**という部分構造が用いられます。しかし、このようなプラスチックは、通常の使用条件下でも光によって分解する可能性があるだけでなく、光によって分解したものが何であるのか明確でない、光によって必ずしも完全に分解するわけでない、地中では光分解性は有効ではない、などの課題があるため、用途は限られています（6-4節参照）。

　光による分解で性質（例えば溶解性）が変わるポリマーは、光硬化性樹脂と同様に、光によって基板の上に回路を焼き付けるのに使うことができます（5-1節参照）。この目的のためには、ケトンという部分構造ではなく、光によって発生する酸を使って分解するプラスチックが使われます。このプラスチックを使うと、光硬化性樹脂を使った方法に比べて簡単に細かいパターンを作ることができるので、広く使われています。

第 5 章　進化するプラスチック

5-6

プラスチックによる構造材料
（強力なだけではなく）

　　プラスチックは弱いだけの材料ではありません。特に強度の高いプラスチックを使っ
て、あるいは、他の材料と複合させることによって、強い力を受ける構造材料としても
プラスチックは進化してきました。しかも、単に構造材料をプラスチックで作ったとい
うだけでなく、プラスチックを使うことによって、構造材料に多くの革命が引き起こさ
れています。

▶▶ 歯車

　　歯車は、機械的な動きを伝えるために重要な部品です。動きを確実に伝えるため
に、寸法精度、強度、表面の滑らかさなどで、非常に厳しい規格を要求されます。

　　従来、このような要求に応えられる材料は金属だけでした。今でも、非常に強い力
のかかる歯車には金属が使われます。しかし、金属の歯車を用いた機械は重くなり
ます。一方、軽ければ軽いほどよい機械があります。例えば、スマホやノートパソコ
ンがそうです。自動車は軽ければそれだけ燃費が上がります。そのような機械では、
歯車を軽いプラスチックで作ることが求められます。

　　プラスチック歯車は、**ポリアセタール**や特殊なナイロンのような非常に強度の高
いプラスチックの登場と、これらのプラスチックを精密に成型するための技術の進
歩によって可能となりました。機械を開けたときに、白い歯車が入っていることが
あります。これがプラスチック歯車です。

　　プラスチック歯車は単に軽いというだけではありません。まず、潤滑油がいらな
いという利点があります。金属で作った歯車は、潤滑油を塗っておかないと、互いに
削れて噛み合わなくなってしまったり、摩擦による熱で融着してしまったりします。そ
れに対してプラスチックは、金属に比べて滑りやすい性質があるので、潤滑油を必
要としません。そのため、プラスチック歯車で機械を作ると、メンテナンスが非常に
楽になるだけでなく、汚れが少なくなります。また、プラスチック同士の噛み合う音
は金属に比べると非常に小さいので、プラスチック歯車で作った機械は金属歯車で
作った機械ほどの騒音を発しません。

5-6 プラスチックによる構造材料（強力なだけではなく）

　ただし、プラスチックは熱伝導性が低いので、摩擦熱がたまりやすいという性質があります。歯車に使われるような耐熱性の高いプラスチックでも、金属ほどの耐熱性はありません。金属の歯車と組み合わせるなどして熱を逃がさないと、容易に融着するので注意する必要があります。

　プラスチックが良く滑るということを利用すると、歯車だけでなく、軸受け（ベアリング）も非常に簡単になり、また、潤滑油が不要になります。プラスチック軸受けにはポリアセタールやナイロンも使われますが、非常に滑りの良い**テフロン**や**炭素繊維**も使われます。金属で作られた軸受けは日本の加工技術の粋を集めた非常に精密な部品ですが、プラスチックの軸受けは単純な構造のものです。

　プラスチックの光加工技術を使うと（5-1節参照）、1μmほどの大きさの歯車を作ることもできます。同様にして、モーターも作ることができますので、1 mm以下の機械を作ることもできるようになっています。このような微小機械は、医療分野などでの応用が期待されています。

プラスチックの歯車と軸受け（ベアリング）

プラスチック歯車
・軽い
・油が不要　→メンテナンスフリー
・音がしない
・強度が必要　→ポリアセタール、特殊なナイロンの使用

金属軸受け

プラスチック軸受け

・構造極めてシンプル
・油が不要
・軽い

良く滑る耐磨耗性プラスチック

5-6 プラスチックによる構造材料（強力なだけではなく）

▶▶ 合板

合板とはベニヤ板のこと*です。合板は、一般に複数の板を木目が直行するようにして複数枚貼り合わせて作ります。こうすることにより、普通の木材と違い、どの方向の力に対しても強い板ができるからです。実際、合板は同じ厚さならば普通の木材よりも強度が高くなります。しかも、木目を直行させると、釘を打っても割れにくいという性質も現れます。さらに、小さい木の寄せ集めで大面積の板が作れますので、樹齢何百年もの太い木を使う必要がありません。

合板の性能を決めるのは、使用する木材もさることながら、接着剤です。接着剤によって、合板は軟らかくも硬くもなり、また、寸法安定性や耐久性、耐水性も変わってきます。合板に一般に使用される接着剤は、**フェノール樹脂**、**メラミン樹脂**、**ユリア（尿素）樹脂**と呼ばれるものです。この順に耐水性が低下しますが、この順に安価になるので、いずれも用途に合わせて利用されています。

フェノール樹脂、メラミン樹脂、尿素樹脂は、それぞれ、フェノール、メラミン、尿素をホルムアルデヒドと架橋を伴う縮合重合させたもので、非常に堅牢な樹脂です（2-11節参照）。いずれも、きちんと反応させることができればホルムアルデヒドは合板には残らないはずなのですが、反応しなかったホルムアルデヒドがどうしても残存するので、質の悪い合板はホルムアルデヒドを発散します。ホルムアルデヒドは、シックハウス症候群の主要な原因物質とされており、その主な発生源は家の壁に使われる合板です（6-2節参照）。

合板の作り方と構造

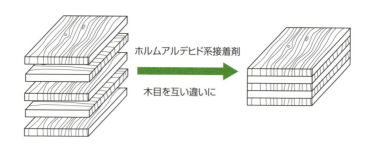

---

*…のこと　もともとベニヤ板とは、表面に化粧板を張った板のことだった。現在では、木材を張り合わせて1枚にした板のことすべてベニヤ板と呼ぶが、このような板を指す言葉としては合板のほうが一般的

5-6 プラスチックによる構造材料（強力なだけではなく）

　シックハウス症候群に対する関心が高まるにつれ、合板の低ホルムアルデヒド化が進められました。その対策としては、加工法を工夫してホルムアルデヒドの発散量を減らすもの、ホルムアルデヒド吸収剤を用いるものなどがあります。しかし、そもそもホルムアルデヒドを使わない接着剤を用いれば、合板のホルムアルデヒド問題は完全に解決します。実際にそのような合板も開発されていますが、価格が高くなるだけでなく、ホルムアルデヒド系の接着剤に比べて操作性が悪いので、あまり使われていません。ホルムアルデヒドを使う接着剤に匹敵する性能をもち、しかも、操作性の良い接着剤の開発が望まれています。

▶▶ 糸と繊維

　服の内側の縫い目のところには、その服をどのように洗えばいいのかを示した小さなタグが必ず縫い込まれています。このタグには、その服がどのような繊維で作られているのかが書き込まれています。繊維としては、綿、麻、羊毛、絹などの**天然繊維**だけでなく、ナイロン、アクリル、ポリエステルなどの**合成繊維**が広く使われます。

　繊維というのは、天然であるか人工であるかを問わずポリマーでできています。すなわち、繊維はプラスチックの一種なのです。しかし、すべてのプラスチックが繊維になるわけではありません。繊維とは、プラスチックのうちでも、引っ張っても簡単には伸びたり切れたりすることがなく、しかも、曲げても折れず、折り目も簡単にはつかないといった性質のものです。そのような性質をもったプラスチックならば繊維となり、それをより合わせることで丈夫な糸にすることができます。

　繊維にできるプラスチックというのは、そのプラスチックを作るポリマーを一方向に向きをそろえて並べることのできるものです。そのようにポリマーの分子を並べることで、繊維としての性質が出るのです。単にプラスチックを細長く切っただけでは糸になりません。

　ポリマーを糸に成型することを特に**紡糸**といいます。紡糸をするときには、溶融したプラスチックを細いノズルから押し出し、糸状になった状態を引っ張り出します。このとき、押し出される流れと引っ張られる力によって、ポリマーの向きが揃い、それによって繊維としての性質が出ます。

ナイロン
1935 年、米国デュポン社のウォーレス・カロザースが偶然に発見した。ストッキングの材料として用いられ、「石炭と水と空気から作られ、鋼鉄より強く、クモの糸より細い」と宣伝された。

5-6 プラスチックによる構造材料（強力なだけではなく）

天然繊維と合成繊維

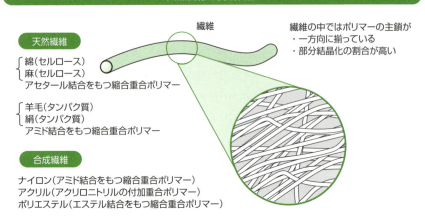

繊維

天然繊維
- 綿（セルロース）
- 麻（セルロース）
  アセタール結合をもつ縮合重合ポリマー

- 羊毛（タンパク質）
- 絹（タンパク質）
  アミド結合をもつ縮合重合ポリマー

合成繊維
ナイロン（アミド結合をもつ縮合重合ポリマー）
アクリル（アクリロニトリルの付加重合ポリマー）
ポリエステル（エステル結合をもつ縮合重合ポリマー）

繊維の中ではポリマーの主鎖が
・一方向に揃っている
・部分結晶化の割合が高い

紡糸と延伸

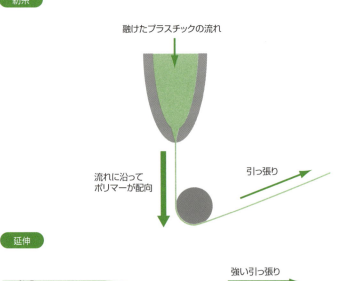

紡糸

融けたプラスチックの流れ

流れに沿って
ポリマーが配向

引っ張り

延伸

強い引っ張り
ポリマー分子の配向

ガラス転移温度以上に
加熱

234

5-6 プラスチックによる構造材料（強力なだけではなく）

　さらに高強度の繊維を得るためには、**延伸**という操作をします。これは、プラスチックを引っ張ることによって、その中のポリマーの向きを揃えることです。プラスチックの中では、ポリマーが規則正しく並んでいる結晶のような部分と、ポリマーが乱雑に絡まっている液体のような部分が共存しています。延伸をすることによって結晶のような部分の割合が増え、それによって繊維の強度が上がるのです。

　延伸において重要なのは温度です。温度が高すぎて溶融した状態では、引っ張っても単にプラスチックの液体が2つにちぎれるだけで、ポリマー分子は揃いません。一方、温度が低すぎると、ポリマーの分子は互いに動くことができず、いくら引っ張ってもポリマー分子は揃いません。ポリマーによって違いますが、一般に、延伸に適した温度はガラス転移温度以上で融点以下です。

　糸としての強さは、繊維の中でポリマーの分子同士がどれほど強く相互作用しているかで決まります。そのためには、分子間で相互作用をする部分構造を導入するだけでなく、相互作用が強くなるように分子の形を平面に近くします。そのようにして非常に強くポリマー分子同士が相互作用している繊維の代表は、**アラミド繊維**と呼ばれる特殊なナイロンです。この繊維は特に強いため、防弾チョッキなど高強度が要求される用途にも使われます。アラミド繊維で作った防弾チョッキは、従来の金属による防弾チョッキに比べてはるかに軽いため、防弾チョッキを着ていても動きにくいなどということがなくなりました。

▼アラミド繊維

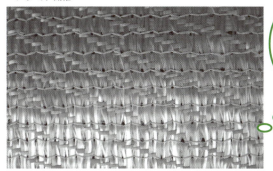

by Cjp24

> アラミドは高強度繊維で、軽くて性能のよい防弾チョッキだけでなく、作業用安全防護具や自動車のブレーキパッドや様々なプラスチック製品の補強材として幅広く使われている。

5-7
電気と磁気とエネルギーとプラスチック

ほとんどのプラスチックは電気を通しません。そのため、プラスチックと言えば電気を通さないものというイメージができ上がりました。そのイメージを打ち壊し、電気を通すプラスチックを作ったのが、2000年にノーベル化学賞を受賞した白川英樹博士です。電気とプラスチックの関係は、これまで考えられなかったほど進化しています。

▶▶ 導電性プラスチック

　プラスチックが一般に電気を通さないのは、プラスチックには電気の通り道がないからです。電気は電子の流れです。プラスチックのような普通の有機物では、電子は周りを高い壁で囲まれた池のようなところに溜まっている状態で存在します。壁が高いので、電子は外に流れていくことができません。たとえ壁が低かったとしても、隣の池には電子が詰まっているので、そこに流れていくことはできません。プラスチックが電気を流すためには、電子の溜まっている池の壁を低くすることと、電子が流れていけるように、どこかの池から電子を少しくみ出しておく必要があります。

　白川英樹博士が導電性プラスチックを開発した当時、どうすれば壁が低くなるかは想像がついていました。しかし、そのような構造のプラスチックをうまく作ることはできませんでした。ある日、壁の低いプラスチックを作ろうと白川博士と一緒に実験していた学生が大失敗をしました。その当時普通とされていた作り方を行おうとして、量を1000倍間違えてしまったのです。ところが、その実験の結果、長い間求められていた壁の低いプラスチックがきれいにできていました。白川博士はさっそく、そのプラスチックに電気が通るかどうか確かめてみました。しかし、電気は全く通りませんでした。

　その後数年して白川博士はアメリカに留学します。そこで出会ったマクダミット博士、ヒーガー博士との共同研究の結果、白川博士が作り出したプラスチックから電子を少し取り除くと電気を通すプラスチックとなることが発見されました。マクダミット博士とヒーガー博士は白川博士と一緒にノーベル化学賞を受賞しています。

ポリアセチレン
白川博士が発見した導電性高分子。白川博士はポリアセチレンにヨウ素などの電子受容体やアルカリ金属などの電子供与体を添加すると、金属のような電気伝導度を示すことを発見した。

5-7 電気と磁気とエネルギーとプラスチック

　いったん電子の池の壁の低いプラスチックが作られると、同じような構造の様々なプラスチックが多くの研究者によって作られました。そして、いずれのプラスチックも、適切に電子を取り除けば多かれ少なかれ電気が流れることがわかりました。金属と同じ程度に電気を通すプラスチックも見つかりました。また、白川博士の作り出したプラスチックは空気中で分解してしまうものでしたが、空気中で安定なプラスチックも見つかりました。

導電性材料

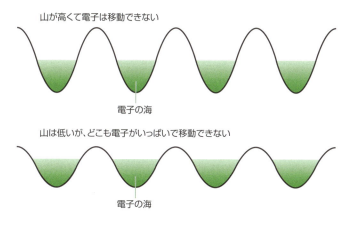

山が高くて電子は移動できない

電子の海

山は低いが、どこも電子がいっぱいで移動できない

電子の海

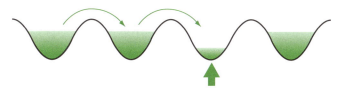

電子を一部くみ出しておくと、そこを使って電子が移動できる＝導電性材料

どこをどれだけくみ出すかで、電子的な性質が変わる

　このような電気を通すプラスチック（**導電性プラスチック**）は、普通のプラスチックと同じように成型できるので、金属が使えない様々な製品に使われています。私たちに最も身近な用途は、タッチパネルです。スマホの画面もそうですが銀行のATMやスーパーのレジなどでは、画面に触れるだけでいろいろなことができます。

5-7 電気と磁気とエネルギーとプラスチック

これは、画面に導電性プラスチックで回路が貼ってあり、どこを触ったかがわかるようになっているからです。もしこのようなタッチパネルを金属で作ったら、向こうが透けて見えませんから、どこに触ったらいいのかわからないことになります。

また、電子をくみ出した量の違う導電性プラスチックを組み合わせると、トランジスタやダイオードなどの様々な電子部品を作り出すことができます。このような電子部品を使えば、フィルム状のテレビを作ることもできます。導電性プラスチックの応用は次々と広がっており、すべてを紹介することはできません。これだけの広がりが、学生のたった1つの失敗から始まったとは信じられないことです。

▶▶ 導電性塗料

導電性プラスチックは、分子の性質として電気を通すプラスチックです。それに対して、普通のプラスチックでも、金属粉末や黒鉛粉末のように導電性のフィラーを高濃度で混ぜれば電気を通すようになります（2-12節参照）。

といっても、これはあくまでもフィラーが電気を通しているのであって、高分子はそのフィラーが散らばってしまわないようにしているだけのことです。このようなプラスチックは、混ぜられている金属や黒鉛のために不透明ですし、電子部品を作ったりすることもできません。しかし、導電性プラスチックに比べて安価なために広く使われています。特に、溶媒に溶かした状態で**導電性塗料**として用いると非常に便利です。

導電性塗料を使えば、筆で絵を書くような感覚で、どのようなところにも導線を描くことができます。導電性塗料を塗って、溶媒が乾けば、そこには導電性の膜ができているわけです。電線同士を結ぶとき、基板を本体にアースするとき、導電性塗料を使えば接触不良の心配をすることなく確実に配線できます。

電気を通す物質は、その内部に電波や光などの電磁波を通さないという性質があります。この性質を利用すると、導電性塗料を塗ることで、電波を遮断することができます。最近の電子部品は非常に精密なため、外部から強い電波が当たると誤動作することがありますが、そんな機械も導電性塗料を塗っておくことで誤動作を防ぐことができます。

5-7 電気と磁気とエネルギーとプラスチック

導電性塗料と磁性材料

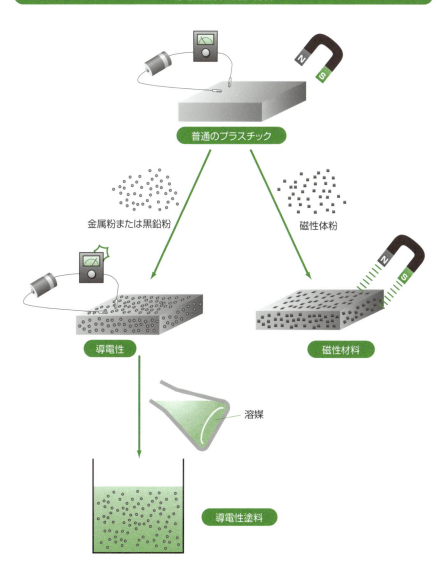

5-7　電気と磁気とエネルギーとプラスチック

▶▶ 磁性材料

　　電気と違って、磁石としての性質をもつ分子を作るのはとても難しいことです。多くの研究者が磁石となる分子を作ろうとして、ある程度の成功は収めていますが、さらにそれをプラスチックとすることは非常に困難です。しかし、磁石としての性質をもつプラスチックは強く望まれています。そこで、導電性塗料と同様に、磁石としての性質を示す磁性体をフィラーとしたプラスチックが開発されました。

　　単にプラスチックに磁性体を混ぜても、磁石が互いに引きつけ合ってしまい、全体としては弱い磁石にしかなりません。プラスチックに混ぜても磁力が低下しないようにするためには、特殊な成型法が必要とされます。

　　磁石としての性質をもつプラスチックは、金属の磁石と異なり軟らかく、成型が容易です。そのため、初心者マークを始めとして、表面に傷を付けたくないような場所につける磁石として、複雑な形状をもつ磁石として、広く使われるようになりました。また、磁性をもつ物質も内部に電磁波を通さない性質があります。このことを利用して、磁性プラスチックを用いた電磁波遮断膜も作られています。

▶▶ 燃料電池

　　電気を作るには、電池のように『電子を出しやすいもの（還元剤）』と『電子をもらいやすいもの（酸化剤）』との組み合わせで電流を得る方法と、発電機を回して電気と磁気の力で電流を得る方法とがあります。石油のようによく燃えるものは電子を出しやすい代表的なもので、空気中の酸素は電子をもらいやすい代表的なものです。したがって、何かが燃焼するときには、原理的にはそこから電気を取り出すことができます。しかし、現在、石油から電気を生み出す火力発電所では、石油を燃やして熱を発生させ、その熱で作った水蒸気で発電機を回し、発電しています。このような間接的なことをしないで、直接、石油のような燃料と空気から電気を取り出すのが**燃料電池**です。

　　燃料電池で『電子を出しやすいもの』として石油が直接利用できればよいのですが、現在の技術ではそれはできません。現在『電子を出しやすいもの』としては水素が利用されます。

5-7 電気と磁気とエネルギーとプラスチック

　燃料電池では、水素から直接電気が得られるので効率が高く、巨大な設備を必要とせず、また、通常の電池と異なり、燃料を供給すればいくらでも発電できることから、携帯バッテリーから自動車まで、様々な電気機械への応用が始まっています。

燃料電池の仕組み

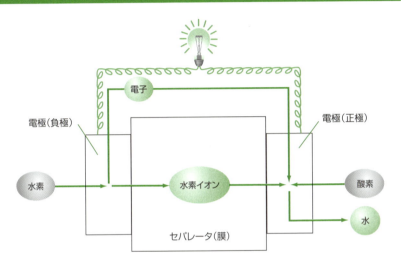

　燃料電池には様々な方式がありますが、いずれの方式でも、正極と負極があり、両者が**セパレータ**で隔てられているだけという比較的単純な形をしています。水素燃料電池では、水素は負極に供給され、そこで水素イオンと電子に分かれます。電子は電線を通って仕事をし、正極に達します。一方、水素イオンはセパレータを通って正極に達し、電線を通ってきた電子とともに酸素と反応して水となります。つまり、燃料電池では、セパレータが電子を通さず、水素イオンだけを通すことによって発電しているのです。このとき、セパレータが水素イオンを通す効率によって燃料電池の性能が決まります。

　身近に使われる燃料電池では、セパレータには水素イオンを輸送する能力のあるプラスチックの膜が使われます。現在は**ナフィオン**と呼ばれる特殊なプラスチックが使われていますが、耐久性と発電効率に難があり、水素イオン輸送能力を保ちながら高耐久性と発電効率に優れたプラスチックの開発が活発に進められています。

▶▶ 蓄電池（バッテリー）

蓄電池は、電気を出力するだけでなく、空になったら再び電気を貯めることのできる電池です。電池は電極と**電解質**からなりますが、プラスチックは電極としても電解質としても利用がされており、プラスチックだけからなる電池を作ることも可能です。

電極には金属や金属化合物が使われてきましたが、電子を貯めることのできるプラスチックも電極として使うことができます。そのようなプラスチックとしては、導電性プラスチックや、電子を出し入れすることのできる部分構造を持つポリマーがあります。

バッテリーの充電と放電

▼鉛バッテリー

5-7　電気と磁気とエネルギーとプラスチック

電池の電極としての性能は、どれだけエネルギーの高い電子をどれだけの密度で貯めることができるかによって表されます。プラスチック電極の性能はまだ金属を使った電極の性能には及びませんが、プラスチックは金属に比べて軽量であること、加工性が高いこと、自由に曲げられることなどから、プラスチックの特性を生かした電極が様々に工夫されています。

電解質は電極の間でイオンをスムーズに運搬する役割を担います。そのため、電解質にはイオン濃度の高いアルカリの水溶液などが用いられてきました。しかし、液体を電解質に用いると電池の液漏れの原因となります。電解質のプラスチック化には、電解質を直接プラスチックで置き換えることも研究されていますが、イオンを運搬する速度が上がりにくいという問題があります。そこで、プラスチックに電解質を含ませて、固めてしまう方法が広く行われています。どのような方法であれ、このようにプラスチック化された電解質を用いると、液漏れしなくなるために、電池の構造が単純になり大幅な軽量化が実現できます。また、それだけでなく、蓄電池に充電する反応が均一に起こるようになり、充電できる回数の大幅な向上が実現できています。どのようなプラスチックで電解質を固めるかによって蓄電池の性能は大きく変わり、様々な研究開発が行われています。

▶▶ 電子部品（電子デバイス）

私たちが日常的に使う電気製品は、様々な電子部品（電子デバイス）を詰め込んで作られます。どのような電気製品にも、小さく、軽く、構造が単純であることが望まれます。そのためにプラスチックの利用が進められてきました。

電子部品は基本的に金属と半導体で作られています。半導体は石の仲間ですから、いずれも重くて硬い材料です。そのため、電気製品は硬くて重いのが常識です。電子部品を小型化し、ネジなどをプラスチック化することで軽量化されてきましたが、それにも限度があります。そこで、電子部品そのものをプラスチック化する研究開発が行われています。それによって、電子部品を軽量化できるだけでなく、電気製品を柔らかくて曲げられるものにすることができます。また、プラスチックは加工性が高く、特に、塗るだけで薄く成型することができるので、簡単に電子部品を作ることができると期待されています。

第5章　進化するプラスチック

243

5-7 電気と磁気とエネルギーとプラスチック

　導電性プラスチックによって、代表的な電子部品であるトランジスタやダイオードを作ることができることはすでに述べました。その他にも様々な電子部品がプラスチックで作られるようになっています。

　太陽電池は光を電気エネルギーに変える電子部品です。太陽電池はケイ素（シリコン、石の仲間）で作られてきましたが、光のエネルギーを集める物質と、集めた光のエネルギーを電子に換える物質をそれぞれ開発することでケイ素を使わない太陽電池が開発されています。効率もケイ素の太陽電池に匹敵するようになり、簡便に安価に太陽電池を作ることができることから普及が期待されています。

　電灯は逆に電気エネルギーを光に変える電子部品です。最初の電灯である白熱電灯は電気を流すことによって発生する熱を光に変えるもので、効率が非常に悪いものです。放電による光の発生を利用した蛍光灯では熱の発生が少ないため効率が大きく向上しました。さらに、電気エネルギーを光エネルギーに直接変換する電子部品が**LED**（発光ダイオード）です。LEDではエネルギーのロスが非常に少なく効率はさらに向上しています。ここまでの電灯では、発光部には金属や石の仲間が使われています。それに対して、LEDの原理で、発光部に有機化合物を使ったものが**有機EL**です。有機ELでは電気を流すと光る特殊な有機物を使っており、さらにそのプラスチック化も進められています。有機ELの特徴は、大面積化が容易なことです。それをさらにプラスチック化することで、薄くて曲げられるフィルムで、明るく発光する面を作ることもできるようになってきました。

5-8

薄皮1枚で分ける（膜分離）

液体や気体は、膜によって2つの領域に分けることができます。多くの場合、それぞれの領域は膜によって全く遮断されてしまうわけではなく、多かれ少なかれ、領域の間で物質の移動が見られます。このとき、物質は膜を通って移動しているわけです。

▶▶ 中空糸膜、逆浸透膜

膜に物質を選択的に通す機能をもたせると、膜を通すだけで、選択的にある物質の濃縮をすることができるようになります。プラスチックの膜は、薄い膜1枚で高度な分離をさせるように進化してきました。**中空糸**は、特殊な製法により $1\mu m$ よりはるかに小さく、電子顕微鏡でやっと見えるほど微細な穴の開いた膜です。中空糸膜に開いている穴は、錆びなどの濁り、カビや細菌などの微生物よりも小さいので、水からこのような不純物を除くことができます。そのとき、水に溶けているミネラル分は通しますので、水のおいしさは保持されます。このことから、**中空糸膜**は家庭用の浄水器に広く使われています。中空糸膜の穴は水の分子の大きさに比べるとはるかに大きいのですが、それでも小さい穴ですので、水は少量ずつしか通り抜けることができません。そのため、中空糸膜は非常に細いチューブ状に成型され、表面積を大きくすることによって、実用的な速度で水を通しています。

逆浸透膜は、電子顕微鏡でも見えないほどの小さい隙間のある膜です。この隙間はあまりに小さいので、水以外のものを通しません。水を逆浸透膜に通すと、ミネラル分も除かれ、ほとんど純粋な水が得られます。このことを利用すると、海水を淡水化することができます。サウジアラビアのような降水量の少ない国では、逆浸透膜を利用した海水の淡水化工場がたくさん造られ、国民の飲用水が確保されるようになってきました。

逆浸透膜には穴は開いていません。ポリマーの分子の隙間を水が通っていくだけです。そのため、逆浸透膜に水を通すためには圧力をかける必要があります。さらに、海水を淡水化するにはエネルギーが必要ですので、その分の圧力も余分にかけなければなりません。そのため、逆浸透膜に使える材質は、丈夫で緻密な膜です。ナイロンに似て、より強度の高い**ポリアミド**などが使われます。

第5章　進化するプラスチック

245

5-8 薄皮1枚で分ける（膜分離）

▶▶ 透析膜

　透析膜は逆浸透膜に似ていますが、それよりもずっと隙間の大きいポリマーでできた膜です。水、糖類、アミノ酸などの小さい分子は通しますが、タンパク質などの大きい分子は通しません。透析膜はタンパク質を小さい分子から分け取るのに使われます。最も重要な用途は、腎臓病患者の人工透析です。

　腎臓に障害があると、血液から老廃物*だけでなくタンパク質も外に出て行ってしまいます。タンパク質は生命の維持に必須ですから、こうなると命に関わります。そのため、腎臓病の患者は、腎臓を使わずに血液をきれいにしなければなりません。それが**人工透析**です。人工透析では、患者から採った血液を、透析膜を隔てて透析用の液にさらします。そうすると、老廃物などは透析膜を通って外に出ていきます。このとき、血液中の大事なタンパク質は透析膜を通らないので残ります。これは、腎臓で行われている血液浄化の仕組みと似ています。こうして血液をきれいにすることができるのです。

中空糸膜、透析膜、逆浸透膜

中空系膜　　0.1〜0.001ミクロンの穴

錆び、細菌、かびは通さない

透析膜

10〜100Å* の
すきまのあるポリマー
ウイルスやタンパク質は
通さない
血液中の老廃物は通す

逆浸透膜

穴は開いていない
分子のすきま（〜1Å）を通す
塩分も通さない
水は通す

***老廃物**　おしっこは血液から作られる。血液は体中の組織から老廃物を集めてくるが、それが腎臓を通るとき、タンパク質の成分を残し、それ以外の成分を血液から追い出す。老廃物はタンパク質以外の成分だから、いったん血液の外に出る。腎臓は、ここから老廃物以外の成分を再吸収し、血液に戻す。そのとき残った老廃物が、おしっこである。

***Å**　　オングストローム。1Åは10^{-10} m＝0.1 nm。

▶▶ 酸素富化膜

　プラスチックによって、気体の通しやすさには差があります。**ケイ素**という元素を含むプラスチックの膜は、空気中の窒素よりも酸素を通しやすいという性質があります。このことを利用すると、空気から酸素を濃縮して通すことができます。これが**酸素富化膜**です。

　酸素富化膜は、焼却炉でゴミを効果的に燃焼させたり、医療用や家庭用に酸素濃度の高い空気を簡便に供給したり、様々なところで使われるようになってきました。

　酸素富化膜において重要なのは、その薄さです。プラスチックの膜は、いくら気体を通すことができるからといって、極めてゆっくりとしか通しません。したがって、実用的な速度で酸素をたくさん含む空気を得るためには、膜をできるだけ薄くして、気体が膜を通る時間を最小限にする必要があります。しかし、膜を薄くすれば、膜は簡単に破れてしまいます。膜にわずかでも穴が開けば、そこから空気が漏れてしまいますから、酸素の濃縮はできなくなってしまいます。膜の薄さを保ったままで強度を保つために、高度な成型の技術が使われています。

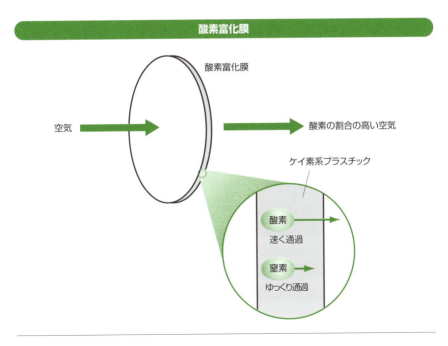

酸素富化膜

5-9
プラスチックを印刷する（3Dプリンター）

　印刷は、印刷機（プリンター）を使って、紙のような平面に、ある絵（文字も含む）を何枚も大量に書き出すものです。それと同様に、立体的な造形物を「印刷」できるようなプリンターが3D（三次元）プリンターです。3Dプリンターには様々な方式がありますが、そのほとんどはプラスチックの光合成や熱成型技術によって実現されています。

▶▶ 光造形型3Dプリンター

　最初に開発された3Dプリンターが光造形型のものです。この方式では、光によって液体のモノマーが重合して固体のポリマーになるような、**光重合（光硬化性樹脂）**を利用します。

　作りたいと考える形があったら、専用のアプリケーションを使ってコンピューターの中でその形を立体的にデザインします。あるいは、その物体がすでに存在するなら、いくつかの方向から写真を撮って、その形をコンピューターに読み込ませます。コンピューターはその形を輪切りにしたらどういう断面になるかを計算します。

　光重合する性質を持った液体のモノマーのタンクに、断面の形状になるように光を上から当てると、光が当たった部分だけが光重合で固まります。その上に再び液体のモノマーの層を乗せ、次の断面を形作ります。最下層の断面から、順番にそれぞれの輪切りの断面を固めながら積み重ねていけば、作りたいと思っていた形ができ上がるのです。

押出型3Dプリンター▶

光造形法の発明
この方法は1980年に当時名古屋市工業試験場に所属していた小玉秀男氏が薄い版下を積層すると立体が作られることから着想を得て「立体図形作成装置」として特許を出願した。最初の発表では反響もなく評価も低かった。

5-9 プラスチックを印刷する(3Dプリンター)

　モノマーのタンクの下を透明な窓にしておいて、この窓から光を当て、引き上げながら成型する方法もあります。

　この方式では極めて精密な物体を作ることができますが、装置が大型になり、高価で、使える(光重合性の)モノマーが限られます。また、着色した物体を印刷することは得意ではありません。

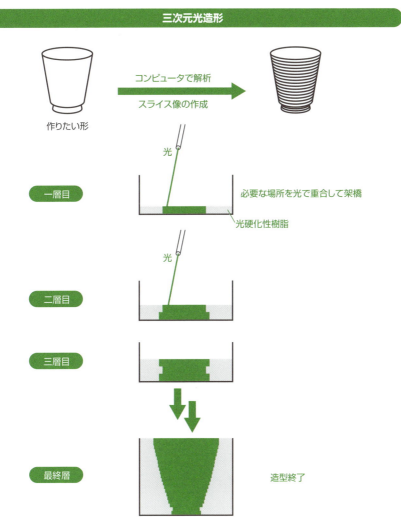

三次元光造形

5-9 プラスチックを印刷する（3Dプリンター）

▶▶ 押出型3Dプリンター

この方式でも、物体の形を輪切りにした断面を計算するところまでは光造形型の3Dプリンターと同様です。

この方式では、各断面の形状に合わせて、溶融したポリマーをノズルから押し出します。それが冷えて固まることで断面が形作られます。あとは、最下層の断面から順番に積み重ねていけば立体的な形状ができ上がります。ただし、この方法では、鈴のような、下に支えのない構造を作ることはできません。支えとなるような構造（サポート材）を別のポリマーで作っておいて、全体の構造ができた後で、サポート材を取り除くという方法が使われます。物体の形状によっては、サポート材を取り除くために煩雑な手順が必要となります。

この方式の3Dプリンターは構造が簡単なため安価で、様々なプラスチック素材を利用することができます。また、着色した物体を印刷することも容易です。印刷に使う素材も、溶融状態から固めることができればよいので、金属の粉末をレーザーで焼き固めながら印刷するプリンターもあります。

▶▶ ジェッティング型3Dプリンター

この方式では、インクジェット型のプリンターを利用します。インクジェットプリンターは、インクジェットプリントヘッドと呼ばれる、いくつも並んだ極めて細いノズルの列からインクを噴射して印刷するプリンターです。安価に高速に精密な印刷をすることができるため、家庭用のプリンターとして広く使われています。その3Dプリンター版では、インクジェットプリンターのノズルから、インクの代わりに光硬化性樹脂を噴射します。それを紫外線で硬化させることで立体的な形状を印刷していくのです。

この方式には、噴射した光硬化性樹脂そのもので物体を印刷する方式と、表面に付着させたセッコウやプラスチックの粉末に光硬化性樹脂を噴射することで粉末を固めて結合させて印刷していく方式があります。直接物体を印刷する方式では、精密な形状を作ることができ、複数の素材を組み合わせたり着色したりすることも容易です。粉末を結合させて印刷する方式は、高速に印刷できることが特徴です。

COLUMN インテリジェント材料

　インテリジェント材料とはスマートマテリアルとも言われ、環境の変化や物理的な刺激に応じて機能を発現する能力をもたせた材料で、プラスチックに限らず金属、木材、セラミックスなど様々な材料を元に作られます。昔から存在するものとしては紫外線で色の濃淡が変化する調光材料、変形しても元の形に戻る形状記憶材料、高温、衝撃、水濡、劣化などを色を変化させて知らせる材料などがあります。

　第1章で説明した通りプラスチックは目的や用途に応じて必要な性質をもつものを設計・製造できる材料です。ですからプラスチックには様々な機能性を持たせたものがたくさんあります。その中で最近進められているのがより機能性の高いインテリジェント材料の研究開発です。

　例えばプラスチックは長期間使用しているうちに次第に劣化していきます。このときプラスチックの色が変化するようにしておけば屋外で利用しているプラスチック製の道具などの交換時期を知らせることができるでしょう。この場合はその道具は寿命を迎えて使えなくなってしまうのですが、もし劣化したプラスチックが自身を修復する機能を持っていたらその道具の寿命を延ばすことができます。このような材料は自己修復材料と呼ばれますが、プラスチック内部に紫外線を当てると加熱する材料を仕込んでおき熱でプラスチックが流動して修復できるようにしたもの、プラスチックの内部に別々のカプセルにモノマーと重合開始剤を仕込んでおき劣化したときにカプセルが壊れて重合し自己修復できるようにしたものなどの研究開発が進められています。自己修復材料は日常で利用されているものから過酷な自然環境や人のアクセスが難しくメインテナンスが困難な環境などでの活躍が期待されています。

　現在、プラスチックのインテリジェント材料の多くは自己診断機能や自己修復機能を持つものですが、アイデア次第ではプラスチックに様々な機能を付加させることができることから機能性プラスチックのひとつとして研究開発が進められています。インテリジェント材料に限らず新しい機能をもったプラスチックはどんどん開発されていくことでしょう。

▼インテリジェント材料の例

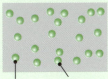
モノマーカプセル　重合開始剤カプセル

劣化した部分のカプセルが壊れて重合が始まる

劣化した部分が重合したポリマーで自己修復される

memo

第6章 プラスチックの課題と私たちの生活

プラスチックは私たちの生活に欠かせない材料ですが、歴史が浅い材料でもあり、いろいろな課題を抱えています。この本の最後の章では、プラスチックの安全性、資源問題、環境問題などについて考えます。さらに、私たちの暮らしをより良くするためには、プラスチックとどのように向き合うとよいのかを考えていきましょう。

6-1

プラスチックがもたらすもの

　プラスチックはたいへん便利な材料ですが、解決していかなければならない様々な課題を抱えているのも事実です。ここでは、プラスチックの課題について1つずつ考えていく前に、プラスチックの利便性と課題について、どのように捉えていくとよいのかを一緒に考えてみましょう。

▶▶ プラスチックの利便性

　プラスチックは、軽い、扱いやすい、化学的に安定している、大量生産ができる、安価であるなどの特長があります。そして、他の材料がもちあわせていないプラスチックの最大の特長は、目的や用途に応じて必要な性質のプラスチックを作り出すことができることです。このようなプラスチックの特長が、プラスチックを広く普及させてきたのです。

　プラスチックが私たちの生活の中に入り込んできたのは、20世紀半ばになってからです。最初のうちは、プラスチックは木材や金属の代用品ぐらいでしかありませんでしたが、いろいろな種類のプラスチックが開発されていくにつれて、様々な用途に使える優れた材料になりました。いまや、私たちの身の回りにあるあらゆる物がプラスチックで作られており、プラスチックが使われていない物を探す方が難しいぐらいです。

　プラスチックは私たちの生活スタイルを大きく変えました。プラスチックが存在しない生活は、もはや考えられないでしょう。例えば、私たちの食生活は、プラスチックの利用によって大きく変わりました。プラスチックでできた包装容器は、食品を長持ちさせ、食品を衛生的に保存します。コンビニエンスストアでいろいろな種類の弁当や飲料を手軽に買うことができるようになったのも、プラスチックがあってのことです。私たちが普段使う日用品や家電製品、そして住まいそのものにもプラスチックが多用されています。もし、プラスチックがなかったら、これほどまでに私たちの生活は便利なものにはならなかったでしょう。

6-1　プラスチックがもたらすもの

▶▶ プラスチックの課題……安全性、資源問題、環境問題

　現在作られているプラスチックには実にたくさんの種類がありますが、そのほとんどが石油を原料としています。プラスチックは素材そのものの安全性が問題になることもしばしばあります。また、私たちはプラスチック製品を気軽にたくさん使い、不要になると捨ててきました。プラスチックは私たちの生活に密着し、貢献しているのですが、それゆえに環境問題、資源問題、ごみ問題などとも深く関係しています。そういう意味では、プラスチックが抱える課題の多くは、とても人間的で、社会的で、現代的なものと言えるでしょう。

　プラスチックを上手に使いこなすには、まずプラスチックのことをよく知っておかなければなりません。そして、長所と短所を冷静に見つめる必要があります。ものごとには、良い面と悪い面が必ずあります。これはプラスチックも同じです。良いところを最大限に活かし、悪いところを最小限にするよう工夫しなければなりません。

　もし、プラスチックの利便性ばかりを追求して、プラスチックが抱える問題を軽視したら問題はどんどん大きくなってしまいます。また、逆にプラスチックの問題ばかりを追求して、プラスチックを悪者呼ばわりするのも間違いです。プラスチックは目的に応じていろいろな性質のものを作り出せるのですから、プラスチックが抱える問題を低減させながら利便性を追及していくこともできるはずです。

　そして、何よりも重要なことは、プラスチックを使いこなす私たち人間が、プラスチックを正しく使うということです。そのようなバランス感覚がとれてこそ、プラスチックを本当の意味で使いこなすことができるのです。

利便性と課題のバランスが重要

利便性
・軽い
・扱いやすい
・安定している
・大量生産
・安価

環境問題
資源問題
ごみ問題
安全性

6-2

プラスチックの安全性

プラスチックは安定な物質ですが、私たちの健康への影響はないのでしょうか。ここではプラスチックの安全性について、考えてみましょう。

▶▶ プラスチックと有害な物質

　プラスチックは安定な物質ですから、基本的にはプラスチックが私たちの健康に悪影響を与える心配はほとんどありません。しかし、プラスチックの製造方法に問題があったり、使い方を間違えたりすると、プラスチックから有害な物質が浸み出すなどして、私たちの健康に悪影響を及ぼす可能性が出てきます。

　例えば、プラスチックを製造する段階で化学反応が不十分だったりすると、プラスチックの中に原料や反応の中間物質が未反応のまま残ることになります。きちんとプラスチックを製造していても、そのような物質は少なからずプラスチックの中に残留します。特に、食器、医療器具、子どもの玩具のようなものについては、残留物質を極力少なくする必要があります。過去には、ユリア樹脂（4-2節参照）でできた食器から**ホルムアルデヒド**という物質が検出されたり、ポリカルボナート製の食器から**ビスフェノールA**という物質が検出されるなどの問題がありました。そのため、プラスチックの安全性については、1968（昭和43）年の「カネミ油症事件」がきっかけで1973（昭和48）年に制定された、**化学物質審査および製造の規制に関する法律（化審法）**などで厳しく規制されています。

　それから、プラスチックには添加剤が使われていますが、添加剤の中には有害なものもあります。食器、医療器具、玩具などに使われる添加剤については、法律で厳しく規制されていますが、それら以外のプラスチックについては特に規制がありません。したがって、プラスチックを本来の目的以外に使ったときに、プラスチックから有害な物質が出てきて、それが健康に悪影響を与える可能性は十分にあるのです。

　また、プラスチックは長時間使用したり、定められた条件を超えた温度や圧力のもとで使った場合には、たとえ目的にあった用途で利用していたとしても、有害な物質が出てくる場合もあります。

カネミ油症事件
カネミ倉庫株式会社製造の食用油（カネミライスオイル）にポリ塩化ビフェニル（PCB）が混入し、健康被害が発生した食中毒事件。1968（昭和43）年。

6-2　プラスチックの安全性

そのため、プラスチック製品にはその使い方や注意事項を消費者がわかるように記載するよう、家庭用品品質表示法（1-7節）などで義務付けられています。

プラスチックの種類　残留する可能性のある物質

種類	物質
ポリカルボナート	ビスフェノールA
エポキシ樹脂	ビスフェノールA
フェノール樹脂	フェノール、ホルムアルデヒド
ユリア樹脂	ホルムアルデヒド
メラミン樹脂	ホルムアルデヒド
ＡＢＳ樹脂、ＡＳ樹脂	アクリロニトリル
ポリ塩化ビニル、ポリ塩化ビニリデン	塩化ビニル
ポリスチレン	未反応のスチレンモノマー

▶▶ プラスチックの使い方と安全性

次に、プラスチックの使い方と安全性について考えてみましょう。

プラスチックは用途を守って使う必要があります。例えば、ペットボトルなどの容器は、外見上同じように見えても、中に入っている飲料の種類によって作り方が違ってきます。炭酸飲料を入れるペットボトルは耐圧性を重視した作りになっていますし（5-3節参照）、熱いお茶などのペットボトルは耐熱性に配慮された作りになっています。理科の実験で、ペットボトルロケットを飛ばそうと思ってペットボトルに空気を圧縮して入れていったら、ペットボトルが破裂したという事故もあるようですが、これは耐圧性のないペットボトルを使ってしまったことが原因*です。

＊…が原因　耐圧性のものでも、傷がついていると破裂する場合がある。

第6章　プラスチックの課題と私たちの生活

6-2　プラスチックの安全性

プラスチックの安全性

食器
- プラスチックの原料や中間物質が未反応のままプラスチックに残存していないか
- 有害な添加物が使用されていないか

食器
- 長期間の使用で
- 有害な物質がしみ出してこないか

ペットボトル
- 炭酸飲料用の場合、耐圧性は十分か
- 温めて飲む場合、耐熱性は十分にあるか

電気部品のプラグ
- 燃えやすくないか
- 熱で劣化しないか

　また、プラスチックは電気のプラグや電線の被膜などに使われています。この場合も適切なプラスチックを使わないと、熱でプラスチックが劣化したり、プラスチックが燃えて火事が起こる可能性があります。また、燃焼したときに有毒ガスが発生するものもあります。そのため、プラスチックを燃えにくくするために、難燃剤が加えられたプラスチックもあります。

　その他、耐衝撃性なども考えなければなりません。オートバイのヘルメットに使われているプラスチックは耐衝撃性に優れていますが、安全基準に満たないものは、事故が起きたときにヘルメット本来の役割を果たすことができません。事故の規模が大きくなくても、ヘルメットに使われていたプラスチック材料が適切なものでなかったために貴い人命が失われた例もあるのです。

　このようにプラスチックは正しい使い方で利用しないと、人体に危害を与えたりする場合があるので注意が必要です。

6-3

プラスチックと資源問題

　今日のようにプラスチック製品が私たちの身の回りにたくさんある背景には、石油化学産業の発展があります。プラスチックのほとんどは石油から作られますが、石油資源が枯渇しつつあると言われている中で、プラスチックはどのような課題を抱えているのでしょうか。

▶▶ 石油はあとどれぐらいもつのか

　よく「石油はあと50年もつ」などと言われます。以前からほとんど同じような年数になっていて、いったいどうなっているのだろうと思う人も多いでしょう。

　実はこの年数には根拠があります。一般に石油があとどれぐらいもつのかを判断する数値として、**可採年数（R/P）** が使われます。可採年数とは、ある年の**確認埋蔵量（R）**を、**年間生産量（P）**で割った値です。つまり可採年数は、年間の石油生産量を需要と考え、確認埋蔵量を供給と考えて、需要と供給のバランスから石油があとどれぐらいもつのかを示したものです。

$$\text{可採年数（R/P）} = \frac{\text{石油の確認埋蔵量（R）}}{\text{石油の年間生産量（P）}}$$

　確認埋蔵量は、埋蔵が確認されている石油量のうち、現在の人類の技術力と採算性から採掘できる石油の量を示すもので、地球に存在する石油の全量を示すものではありません。ですから、新しい油田が見つかったり、石油の採掘技術が向上すると増加し、油田の閉鎖があると減少します。

　石油の消費量が増えているにも関わらず可採年数があまり変化がないのは、確認埋蔵量が増加しているからです。2022年の石油の確認埋蔵量は1兆7570億バレル*、年間生産量は337億バレルで、可採年数は約52年です（『Oil & Gas Journal』誌）。

***バレル**　バレルは樽という意味で、1バレルは159ℓ。昔、石油の輸送に酒樽を使っていたことから、石油の体積の単位にバレルが使われるようになった。

第6章　プラスチックの課題と私たちの生活

259

6-3 プラスチックと資源問題

2018年から石油の年間生産量に天然ガス液（NGL）の生産量が含まれるようなったため可採年数が2017年の58年から大きく減少しましたが、この数値は今後しばらくの間は大きく変化しないだろうと考えられています。

▶▶ 石油から作られるプラスチック

プラスチックは、原油から作られる石油製品のうち**ナフサ**（**粗製ガソリン**）という油から作られます。ナフサを加熱、分解して、エチレンやプロピレンのような**石油化学基礎製品**を作り、それらの物質からプラスチックを作ります。

日本で2019年の1年間で消費された原油はおよそ1.45億kℓで、そこから1292万kℓのナフサが作られます。日本はそれ以外にナフサそのものを2819万kℓ輸入しています。国内生産のナフサと輸入ナフサを合わせて、4111万kℓのナフサから、ガソリンが作られたり、プラスチックや化学繊維などの原料となる石油化学基礎製品が作られます。石油化学基礎製品からはいろいろなものが作られますが、日本では原油と輸入ナフサを合わせた量の約7.3%がプラスチックになります。輸入ナフサの量を原油量に換算すると約3%になります。

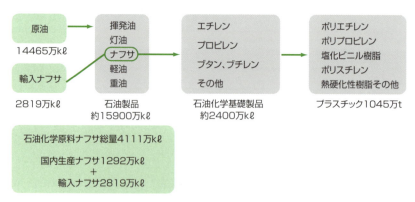

石油資源が少なくなるとプラスチックはどうなる

原油の密度を0.85 kg/ℓ、ナフサの密度を0.70 kg/ℓ とすると、10,450,000,000 kg/(144,650,000,000 L×0.85 kg/ℓ+28,190,000,000 L×0.70 g/ℓ)×100=7.3 %

（参考）(社)プラスチック循環利用協会「プラスチックリサイクルの基礎知識2023」

6-3　プラスチックと資源問題

▶▶ 石油資源が少なくなるとプラスチックはどうなる

　石油の大部分は燃料として使われていますから、石油資源の消費量という点では、プラスチックはそれほど大きくありません。実際、石油資源枯渇の対策も、燃料の節約に重点が置かれており、プラスチックなどの石油化学製品の原料を石油以外から賄うという取り組みはあまり進んでいないのが現状です。現在の石油の可採年数を考えても、直ちに石油が枯渇して、プラスチックの生産量を下げざるを得ない状況になるとは考えにくいです。

　しかしながら、石油資源が有限であるという事実は変わりません。このまま消費を続けると、孫やひ孫の時代には石油はなくなってしまうでしょう。人類が利用できる石油の全量*は、これまでに人類が利用してきた石油の量を含めて2兆から3兆バレルと言われています。年間生産量が現在の数値で維持すると考えても、あと100年もしないうちに石油がなくなることになります。現時点では、まだ石油は余裕をもって使われている状態と言えますが、これから先は確実に残量が少なくなってきます。石油がさらに貴重なものとなり、今より価格がずっと高騰するかもしれません。また、用途の競合が起こって、特殊な用途以外には使用できないなどの規制ができるかもしれません。

　人類は石油資源をエネルギー源として、あるいは化学製品の原料として大量消費してきました。これから先は残された貴重な資源を大切に使うことが重要です。現在の社会は石油で文明が成り立っていると言ってもよいでしょう。この石油に依存した文明を続けるには、限りがあります。石油が余裕をもって使えているうちに、石油に代わる化学製品の原料の開発や利用を推進しておく必要があるでしょう。すでに、植物を原料にしたプラスチックの研究開発や、石油の代わりに天然ガス、さらには二酸化炭素を原料にしてプラスチックを作ることができないかといった研究が進んでいます。また、新たな石油資源の投入を極力抑えることができるように、プラスチックをより効率的にリサイクルできる方法なども研究されています。

第6章　プラスチックの課題と私たちの生活

＊全量　究極可採埋蔵量という。

6-3 プラスチックと資源問題

COLUMN レジ袋に使われている原油の量

　スーパーマーケットやコンビニエンスストアで使われてるレジ袋は石油を原料とするポリエチレンから作られていますが、2000年代初めの集計では1年間に消費されるレジ袋は約300億枚以上で、200ℓのドラム缶に換算※すると280万本を超えていました。

　日本では2019年5月に「プラスチック資源循環戦略」が策定され、2020年7月から全国でレジ袋が有料化されました。レジ袋辞退率は約80％となり、2021年のレジ袋の国内流通量は約10万トンで2019年の約20万トンから50％減となりました（日本経済綜合研究センター　包装資材シェア事典2021年版）。

　レジ袋と言えば資源の無駄遣いというイメージがありますが、レジ袋の原料となるのは原油そのものではなく、原油から作られるナフサです。原油の用途を考えると、レジ袋の削減で原油の消費量を大きく減らせないことを理解し、環境汚染やゴミ問題などの観点から考える必要があるでしょう。

　一般にレジ袋はゴミ袋として再利用されることが多いのですが、レジ袋がなくなるとゴミ袋用の同等品の販売数が増えるので、有料化だけで解決できるものではないという指摘もあります。この問題も先に述べた通り、人間的で、社会的で現代的な問題であり、取り組みにはバランス感覚が必要です。

▼レジ袋の日本での年間消費枚数

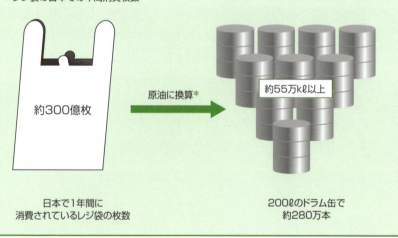

※ドラム缶に換算　1枚あたり原油18.3 mLで計算。

6-4

プラスチックと環境問題

プラスチックを大量に使い続けてきたことによって、環境問題が起きているという指摘があります。ここではプラスチックと環境問題について考えましょう。

▶▶ プラスチックがもたらす環境問題

　木材は、環境中に放置しておくと微生物の働きによって腐ります。金属は、時間はかかりますが、長期的に見れば錆びて腐食していきます。ところが、プラスチックは安定な物質であるために、自然の中に投棄してしまうと分解されずにいつまでも環境中に残ってしまうという指摘があります。また、プラスチックがいくら安定な物質といっても、長時間直射日光や雨風が当たるなどして経年変化が起きると、プラスチックそのものが有害な物質に変化したり、プラスチックの内部から有害な物質が浸み出したりして、環境を汚染する可能性も出てきます。

　プラスチックには燃やすと有毒ガスを発生するものがあります。例えば、**ダイオキシン**の発生が問題になりました。ダイオキシンのヒトに対する毒性はまだわかっていない部分もあるのですが、発がん性、催奇形性、内分泌かく乱作用などがあるとされています。ダイオキシンは塩素化合物と亀の甲の構造をもつ物質*が低温で燃えたときに発生します。現在は、ダイオキシンの発生を抑える焼却炉が開発されたり、ごみの分別が進んだりしたことによって、以前ほどダイオキシン問題は騒がれなくなりました。しかし、環境中のダイオキシン問題が解決したというわけではありません。

　なお、一般にプラスチックを焼却すると熱分解によって発生するモノマーが臭うので、有毒ガスが出ていると誤解されやすい面もあります。例えば、炭素原子と水素原子からのみできていて、添加物などを含まないプラスチックは焼却しても有毒ガスは発生しません。

　近年、**環境ホルモン**（**内分泌かく乱物質**）の問題が注目されています。もともとホルモンとは、生物の体をコントロールするために体内で作られる化学物質です。ところが、ホルモンとよく似た物質が体内に入り込むと、ホルモンと同じような働きをするため、健康に悪影響が生じると考えられています。

*亀の甲の構造をもつ物質　ベンゼン環の構造をもつ芳香性化合物。

6-4 プラスチックと環境問題

プラスチックと環境問題

自然の中で分解されにくい　　燃やすと有毒ガスが出る

　実際、性ホルモンと同じ働きをする環境ホルモンの影響によって、貝類がオス化したり、ワニがメス化したという例も報告されています。

　しかし、環境ホルモンが生体にどれぐらいの悪影響を及ぼすのかについては、まだよくわかっていません。確実な結果がデータとして出ていない以上は、安全だと言い切ることはできませんし、だからと言って必要以上に危険だと断言することもできません。しばらくの間は専門家の間でも意見が分かれる状態が続くと考えられます。参考までに、プラスチックに含まれている、環境ホルモンと疑われている物質を表にまとめておきます。

環境ホルモンと疑われているプラスチック関連物質

環境ホルモン関連物質	説明
フタル酸エステル類	主に塩化ビニル樹脂の可塑剤として使われている。
ビスフェノールA	ポリカルボナートやエポキシ樹脂の原料として使われている。
スチレンダイマー・トリマー	スチレン系のプラスチックに残留している。
ダイオキシン	プラスチックそのものに含まれているわけではないが、塩素化合物と芳香族化合物が低温度で燃焼すると発生する。塩素化合物のプラスチックにはポリ塩化ビニル、ポリ塩化ビニリデンがあり、芳香族化合物のプラスチックにはスチレン系プラスチック、ポリエチレンテレフタラート（PET）、ポリブチレンテレフタラート（PBT）などがある。ポリ塩化ビニルやポリ塩化ビニリデンがなくても、ゴミの中には食塩などの塩素源となるものがたくさんある。

▶▶ プラスチックによる海洋汚染

　海辺を歩くとたくさんのごみが見つかります。それらのごみを観察してみると、レジ袋、ペットボトル、食品トレイなど、そのほとんどが私たちが日常で利用しているプラスチック製品です。これらのごみは、その場で捨てられたものもありますが、多くは市街地で捨てられたものが河川を通じて流れ着いたもので、やがて海へと流れ出ていきます。こうして海洋に流れ出たプラスチックごみは、世界中の海へと拡散していきます[*]。英国のエレン・マッカーサー財団は世界の海洋ごみの総量はいまや1億5000万トンに達し、毎年800万トンのごみが新たに流れ出ており、2050年には海洋ごみの総量は海に生息する魚の総重量を上回ると警告しています[*]。

　プラスチックは安定な物質であり、環境中で分解されにくいことから、深刻な海洋ごみ問題を引き起こしています。海洋ごみによって、海洋生態系、船舶航行、観光、漁業、沿岸の暮らしなど海洋環境への影響が深刻化しています。

プラスチックごみの流出

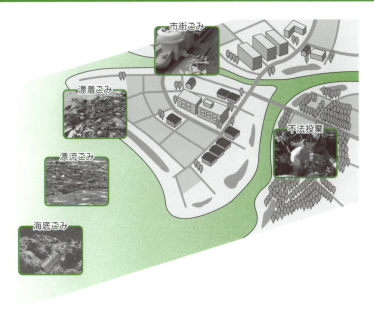

[*]**拡散していきます**　海に流れ出た海洋ごみは均一に広がるわけではなく、海流の影響で特定の場所に集まる。
[*]**警告しています**　エレン・マッカーサー財団「The New Plastics Economy:Rethinking the future of plastics」(2016) http://www3.weforum.org/docs/WEF_The_New_Plastics_Economy.pdf

6-4　プラスチックと環境問題

例えば、海鳥、ウミガメ、アザラシなどが、プラスチックごみを誤飲したり、プラスチック製の漁網や釣り糸に絡んだりして、毎年多数死んでいることが報告されています。

また、景観の悪化による観光への影響、水産物へのごみの混入による漁業への影響、ごみの回収処理の費用増加など、経済的な影響も生じています。

▶▶ マイクロプラスチック問題

過去、海洋ごみといえば、目に見えるある程度の大きさのプラスチックごみが注目されてきましたが、国連環境計画（UNEP）は2014年5月にケニアのナイロビで開催された第1回国連環境総会において、マイクロプラスチック問題と呼ばれる新たな環境問題が発生していることを指摘しました。

マイクロプラスチックとは、文字通り微細なプラスチックのことで、一般に5 mm以下のサイズに破砕されたプラスチックのことです。マイクロプラスチックは2つに分類されます。一つは洗顔料、歯磨き粉、化粧品、工業用研磨剤などにスクラブ剤として含まれている微細な**マイクロビーズ**と、プラスチック製品の原料となる数ミリメートルの大きさの樹脂ペレットで、これらを**1次マイクロプラスチック**といいます。もう1つは、もともとある程度の大きさだったプラスチックごみが、紫外線や外力などの影響で細分化されて5 mm以下になったもので、これを**2次マイクロプラスチック**といいます。

1次マクロプラスチックであるマイクロビーズは、ポリエチレンやポリプロピレンで作られた大きさ数マイクロメートル*から数百マイクロメートルのビーズです。昔はスクラブ剤として天然材料が使われていましたが、現在はマイクロビーズが使用されるようになりました。マイクロビーズは水に浮くため、家庭の洗面所や風呂場の排水溝から下水に簡単に流れ出ていきます。そして、極めて微細なため、下水の処理施設で除去されることなく、河川から海へと流れ出ていきます。現在、世界中の海に大量のマイクロビーズが流出しており、米国や欧州をはじめとする世界各国でマイクロビーズの利用やマイクロビーズ入りの商品の販売を禁止しています。日本では企業にマイクロビーズの使用の抑制に努めるよう自主的な対応を求めるまでにとどまっています。

＊マイクロメートル　マイクロメートルはμm = 10^{-6} m

6-4　プラスチックと環境問題

　同じく1次マイクロプラスチックの樹脂ペレットはプラスチック製品の製造工場で使われるものです。樹脂ペレットを溶かして成形することにより、様々なプラスチック製品が作られます。本来は製造工場にしかない樹脂ペレットですが、大きさが数ミリメートルと小さく、とても軽いため、輸送、保管、製造工程の管理状態が悪いと簡単に環境中に流出してしまいます。流出した樹脂ペレットは風に飛ばされたり、雨で流されたりして、河川を通じて海に流れ出ていきます。

　2次マイクロプラスチックは、プラスチックごみが環境中で細分化したものです。環境中のプラスチックは太陽光に含まれる紫外線で劣化しバラバラになりますが、波浪などの力の影響を受けながら、時間の経過とともに細分化が進みます。そして長い年月を経て、数マイクロメートルやナノメートル＊の大きさのマイクロプラスチックとなります。

　近年、世界中の海でマイクロプラスチックが確認されています。日本の沖合にも大量のマイクロプラスチックが漂流しています。

▶▶ マイクロプラスチックの生態系への影響

　多くのプラスチック製品には劣化を抑制したり、難燃性や可塑性など性質を改質する目的で添加剤が含まれています。プラスチックそのものは安定で無害な物質ですが、添加剤には有害な化学物質が使われているものも少なくありません。これらの有害な化学物質は、海洋のプラスチックごみが細分化されマイクロプラスチックとなっていく過程で海水中に流出していきます。

　こうしてプラスチックから生じた有害物質は、他の原因で流出した有害物質と同様に、食物連鎖の中で濃縮され生態系に影響を及ぼすことになります。また、有害物質はマイクロプラスチック中にも残ります。

　マイクロプラスチックの多くは水と混ざりにくい疎水性という性質をもっており、その表面は油と混ざりやすい親油性という性質をもっています。そのため、マイクロプラスチックは海水中に存在する**残留性有機汚染物質**（**POPs＊**）を吸着します。

　実際に、マイクロプラスチックを分析すると、ポリ塩化ビフェニル（PCB）や農薬をはじめとする有害な有機化学物質で汚染されています。

＊**POPs**　　　　Persistent Organic Pollutantsの略。
＊**ナノメートル**　ナノメートルはnm = 10^9 m

6-4 プラスチックと環境問題

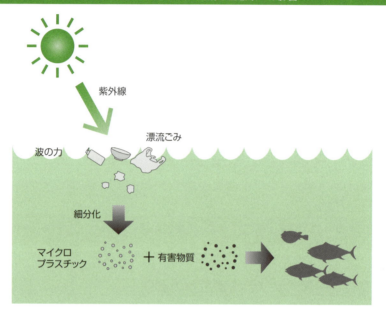

マイクロプラスチックの生成と生態系への影響

　最近になって、世界各地で魚介類や海鳥などの海洋生物がマイクロプラスチックを誤飲している事例が多数報告されるようになりました。生物が食べたマイクロプラスチックはやがて排泄されますが、有害物質は内臓に蓄積されます。日本でも東京湾などに生息する魚の内臓からマイクロプラスチックが見つかっています。それらは私たち人間も日常的に食べている魚たちです。ですから、マイクロプラスチックは食物連鎖を通じて人間を含む陸上動物の生態系にも広がっているのです。

　一方で、マイクロプラスチック問題でただちに健康被害が増大するかどうかについては冷静な判断が必要です。例えば、マイクロプラスチックが吸着している有害物質は海水中に存在していたものであり、すでに食物連鎖を通じて生態系へと広がっているはずです。また、私たちが魚を食べるとき、内臓を取り除くことが多いので、マイクロプラスチックそのものの摂取量も限られており、人体へ影響を及ぼす可能性は低いと考えられます。

　魚介類には良質のタンパク質や脂質がたくさん含まれています。また、生活習慣病の予防に効果がある成分やカルシウムなどの重要な栄養素を含んでいます。マイ

6-4 プラスチックと環境問題

クロプラスチックを過度に心配して魚介類を食べないようなことをすると、食事のバランスが崩れて、かえって健康に悪影響を及ぼしかねません。

環境中に存在するマイクロプラスチックを回収するのは極めて困難です。海洋に流出するプラスチックごみがさらに増えて、マイクロプラスチックの量が増え続けると、海洋生物の成長や生殖に深刻な影響を与え、海洋生物の生態系に大きな影響を及ぼす可能性があります。食物連鎖を通じた有害物質の濃縮も促進されるので健康被害が生じる可能性も否定はできません。また、ナノメートルサイズの極めて小さなマイクロプラスチックは血管や脳細胞に入り込んだり、生体内で分子レベルでの挙動をするため何らかの悪影響を与えたりする可能性があります。

現在、マイクロプラスチック問題については、調査研究が進められているところで、よくわかっていないこともたくさんあります。しかしながら、プラスチックごみを削減するとともに、海洋へ流出しないよう適切に処分することは必要不可欠で、こうした行動が既知の問題の解決や懸念される問題を未然に防ぐことにつながります。プラスチックとごみ問題については次の節で考えていきましょう。

洗濯バサミがバラバラに崩れる理由は？

洗濯物を干そうと思ってプラスチック製の洗濯バサミをつまんだ瞬間、バラバラに崩れてしまった経験があると思います。新品の洗濯バサミは適度の堅さと、しなやかさを持っています。しかし、長期間屋外で使用した洗濯バサミは非常にもろく、小さな力を加えただけで割れてしまいます。一方、室内でのみ使っている洗濯バサミは、時間が経過しても新品の状態とさほど変わりません。長期間屋外で使用した洗濯バサミがこのような状態になるのは、プラスチックが熱、光、雨、風の影響を受けて劣化するからです。プラスチックを屋外条件で使用したときの耐久性を**耐候性**と言います。

洗濯バサミはポリプロピレンというプラスチックでできています。ポリプロピレンはプロピレンを重合して作られます。プロピレンが重合するとき、メチル基がついた炭素原子が第1章で説明した重合の連結器の働きをします。

屋外の使用でポリプロピレンの劣化を最も引き起こす原因となるのは光です。特に紫外線に長時間暴露すると劣

6-4 プラスチックと環境問題

化して崩れやすくなります。

　ポリプロピレンに紫外線が当たると、連結器に相当する炭素原子が活性化されて酸素と反応し、ポリプロピレンが酸化されます。このときポリマーの鎖が切れます。一度、酸化反応が起こると、さらに紫外線によってポリマーの鎖が連鎖的にどんどん切れていきます。ちょうど電車の連結器が全部いっきに外れて、車両がバラバラになってしまうようなイメージです。

　プラスチックの劣化を防ぐためには、プラスチックに安定剤を添加物として加えます。ポリプロピレンの劣化を防ぐ添加物は**光安定剤（紫外線吸収剤）**や**酸化防止剤**です。

　添加物が十分に加えられたポリプロピレンで洗濯バサミを作ると長持ちすることになります。これは良いことに思えるかもしれませんが、プラスチックは環境中に投棄されると、長期間残留してしまうという問題があります。長い年月を経て環境に悪影響を与える物質に変化する可能性もあります。このようなことを考えると、洗濯バサミがバラバラに崩れ出したら、寿命を教えてくれていると考えて、適切に廃棄処分するとよいでしょう。

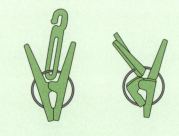

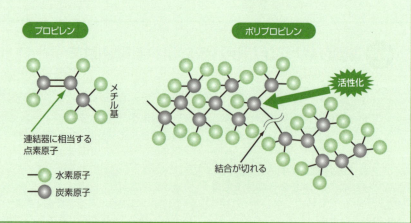

▶▶ プラスチックと地球温暖化

　私たち人類は産業や経済の発展に伴い、たくさんの化石燃料を燃焼させ、大気中に大量の温室効果ガスの二酸化炭素を放出してきました。化石燃料に含まれている炭素はもともとは植物や微生物が光合成で固定した二酸化炭素に由来すると考えられています。化石燃料の利用は人類の発展をもたらしましたが、二酸化炭素の大気中への放出という観点からは地球温暖化への道を切り開いてしまったと言えるでしょう。今後は二酸化炭素の発生量の少ない産業や経済活動が求められます。

　加えて、私たちはより新しい土地を必要とし、多くの森林を伐採してきました。二酸化炭素の放出量が増加している一方で、二酸化炭素を固定してくれていた植物を減らしてきたのです。その結果、地球温暖化が顕在化してきたのです。大気中に存在する二酸化炭素や大気中に放出する前に二酸化炭素を人為的に集めて貯留することを**二酸化炭素貯留**と言いますが、私たち人類は現在、二酸化炭素を効率良く固定化する技術を必至になって探求している状態です。

　地球温暖化が進むと世界の平均気温が上昇し、地表では砂漠化が進み、気候が大きく変動します。生態系にも影響が現れ動植物の生息域が変化し、食糧問題や感染症の拡大が懸念されるようになります。

▶▶ プラスチックはどれぐらい二酸化炭素を発生させているのか

　原油などの化石資源のほとんどは燃料として消費されています。ですから地球温暖化の解決の鍵は二酸化炭素の発生量がなるべく少ないエネルギー資源の利用を促進することです。一般には化石燃料に代わるエネルギー資源の利用が注目されがちですが、既存の化石燃料のエネルギー変換効率を高めて単位エネルギーあたりの二酸化炭素発生量を少なくする取り組みも極めて重要です。

温室効果ガス
地表から放射された赤外線の一部を吸収することにより、温室効果をもたらす大気中に存在する水蒸気、二酸化炭素、メタン、一酸化二窒素、フロンなどの気体。

6-4　プラスチックと環境問題

　さて6-3節で説明したように消費される原油のうちプラスチックに使われるのはわすが3%に過ぎません。そのため私たちの活動全体の二酸化炭素発生量から考えるとプラスチックが地球温暖化に大きな影響を与えているとは言えない、プラスチック問題の前にやるべきことがたくさんあるという指摘があります。一方でプラスチックが地球温暖化の元凶のような指摘もあります。こうした問題は定量的に捉えて判断する必要があります。

　日本の2019年の二酸化炭素の総排出量は11億800万トンでした。このうち産業や工業の分野からの排出量は3億2000万トンです。このうち化学分野からの排出量は6000万トンで全体の5.4%になります。プラスチックの製造工程で二酸化炭素が発生するのはナフサから石油化学基礎製品を作る段階で3100万トンと見積もられています。またプラスチックの廃棄やリサイクルにおける焼却処理で発生する二酸化炭素は1600万トンと見積もられています。これらを合わせた2019年の二酸化炭素発生量は4700万トン、つまり全体の4.2%をプラスチック由来と見積もることができます。

　この数字から判断するとプラスチック由来の二酸化炭素発生量は他の発生源に比べて少ないことがわかります。二酸化炭素の発生量を抑えるという点ではプラスチックをはじめとする化学製品を対象とするより、原油の化石燃料としての利用を削減した方が効果は大きいと言えます。だからと言ってプラスチック由来の二酸化炭素発生も無視しても良いというわけではありません。

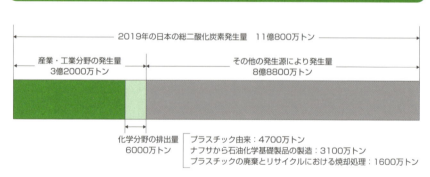

2019年の日本の二酸化炭素排出量の内訳[*]

＊…の内訳　資源エネルギー庁「カーボンニュートラルで環境にやさしいプラスチックを目指して（前編）」を参考に作成。

6-4 プラスチックと環境問題

　プラスチックは人工的に作り出された材料ですから、その作り方や使い方を工夫すれば他の発生源よりも二酸化炭素発生量を抑制することが可能なはずです。例えばナフサから石油化学基礎製品を作るときに必要なエネルギー源をカーボンニュートラル化＊したり、リサイクルで原料を循環させたり、石油以外の原料に転換させたりすることで二酸化炭素の発生量を抑えることができます。そのようにして作られたプラスチックを活用することができるようになれば様々な分野で二酸化炭素発生量を抑制することができるようになるでしょう。

　プラスチックの二酸化炭素発生量削減に適切に取り組めば、プラスチック自らの二酸化炭素発生を削減することができるだけなく、プラスチックを他の原因による地球温暖化ガスの発生の抑制にも貢献できる優れた材料にすることができるでしょう。

COLUMN　二酸化炭素からプラスチックの合成

　二酸化炭素を効率的に固定化しているのは植物が行っている光合成といえるでしょう。しかしながら、二酸化炭素を固定化するという意味では、光合成のように生成物が糖やデンプンである必要はありませんし、そもそも光のエネルギーを使うかどうかも必須ではありません。

　例えばある条件下で二酸化炭素に水素を反応させるとメタンと水ができたり、メタノールと水ができたりします。このメタンやメタノールを出発物質として炭化水素などの有機物を作る技術をC1化学といいますが、この方法を使って二酸化炭素と水素からプラスチックを製造する技術が研究されています。この方法を使うと化石燃料を使わずにプラスチックを作ることができます。二酸化炭素からプラスチックを作れるのであれば、それらを燃やしてももとの二酸化炭素に戻るだけですから、その分の二酸化炭素の収支はプラスマイナスゼロということになります。

　しかしながら現時点ではそう簡単にはいきません。現在、炭酸ガスは工場のプラントなどで発生する副生成物として生産されています。つまり、化石燃料などを燃焼したり、化学反応させたりした結果生じる二酸化炭素が原料となるのです。空気中の二酸化炭素を原料とできれば良いのですが、どうやって空気中の二酸化炭素を効率的に集めるのかという問題があります。相

＊**カーボンニュートラル化**　二酸化炭素など地球温暖化ガスの排出量と吸収量を均衡させること。

6-4 プラスチックと環境問題

当のエネルギーを投入する必要があるため二酸化炭素の削減にはならないでしょう。

また、この方法には水素の供給源をどうするかという大きな問題があります。現在、水素ガスは化石燃料を処理したときの副生成物から生産されています。つまり水素ガスの生産で大量の化石燃料が使われ二酸化炭素が発生してしまうのです。わざわざ大量のエネルギーを投入して二酸化炭素と水素を反応させてプラスチックを合成する必要があるのかという指摘もあります。もし水素が水の電気分解などによって得られるようになれば解決できるのでしょうが現在の技術では大量の水素を効率的に得るのは難しい状況です。

最近では水素ガスは使わずに二酸化炭素とある種の有機物を触媒のもとで反応させてプラスチックを合成する方法も研究されています。合成できるプラスチックの種類は反応させる有機物によって制限されますが水素ガスは不要となりますし、有機物由来の特殊な機能性を持たせることができるでしょう。

いずれにしても、二酸化炭素からプラスチックの製造の実用化には原料となる二酸化炭素や水素をどのように得るのかなどの課題解決に加え、エネルギーがどれだけ必要なのか、採算性が取れるのか、本当に二酸化炭素の削減になるのかなどを評価する必要があります。今後、研究開発が進み魅力的な機能性をもったプラスチックが開発されるようになれば採算性の問題も解決できるようになるでしょう。

▼二酸化炭素からプラスチックの合成例

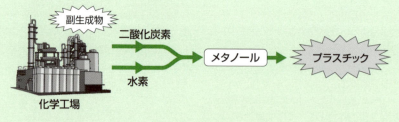

6-5

プラスチックとごみ問題

私たちの身の回りには、プラスチックで作られたものがたくさんあります。それらのものは、不要になればごみとして捨てられることになります。ここではプラスチックとごみ問題について考えましょう。

▶▶ ごみ問題とは

私たちが暮らす現代の社会は、高度に発達した科学と技術によって支えられています。科学と技術の発達は、大量生産と大量消費の社会を作り上げました。豊かな暮らしの中で、私たちのまわりには、たくさんの物があふれ、毎日たくさんのごみが捨てられています。すなわち、私たちの社会の仕組みは、すっかり大量生産・大量消費・大量廃棄の流れになってしまっているのです。

私たちの社会は、大量生産と大量消費の仕組みはよく発達しているのに、ごみ処理の仕組みはあまり発達していません。私たちの暮らしが快適で便利になっている反面で、大量のごみをどのように処理するのかが社会的に大きな問題となっているのです。ごみ問題をこのまま放置したら、環境問題や資源問題がますます深刻な状況になってしまいます。

ごみは大きく分けると、家庭などから出る**一般廃棄物**と、企業の工場などから出る**産業廃棄物**に分けられます。これらの廃棄物は、燃えるごみとして焼却処分されたり、**再資源化（リサイクル）**されたりしますが、それ以外は**最終処分場**（埋め立て地）に埋め立てられます。また、焼却処理で生じる焼却残さ、再資源化の過程で生じる残さも、最終処分場に埋め立てられます。こうして最終処分場に埋め立てられる廃棄物の量を**最終処分量**といいます。

日本はそもそも国土が狭いため、最終処分場を建設するための土地の確保が難しいという事情があります。広大な土地を確保するためには、莫大な資金が必要になります。また、山を切り崩したり、森林を伐採したり、海上に埋め立て地を作ったりするなど、自然環境を壊さなければなりません。

第6章 プラスチックの課題と私たちの生活

6-5 プラスチックとごみ問題

建設した埋め立て地の周辺では、自然環境の破壊や周辺への影響が問題になっています。現状では、これ以上最終処分場を増やしていくのが難しいのです。ごみが大量に出る一方で、ごみを処分する場所がどんどんなくなってきているのが現状です。

次の表を見るとわかる通り、ごみの最終処分場はもうあとわずかな期間でいっぱいになってしまいます。このままごみを埋め立て続けていけば、そのうちいっぱいになって、それ以上はごみを処分できなくなるのです。

一般廃棄物の排出及び最終処分場の状況（環境省）

▼最終処分場の状況（令和4年度）

排出量	4034万t	前年度比−61万t
リサイクル率	19.6 %	前年度比−0.3 %
最終処分量	337万t	前年度比−5万t

▼最終処分場の状況（令和4年度）

残余容量	9666万m³	前年度比−179万m³
残余年数	23.4年	前年度比−0.1年

産業廃棄物の排出及び最終処分場の状況（環境省）

▼排出状況と処理状況（令和3年度）

排出量	3億7592万t	前年度比+210万t
リサイクル率	54.2 %	前年度比+1.0 %
最終処分量	883万t	前年度比−26万t

▼最終処分場の状況（令和4年度）

残余容量	1億7109万m³	前年度比+1402万m³
残余年数	19.7年	前年度比+2.4年

6-5 プラスチックとごみ問題

▶▶ プラスチックの生産量と廃棄量

2022年の日本のプラスチックの年間の生産量は約951万t、年間の消費量は約910万tです。次のグラフに示した通り、生産量はCOVID-19の影響を受けた2020年と同程度まで減少しましたが、輸出量が減少し輸入量が増加したため消費量は前年より若干増加しました。排出量は横ばいとなっています。

プラスチックの排出量の中身を見てみると、一般系廃棄物が増加、産業系廃棄物がやや減少傾向にあります*。先の表で一般廃棄物の総排出量は約4034万tですから、一般廃棄物のプラスチックの排出量（424万t）の割合は重量比で全体の約10％ということになります。産業廃棄物については総排出量が3億7592万tですから、産業廃棄物のプラスチックの排出量（399万t）の割合は重量比で全体の約1％になります。

プラスチックの生産量、消費量、排出量

(注1)国内樹脂製品消費量＝(樹脂生産量)−(樹脂輸出量)＋(樹脂輸入量)−(液状樹脂等量)−(加工ロス量)＋(再生樹脂投入量)−(製品輸出量)＋(製品輸入量)
(注2)2015年以降は樹脂生産量以外のデータが見直されている

出典：(社)プラスチック循環利用協会

＊…減少傾向にあります　グラフの2022年は、それぞれ424万t、399万t。

6-5　プラスチックとごみ問題

ごみ問題を解決していくために

　プラスチックは燃やすと有毒ガスが発生したり、発熱量が多いため焼却炉を傷めたりするという問題がありました。そのため、長い間、プラスチックは分別して回収され、そのほとんどが最終処分場に埋め立てられてきました。最近は、焼却炉のダイオキシン対策などが進んだこともあって、プラスチックも燃やすことができる*ようになりました。また、プラスチックのリサイクルも進んできています。しかし、それでもなお、多くのプラスチックが最終処分場に埋め立てられている現状があります。

　私たちの日常の生活の中で、廃棄物の減量化を進め、ごみの最終処分量を減らすためには、無駄なものは買わない、なるべくごみを出さないようにする、繰り返し使えるものは再利用する、といった取り組みが必要です。そのまま使えないものでも、再資源化して利用できるものはきちんと分別して回収するようにしなければいけません。また、ごみの再利用・再資源化だけでは、ごみ問題は解決できないという認識も重要です。ごみが出るのは当たり前で、あとはごみの処理をどうするかという考え方では、ごみ問題やその先にある資源問題や環境問題を解決することはできません。無駄なものは使わない、ごみをできる限り出さないようにするということが、一番大切なことなのです。

▼ゴミ収集車

 ゴミ収集車

　ごみ収集車は正式には塵芥車（じんかいしゃ）といい、**パッカー車**などと呼ばれます。戦後の高度成長時代にゴミが急増したため導入されました。家庭ゴミを収集するものは2トン車で、圧縮により45リットルのゴミ袋を約1000個収納することができます。

＊燃やすことができる　焼却炉を高温に維持する必要があるため熱量の高い廃プラスチックを焼却ごみとする自治体が増えている。

6-6 プラスチックのリサイクル

プラスチックのリサイクルに対する我が国の国民の意識は高く、廃プラスチックの有効利用率は高水準となっており、プラスチックのリサイクル活動が進んでいます。ここでは、リサイクルの基本的な考え方と、プラスチックのリサイクルについて考えてみましょう。

▶▶ リサイクルの 4R

ごみを減らしてリサイクルを進めるために、私たち一人ひとりが普段の生活の中でできる行動に **4R運動** というのがあります。4RのRは、**Reduce**（**リデュース：減量**）、**Reuse**（**リユース：再利用**）、**Recycle**（**リサイクル：再資源化**）の3つのRに、**Refuse**（**リフューズ：断る**）のRを加えた **4R**＊です。

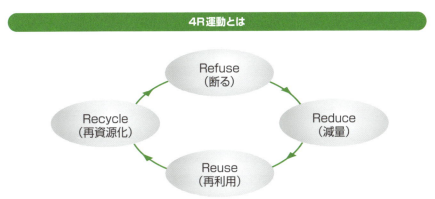

4R運動とは

リフューズは、ごみになるものは買わない、使わないということです。例えば、買い物に行くときに自分の買い物かごを持っていき、レジ袋を使わない**マイバッグ運動**などの行動がリフューズです。

＊4R 一般にはReduce・Reuse・Recycleの3Rとされているが、本書ではRefuseを加えて4Rとしている。Repair（修理）を加えた5Rという考え方もある。

6-6　プラスチックのリサイクル

　リデュースは、ごみの発生を抑制し、ごみの減量に努めることです。例えば、洗剤などは詰め替え商品を使う、使い捨て商品は使わないなどの工夫がリデュースにあたります。

　リユースは、牛乳びんやビールびんなどのように、そのまま繰り返して使用することです。最近では、家電製品や家具などの中古品販売のビジネスが進んできています。また、新たに作られる製品も、分解して部品を再利用しやすいような作りになってきています。こうした流れの中でプラスチック製品や部品のリユースも増えています。

　リサイクルは、廃棄されたごみから有用な素材を取り出し、物理的、化学的なプロセスを施して、新たな製品を作ることです。必ずしも、もとの製品と同じものに再生されるというわけではありません。リサイクルを効率よく進めるためには、資源ごみであるプラスチックをきちんと分別して回収することが重要です。

▶▶ プラスチックのリサイクル

　プラスチックリサイクルは、大きく分けると、**マテリアルリサイクル**、**ケミカルリサイクル**、**サーマルリサイクル**の3つがあります。

　マテリアルリサイクルは廃プラスチックを溶かすなどして、そのままプラスチックの原料として使い、新しい製品を作ることです。

　ケミカルリサイクルは、廃プラスチックに熱や圧力を加えて化学的な処理をして、モノマーなどの原料にいったん戻してから、プラスチックを合成する原料として再生利用することです。

　サーマルリサイクルとは、廃プラスチックを燃やして熱エネルギーとして回収することです。プラスチックは燃やしたときの熱量が高いため、焼却熱を発電や冷暖房に利用することができます。燃焼することで埋め立て処分量を減らすことができます。また、廃プラスチックを固形燃料（**RDF**＊）の形で利用することも進められています。

＊**RDF**　Refuse Derived Fuel の略。廃棄物固形燃料。

6-6 プラスチックのリサイクル

　マテリアルリサイクル、ケミカルリサイクル、サーマルリサイクルはそれぞれが勝手に一人歩きしたのでは効率的なリサイクルは進みません。例えば、サーマルリサイクルだけを考えて、プラスチックは燃やせばリサイクルになると考えてしまっては、ごみの排出量を削減することができなくなります。プラスチックの生産、流通、消費、廃棄までの流れの中での環境負荷を評価し、できるだけ環境負荷の少ないリサイクル法を選ぶ必要があります。

使用済みプラスチックのリサイクル

- マテリアルリサイクル：廃プラスチックをプラスチックのまま原料として新しい製品を作る
- ケミカルリサイクル：廃プラスチックに熱や圧力を加えて、もとの石油基礎化学原料に戻してから再生利用する
- サーマルリサイクル：廃プラスチックから熱エネルギーを回収して利用する

▼リサイクル

回収したゴミの再利用は世界的な課題です。リサイクルには分別が重要です。

6-7

容器包装リサイクル法とは

わが国では、ペットボトルやプラスチック製容器の分別収集が進んでいます。この背景には、容器包装リサイクル法*の導入や国民のリサイクルに対する高い意識があります。容器包装リサイクル法とはどのような法律で、どのようにリサイクルが進められているのでしょうか。

▶▶ どのような法律なのか

私たちは毎日たくさんの商品を購入しています。それらの商品には必ずと言ってよいほど容器が使われていたり、包装材料が使われています。これらの容器包装材料の多くは、商品を開封した後、特に使われることもなく捨てられてしまいます。一般廃棄物の中で容器包装が占める割合は、重量にすると2～3割、容積にすると約6割にもなります。こうした容器包装材料の廃棄物の削減と再資源化のために制定された法律が、**容器包装リサイクル法**です。

容器包装リサイクル法は、最終処分場の残余年数が少なくなってきていることや、一般廃棄物のリサイクルがなかなか進まないなどの背景から1995年に制定されました。

ごみ問題を考えるうえで重要なことは、ごみの排出量を削減することです。私たちのまわりにある物はすべて資源から作られています。私たちは膨大な資源をごみとして廃棄していると言えるのではないでしょうか。ごみとして捨てられている物も、再利用・再資源化できるのであれば、ごみではなく資源と考えるべきです。こうした考えから、容器包装リサイクル法が導入されたのです。

1997年4月にはペットボトルとガラスびんが容器包装リサイクル法で再商品化するべきものとなりました。2004年4月には紙製容器包装と「その他*のプラスチック」が対象となりました。2007年4月からは、①容器包装廃棄物の3R（リデュース・リユース・リサイクル）の推進、②リサイクルに要する社会全体のコスト効率化、③国・自治体・事業者・国民等すべての関係者の連携といた3つの基本的な見直しの元に、改正容器包装リサイクル法が施行されています。2020年7月には小売店でのレジ袋配布が有料化されました。

＊…**リサイクル法**　正式には容器包装に係る分別収集及び再商品化の促進等に関する法律。
＊**その他**　ボトルやチューブ、食品のパックや容器、レジ袋、ラップやフィルム、ケース、その他。

6-7　容器包装リサイクル法とは

　容器包装リサイクル法の対象となる容器包装材料は、商品の容器および包装であって、商品が消費されたり、商品と分離された場合に不要となるもので、びん、缶、ペットボトル、紙、プラスチック製のものが含まれます。容器包装材にはその他アルミ缶、スチール缶、ダンボール、アルミ不使用の紙パックなどがありますが、容器包装リサイクル法の再商品化の対象にはなっていません。これは、アルミ缶、スチール缶などが、分別回収された時点で有償または無償で再利用されるシステムがすでにできあがっているからです。

　家庭から一般廃棄物として出されるプラスチックのうち、約95％が容器包装材です。したがって、容器包装リサイクル法はプラスチックのリサイクルに大きく関係する法律といえるでしょう。

資源有効利用促進法に基づく包装容器の識別表示の例

　ペットボトル　　プラスチック製包装容器　　紙製包装容器　　アルミ缶　　スチール缶

▶▶ どのように容器包装のリサイクルが進んでいるのか

　容器包装リサイクル法では、消費者自身が容器包装材料をごみとして分別して出すことが義務づけられています。それを市町村などの地方自治体が分別収集します。分別収集された容器包装材料はリサイクル事業者に引き渡されます。その後、容器包装材料は工場で処理され、プラスチックの原料や商品に生まれ変わります。そして、それが新しい商品として流通販売されて、私たちの生活の中で利用されます。この繰り返しが容器包装リサイクル法が目指すものです。

　容器包装リサイクル法は、自治体の負担が大きい、廃棄物のリサイクルは進んでいるが、ごみの発生抑制になかなか寄与していないといった問題があり、これらをどのように解決していくかが課題となっています。

6-7　容器包装リサイクル法とは

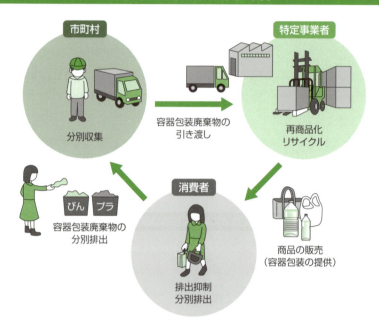

●消費者の役割

　消費者は、市町村の定める容器包装廃棄物の分別収集に従って分別排出に努めると共に、**リターナブル容器**＊や簡易包装の商品の選択に努めなければなりません。

●特定事業者の役割

　特定事業者には**特定容器利用事業者**（容器に入れる中身を販売する事業者）、**特定容器製造等事業者**（容器の製造を行う事業者）、**特定包装利用事業者**（販売する商品を、包装容器に入れて販売する事業者）があり、容器包装の使用量・製造量に応じて再商品化の義務があります。

●市町村の役割

　市町村の役割は、容器包装材の収集・分別・洗浄などを行い、法律に定められた「分別基準」に適合させること、適切な保管施設に保管することです。

＊**リターナブル容器**　リターナブル（Returnable）とは、返品できる、何度も使用できるという意味。繰り返し使用できるビールびんや牛乳びんは、リターナブル容器である。

6-8

ペットボトルのリサイクル

飲料の容器としてペットボトルが大量に使われるようになってきました。ペットボトルは容器包装リサイクル法の再資源化の対象となる包装容器ですが、ペットボトルのリサイクルはどのぐらい進んでいるのでしょうか。

▶▶ ペットボトルのリサイクルの現状

コンビニエンスストアに行くと、飲み物の冷蔵庫の中に所狭しとペットボトル容器に入った飲料が並んでいます。ペットボトルはポリエチレンテレフタラート (PET) でできたプラスチック容器で、1977年に醤油の容器として登場し、1982年から飲料の容器として広く使用され始めました。最初の頃は、1.5 ℓ など容量の大きな飲料のみに使われてきましたが、現在では少量の容器にも使われています。現在、広く液体の容器として大量に利用されているのはご存知のとおりです。

さて、このペットボトルのリサイクルが始まったのは1995年ですが、1996年のペットボトルの回収率は3 %にも満たない数字でした。しかし、容器包装リサイクル法が施行されると、2000年にはペットボトルの回収率が約35 %まで向上し、2022年には約86.9 %のペットボトルが回収されるようになりました*。容器包装リサイクル法の施行により、ペットボトルの回収は大きく進んだと言えるでしょう。

一方、ペットボトルの生産量は年々増加傾向にあり、1997年に約22万tだった生産量が、2022年には約58万tの販売量になっています*。ペットボトルのリサイクルは進んでいるものの、本来の目的であるごみの減量化にはつながっていないという問題が起きています。

＊…なりました　PETボトルリサイクル推進協議会による。
＊販売量になっています　輸入ペットボトルが増加したため生産量から販売量で算定されるようになった。

ペットボトルのリサイクルはどのように行われているか

　ペットボトルのリサイクルは、消費者が分別排出することから始まります。分別排出されたペットボトルは地方自治体によって収集され、それがリサイクル事業者に引き渡されます。収集されたペットボトルは工場で処理されて再資源化されることになります。

　一般に、プラスチック容器のリサイクルには、①洗浄し繰り返して使うリユース、②プラスチックをいったん溶かして、プラスチック製品の原料として利用するマテリアルリサイクル、③プラスチックを化学的に処理してプラスチックを合成する原料にして利用するケミカルリサイクル、④プラスチックを焼却して熱エネルギーを回収するサーマルリサイクルがあります。

　これらのうち、最も効率が良いのはプラスチック容器をそのまま繰り返して使うリユースです。ヨーロッパでは古くからリユース型ペットボトルが使われており、ペットボトルのリユースが行われています。しかし、日本ではペットボトルのリユースは全くと言ってよいほど進んでいないのが現状です。

　マテリアルサイクル、ケミカルリサイクルでは、回収されたペットボトルは、新たなプラスチック製品を作るための原料となります。ペットボトルの回収率が上がることによって、再資源化された原料の量は年々増加傾向にあります。これは良いことのように聞こえるかもしれませんが、実際には再資源化された原料の量が多くなりすぎて、それをどのように使ったらよいのかという問題が起きています。すなわち、再資源化された原料の需要の確保が難しくなっているのです。

▼ペットボトル

ペットボトルの回収率が上がったことで、再資源化された原料の使い途が問われています。

6-8 ペットボトルのリサイクル

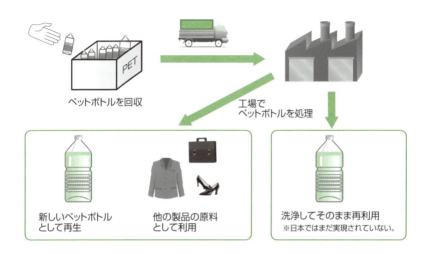

ペットボトルのリサイクル

　これを解決するのは、再資源化された原料を、もとの製品に再生することです。これを**水平リサイクル**といいます。つまり、回収したペットボトルからペットボトルを作るということです。

　廃棄物として回収され再資源化された原料を再利用（**ポストコンシューマーリサイクル**）する場合には、工場でプラスチック製品を製造するときに出た端材や、規格外品を再利用（**プロセスリサイクル**）するのとは違い、異物の混入により原料の品質が劣るなどの問題があります。これを解決するためには、再資源化された原料の品質を高める必要があります。

　いくつかの企業が品質の高い再資源化された原料を作る技術を開発しています。それらの新しい技術によって、ペットボトルの再資源化が向上すると期待されましたが、様々な問題に直面しています。

6-8　ペットボトルのリサイクル

▶▶ ペットボトルのリサイクルの課題

　2003年に帝人ファイバー株式会社がケミカルリサイクルによるペットボトルの水平リサイクルを実現しました。この方法では、収集したペットボトルのプラスチックを分子レベルまで分解することで、石油から精製した原料と同等以上の高純度原料を得ることができます。収集したペットボトルの需要が確保でき、石油から精製した原料を新たに投入する必要がなくなるのですから、省資源化にもつながり、ペットボトルのリサイクルに大きな期待がもてるようになりました。ところが、当時この方法は採算性が取れずうまくいきませんでした。

　国内のペットボトルのリサイクルは自治体が収集したペットボトルをリサイクル業者が再生します。リサイクル業者は容器包装リサイクル法に基づいて設立された容器包装リサイクル協会を通して市町村からペットボトルを引き取ります。このときペットボトルの買取価格は入札によって決まりますが、2005年までは価格がつかず、逆に自治体がお金を払ってペットボトルを引き取ってもらわなければならない状況でした。これは、ペットボトルの再生利用の需要が少なかったことや、原油価格が低かったためペットボトル原料の樹脂を安価に大量に作ることができていたことがその理由としてあげられます。その後買取価格に値がつくようになり、ペットボトルのリサイクルの事業の採算性の改善が期待されました。

　ところが、日本国内のペットボトルの収集率は向上しているのにも関わらず、当初は需要が追いつかず、収集されたペットボトルの相当量が国内で再資源化されずに、埋め立てられるなどしました。やがて、再生プラスチック原料として中国などへ輸出されたりするようになりました。中国では、多くの国の製造メーカーが生産拠点を中国に移したことで、もの作りが盛んになり、収集ペットボトルの需要が急増しました。中国の業者が収集ペットボトルを日本国内の買取価格より高い価格で引き取るようになったのです。そのため、収集ペットボトルが容器包装リサイクル協会を通らずに中国へ輸出されるようになりました。中国では収集ペットボトルは合成繊維となり、ぬいぐるみの詰め物や衣服の原料として大量に使われ、それらの商品が各国に輸出されるようになりました。

6-8 ペットボトルのリサイクル

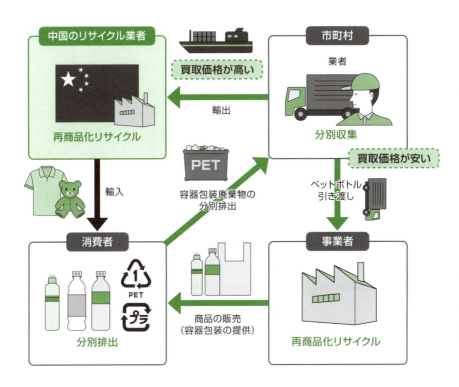

これまでのペットボトルリサイクルの仕組み

　国内で確保できる収集ペットボトルが不足すると、国内で再生するプラスチックの原料が少なくなることになるため、先に述べた原料の需要確保とは逆のことが起こるのです。その結果、採算性が取れるペットボトルの本数が確保できず、リサイクル業者が事業を継続するのが難しくなってきているのです。

　国内のリサイクル業者がやっていけなくなると、国内のペットボトルのリサイクルの処理能力が低下し、リサイクル事業の空洞化が起こります。中国が収集ペットボトルの輸入をやめたら、国内で収集ペットボトルの処理ができなくなることが以前から指摘されていました*。

＊指摘されていました。　本書でも指摘していた。

6-8 ペットボトルのリサイクル

　実際、2008年のリーマン・ショック以降、景気の大幅な後退によって、プラスチックの生産量と消費量が落ち込み、中国の収集ペットボトルの輸入量が大幅に減少しました。中国の再生工場では再生された合成繊維が余りだし、日本では中国に輸出できなくなった収集ペットボトルが余りだしました。

　加えて、2008年の北京オリンピック以降、中国は環境問題に注視するようになりました。2017年7月に輸入廃棄物の規制を打ち出し、2018年1月からペットボトルをはじめとする資源ゴミの輸入を禁止しました。中国が資源ゴミの輸入を禁止した理由は、輸入資源ゴミの中に混入する環境汚染物質によって深刻な環境問題が発生していたからです。また、経済成長に伴い、ごみの発生量が急増し、再生プラスチックの原料となる資源ゴミが需要に対して十分な量となり、国内でのリサイクルの仕組みづくりに取り組みはじめました。中国は世界で輸出された廃プラスチックの約50%を輸入していたため、世界各国で資源ゴミが余りだしたのです。

　また、2019年5月には、スイスのジュネーブで開催された「有害廃棄物の国境を越える移動及びその処分の規制に関するバーゼル条約」の第14回締約国会議（COP14）において、プラスチック廃棄物の取り扱いに関する改定案が可決されました。この改定により、2021年から汚染などの理由でリサイクル不能なプラスチック廃棄物の輸出が規制されることになり、受け入れ国の同意が得られないプラスチック廃棄物は輸出できないことになりました。

　現在、日本ではペットボトルの水平リサイクルはできていませんし、リユースもできていません。石油からどんどん新しいペットボトルが作られ、また輸入もされています。そして、収集ペットボトルの行き先がなくなっているのが現状です。焼却処分や埋め立てをすることはできるでしょうが、それでは大量生産・大量消費の社会からまったく脱却していないことになってしまいます。国を挙げてのペットボトルの分別作業自体が労力と費用の浪費となり、ペットボトルのリサイクルをやめて焼却ゴミにした方が良いという結論になりかねません。

　こうした問題を解決するためには、社会の仕組みを変えていく必要があります。例えば、採算性に目をつぶってでも水平リサイクルするとか、リユースできるようにデポジット制にするとか、あるいは利便性を犠牲にしてもペットボトルの使用をやめるとか、選択肢はいろいろあります。

採算性、利潤、利便性とは少し違う視点で、物事を考えていくような社会にしなければなりません。コスト優先、利便性追求に走ってしまうと、社会の仕組みを変えることができなくなってしまいます。

もちろん、このことはコストがいくらかかっても構わない、暮らしに影響が出るぐらい不便になっても構わないということではありません。採算性と利潤と利便性を考えずにペットボトルのリサイクルを推進することはできないでしょう。リサイクルという観点から、やらなければならないことと、そのコストのバランスが重要です。バランスが崩れると、ここで紹介したような事例が出てきてしまうことになります。本質的に解決するには、収集ペットボトルでより魅力的な製品を開発するか*、技術的にリサイクルのコストを下げるしかないでしょう。幸い2018年以降は使用済みPETボトルの輸出量の減少により海外再資源化量は年々低下する一方で、国内再資源化量が増え国内でのリサイクルが進んでいます。ペットボトルの水平リサイクルの取り組みも見られるようになってきました。

次の節から社会の仕組みを変えるにはどのように考えて取り組んでいけば良いのか考えてみましょう。

有害廃棄物の国境を越える移動及びその処分の規制に関するバーゼル条約

バーゼル条約は、経済活動の拡大によって廃棄物の発生量が増大し、有害廃棄物の地球規模での移動が国際問題化してきたことで、国連環境計画（UNEP）が1989年にスイスのバーゼルで採択、1992年に発効した条約です。締結国は186カ国1組織（EU）で日本は1993年に加盟しています。

2019年に採択されたプラスチック廃棄物について規制対象となる廃棄物は、有害なプラスチックの廃棄物の他、特別の考慮が必要なプラスチックの廃棄物と規定されています。

特別の考慮が必要なプラスチックの廃棄物の判断基準いついては、条約締約各国が解釈することになっています。

*…開発するか　現在、帝人ファイバーは収集ペットボトルからペットボトルを製造する水平リサイクルは中止し、より付加価値の高いポリエステル繊維へのリサイクルを行っている。

6-9

科学と技術でプラスチックの課題を解決することができるか

　プラスチックは私たちの生活を便利で快適なものにしてきましたが、その一方で私たちの暮らしは環境問題や資源問題などいろいろな課題を抱えています。科学・技術の発達によって、たくさんの優れたプラスチックが産みだされていますが、プラスチックが抱えている課題は科学・技術の発展で解決していくことができるでしょうか。

▶▶ 科学・技術が支えてきた大量生産・大量消費の社会

　私たちの暮らしは第二次世界大戦後の70年間で大きく変化しました。戦後まもなくやってきた高度経済成長期には、大量生産・大量消費が経済成長を支える基盤としてもてはやされました。古い物はどんどん捨て、新しいものに買い換えて行くことが、これからのライフスタイルと考えられていたのです。

　この高度成長時代を支えてきたのが、科学・技術であったことは容易に想像できます。科学・技術の発達は新しいものを次々と産みだし、私たちの暮らしを便利で快適なものにしてきました。しかし、このようにしてできあがった社会の仕組みは、各地で公害を発生させることになりました。ついには地球規模の広域的な環境問題が私たちの目前に現れたのです。科学・技術の発達がもたらした現在の大量生産・大量消費の社会経済システムは、ここに来て完全に行き詰まったと言えるでしょう。

▶▶ 科学技術で解決できること、できないこと

　科学・技術の発達は、環境破壊や資源枯渇などの地球環境問題を明らかにしてきました。そして、それらの問題を解決する手段としても科学・技術が使われています。こうして考えてみると、地球環境問題を起こしたのも科学・技術、その問題を明らかにしたのも科学・技術、その問題を解決するのも科学・技術ということになります。それでは、科学・技術が発達しさえすればそれらの問題をすべて解決していくことができるのでしょうか。

6-9　科学と技術でプラスチックの課題を解決することができるか

　現在、私たちが直面している問題を解決していくためには、優れた科学・技術が必要なのは間違いありません。例えば、プラスチックが抱えるごみ問題を解決するためには、より長持ちする材料や製品の開発が必要になります。リサイクルを進めていくためには、リサイクルが効率的に行える材料と製品の開発が必要です。環境問題を解決するためには、ごみとして排出されても無害な物質に分解して環境を汚さない材料を開発したり、自然環境を壊さない廃プラスチックの処理技術の開発などが必要になります。今後、こうした問題を解決するための優れた科学・技術はたくさん出てくるでしょう。

　しかしながら、科学・技術だけで、問題を解決することができるとは言えません。例えば、いくら長持ちする優れた材料や製品ができても、新しいものが出たからといってすぐに買い換えてしまっては意味がありません。リサイクル技術が進んでも、リサイクル品を使わなければ、新しい製品が消費されるだけでリサイクル品が余ってしまいます。ごみの回収が適切に行われなかったり、不法投棄が続くようでは、環境問題はいつまでたっても解決できません。これらは、もはや科学・技術の問題ではありません。私たちの生活スタイルや社会の仕組みを変えなければ、せっかくの優れた科学・技術も十分にその力を発揮できないのです。

▶▶ 科学・技術を使いこなすのは人間

　私たちは、科学・技術が発展しさえすれば、生活が豊かになるという考えを抱いてはいないでしょうか。高度成長時代においては、経済成長を重視するあまり、科学・技術の使い方に歯止めをかけることができなかったと言えるのではないでしょうか。

　科学・技術は私たちの生活を豊かにする一つの手段と言えるでしょう。その手段を操るのは、私たち人間です。今後も科学・技術はますます発達し、私たちの生活は今よりももっと便利で快適なものになるでしょう。しかし、私たちの基本的な考えがしっかりしていなければ、いくら優れた科学・技術があっても、いくら優れたプラスチックが生み出されても、様々な問題を解決することができないということを忘れてはいけません。

6-9　科学と技術でプラスチックの課題を解決することができるか

科学と技術を使いこなすのは私たち人間

　今後、様々な問題を解決するための優れた科学と技術がたくさん登場してくるのは間違いないが、私たちが科学と技術を正しく理解して使わないと取り返しのつかない問題が生じてしまう可能性もある。

・科学と技術の発展だけでは様々な問題は解決しない。
・科学と技術を正しく理解したうえで使いこなすという意識が重要である。

6-10

持続可能な社会とは

　私たちがこのまま同じ暮らしを続けていくと、私たちを取り巻く環境問題はますます深刻な状態になってしまいます。私たちは、どのようにしてこの行き詰まった社会経済システムから脱却したら良いのでしょうか。ここでは、開発と環境を両立させながら発展する社会の実現について考えてみましょう。

▶▶ 行き詰まった社会経済システム

　古いものをどんどん捨てて、新しいものに買い換えていく社会では、次々と新しい製品が作られます。そのため、製品を作るために必要な原料資源やエネルギー資源がたくさん使われます。ところが、資源は無限にあるわけではありません。やがて、資源不足の問題が生じました。

　そして、工場から出る排煙や排水は大気汚染、水質汚染、土壌汚染などの環境汚染を引き起こしました。また、大量生産・大量消費を支えるためには、流通を発達させる必要があります。たくさんの道路を建設するため自然環境が破壊されました。自動車から出る排気ガスは大気汚染を引き起こしました。経済社会の発展にともない、地球温暖化、オゾン層の破壊、酸性雨、森林の減少、砂漠化、海洋汚染など地球全体におよぶ広範囲の環境破壊が起こるようになりました。

　使い古された製品はごみとしてどんどん捨てられます。家庭や企業などから出る廃棄物のうち、燃えるごみは焼却されますが、ごみを燃やすと排煙が出ます。この排煙によって大気汚染や土壌汚染が起こりました。

　焼却できないごみは埋め立て地に埋め立てられます。ごみを埋め立てするには広大な埋め立て地が必要です。広大な土地を確保するためには自然環境を壊さなければなりません。また、建設した埋め立て地の周辺では、自然環境の破壊や公害が起こっています。現状では、埋め立て地をさらに増やしていくのが難しい状況です。ごみが大量に出る一方で、ごみを処分する場所がなくなっているのですから、このままでは、やがて私たちの社会はごみであふれかえってしまいます。

第6章　プラスチックの課題と私たちの生活

295

6-10 持続可能な社会とは

このように、私たちの暮らしが快適で便利になっている反面で、環境問題、資源問題、ごみ問題などが深刻な状況になっています。私たちの社会経済の仕組みは完全に行き詰まっているのです。これから先は、これらの問題をどのように解決するかを真剣に考えていかなければなりません。

▶▶ 持続可能な社会を実現するために

昔の社会は現在の社会と違って、資源枯渇、環境破壊、ごみ問題など、それほど深刻ではありませんでした。例えば、日本の江戸時代の社会では、現在のような大量生産・大量消費の社会ではありませんでした。人々はものを大切に使い、無駄使いをしない、使えるものは繰り返し使うなどしていたはずです。したがって、ごみの量も少なかったことでしょう。現在、私たちが抱えているような問題はほとんどありませんでした。

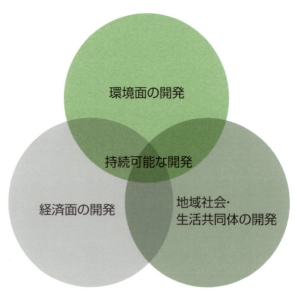

持続可能な開発が必要

6-10 持続可能な社会とは

それでは、いっそのこと現在の生活を捨てて、江戸時代の生活に戻り、問題を解決するというアイデアはどうでしょう。しかしながら、江戸時代の人々の生活は、現在の私たちの生活と比べると、決して快適で便利な暮らしとはいえません。ですから、私たちが現在の生活を捨てて、昔の生活に戻ることはできないでしょう。むしろ、私たちは今よりももっと快適で便利な生活をめざしていくべきでしょう。

そこで、現在の快適で便利な暮らしを維持・発展しながら、環境破壊を極力なくして、次の世代の人々につなげていこうという**持続可能な開発**という考えが提唱されるようになりました。持続可能な開発が進んだ社会のことを**持続可能な社会**といいます。

持続可能な社会をめざすためには、私たちはものごとを地球的規模まで想像を広げて考え、判断し、身の回りから行動するようにしなければいけません。私たち一人ひとりが地球上の資源は無限ではないことを認識し、身の回りの自然現象や地球環境を見つめ直して、自然と共生するという視点から、それぞれの地域で地球環境に責任をもった行動をする必要があります。

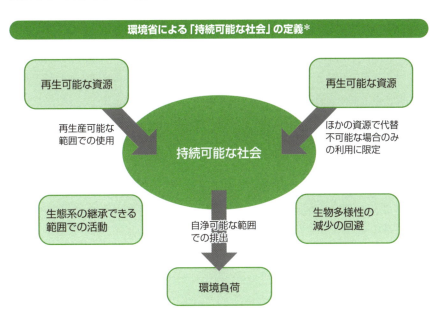

環境省による「持続可能な社会」の定義＊

＊…の定義　参考：環境省 図で見る環境白書（平成14年度版）より（http://www.env.go.jp/policy/hakusyo/zu.html）。

6-11

心豊かで快適な暮らしを続ける ために

　この章ではプラスチックが抱える問題について見てきました。資源枯渇問題や地球環境問題は深刻な状況になってきています。規模も大きく、私たち一人ひとりにとっては大き過ぎる問題に見えるでしょう。私たちはどのように行動していけばよいのでしょうか。

▶▶ 循環型社会とは

　地球環境問題は現在に生きる私たちの問題であるのと同時に、未来に生きる私たちの子どもたちの問題です。私たちの子孫につけを残すことなく継続的に発展可能な社会を作るためには、地球環境に優しい社会の実現を目指さなければなりません。そのためには、私たちのこれまでの生活スタイルや経済活動の進め方を見直す必要があります。

　そこで21世紀の社会では、これまでの大量生産・大量消費・大量廃棄の社会経済システムから、**循環型社会**への転換が必要と言われています。循環型社会とは、限りある資源の消費をできるだけ抑え、廃棄物の再生利用や再資源化を進めて廃棄物の発生量を抑制することによって、地球環境への負荷を減らすことをめざす社会です。私たちは地球環境を守るために、資源循環型の新たな社会の仕組みを作り出していく必要があります。

▶▶ 循環型社会を目指すために

　日本では、2002年5月に循環型社会を作るための基本的な法律（**循環型社会形成推進基本法**）が制定されました。この法律では、循環型社会をめざすためには次の3つの条件が必要であるとしています。

　現在、リサイクルに関する法律や、循環型社会に関係するその他の法律が施行されています。これらの法律によって、循環型社会をめざす枠組みはできたといえるでしょう。

6-11　心豊かで快適な暮らしを続けるために

■循環型社会をめざすための3つの条件

①ごみを減らすこと

②リサイクルを促進すること

・再利用：空きびんなどのように、そのまま再利用できるものは繰り返して利用する

・再生利用：ごみを原料として、同じ製品または別の製品に作り変える

・熱回収：ごみを焼却するなどして、熱エネルギーとして利用する

③環境を汚さないようにごみを適正に処理すること

　しかし、法律が整備されただけでは、循環型社会の形成は進んでいきません。循環型社会を進めることによって、本当に地球環境問題を解決できるかどうかは、社会の仕組みを変えられるかどうかにかかっています。例えば、リサイクルを進めていくためにはごみの分別が必要不可欠ですが、これには住民と行政の協力が必要です。いくら行政が新しい環境保全のための仕組みを作り上げても、住民の理解が得られなければ、その仕組みはうまく働きません。逆に、住民がリサイクルを進めようとしても、行政がその仕組みを作らなければリサイクル活動を進めていくことができません。住民と行政の相互理解がなければ、せっかくの取り組みもうまく進まないのです。

　また、行政が住民の理解を得るためには、情報を公開して住民に説明する必要があります。住民はその説明を正しく理解する知識が必要になります。企業は資源やエネルギーを消費しながら、廃棄物を排出し、環境に影響を与えています。企業は省資源、省エネルギー、廃棄物の抑制に積極的に取り組んでいかなければなりませんし、企業活動の環境への影響や環境保全のための取り組みをわかりやすく説明する責任もあります。私たち一人ひとりは環境問題に関心を持ち、いろいろと勉強しなければいけません。そして、いろいろと得た知識を、自分の考え方や行動につなげていく必要があります。例えば、先に説明した環境ホルモンのような問題は、いまだによくわかっていない部分がたくさんあります。こうした問題については多くの情報を自分で判断しながら行動につなげていくしかありません。

▶▶ 問題解決は一体となって

　循環型社会を作り上げていくためには、住民・行政・企業が協力し合いながら、環境保全に取り組んでいく必要があります。お互いがバラバラに行動していたのでは、循環型社会は実現できません。環境に関する情報を共有し、意見を交換し、話し合うことによってパートナーシップを築き、お互いの信頼関係を深めていく必要があります。このような取り組みを**環境コミュニケーション**といいます。

　循環型社会を進めることによって、本当に地球環境問題を解決できるかどうかは、社会の仕組みを変えられるかどうかにかかっています。例えば、リサイクルにのみ重点が置かれて、社会のシステムが大量生産・大量消費・大量リサイクルという構造になってしまうのであれば、それは現状とあまり変わりません。そのようにならないための歯止めがかかる仕掛けをもつ社会の仕組みが必要なのです。そして、私たち個人レベルでの取り組み、地域レベルでの取り組み、企業や地方自治体や国としての取り組みが有機的に結びついていかなければ、社会の仕組みを変えることはできないのです。

問題解決は一体となって

6-11　心豊かで快適な暮らしを続けるために

▶▶ プラスチック資源循環促進法とは

2022年4月からプラスチックの資源循環を促進し、プラスチックごみを減らすことで持続可能な社会を実現することを目的とした法律「**プラスチック資源循環促進法***」が施行されました。この法律が施行された背景にはこの章で取り上げた様々な問題が顕在化してきたことがあげられます。特に地球温暖化と石油資源問題、海洋プラスチック問題や諸外国の廃プラスチックの輸入規制による国内での資源循環の必要性が高まったことなどがあげられます。

この法律では製造に使用する資源を再生が容易なものに置き換え、廃棄を前提としないものづくりをすることを**Renewable**(リニューアブル)と位置づけています。そして6-6で説明したReduce・Reuse・Recycleの3RにRenewableを加えた「3R＋Renewable」の促進を求めています。つまり使用を回避できるプラスチックの利用はReduce、Reuseの視点から合理化すること、必要不可欠な利用についてはRenewableの視点から再生素材や紙やバイオプラスチックなど再生可能資源に切り替えること、廃棄するときにはRecycleの視点から徹底した再利用を実施すること、それが困難な場合は熱回収によるエネルギー利用を行うことでプラスチックの資源循環を促進することが求められています。

・えらんで　　エコなプラスチック製品を選ぼう
・減らして　　使い捨てプラスチックのゴミを減らそう
・リサイクル　分別してリサイクルに協力しよう

この法律には、プラスチックの設計・開発から販売・提供、排出・分別、回収・リサイクルまでプラスチックのライフサイクルを通じた資源循環の取り組みを促進するための措置が盛り込まれているのです。またプラスチックの資源循環を促進するに向けては事業者、消費者、国、地方公共団体等が次の図に示した役割に積極的に取り組み相互に連携しながら環境整備を進めることが重要とされています。この法律では小売店や飲食店などに対し無料で提供する使い捨てのプラスチック製スプーンなどの使用の合理化を求めています。年間使用料が5トンを超える事業者は特定プラスチック使用製品多量提供事業者とされ削減目標の設定や実行計画が義務付けられます。

＊**プラスチック資源循環促進法**　正式名称は「プラスチックに係る資源循環の促進等に関する法律」という。

第6章　プラスチックの課題と私たちの生活

301

6-11　心豊かで快適な暮らしを続けるために

プラスチックの資源循環に向けた関係主体の役割＊

消費者は、
①プラスチック使用製品の使用の合理化によりプラスチック使用製品廃棄物の排出を抑制すること
②事業者及び市町村双方の回収ルートに適した分別排出すること
③認定プラスチック使用製品を使用することに努める

市町村は、
家庭から排出されるプラスチック使用製品廃棄物の分別収集、再商品化その他の国の施策に準じてプラスチックに係る資源循環の促進等に必要な措置を講じるように努める

都道府県は、
市町村がその責務を十分に果たすために必要な技術的援助その他の国施策に準じてプラスチックに係る資源循環の促進等に必要な措置を講じるように努める

**プラスチックは
えらんで
減らして
リサイクル**

事業者は、
①プラスチック使用製品設計指針に即してプラスチック使用製品を設計すること
②プラスチック使用製品の使用の合理化のために業種や業態の実態に応じて有効な取組を選択し、当該取組を行うことによりプラスチック使用製品廃棄物の排出を抑制すること
③自ら製造・販売したプラスチック使用製品の自主回収・再資源化を率先して行うこと
④排出事業者としてプラスチック使用製品産業廃棄物等の排出の抑制及び再資源化等を実施することに努める

国は、
プラスチックに係る資源循環の促進等を図るため、必要な資金の確保、情報の収集、整理及び活用並びに研究開発の推進及びその成果の普及並びに教育活動及び広報活動等を通じた国民の理解醸成及び協力の要請等の措置を講するよう努める

その他　循環型社会に関連する法律の例
・廃棄物処理法　　　　：廃棄物の処理及び清掃に関する法律。
・資源有効利用促進法　：資源の有効な利用の促進に関する法律。
・容器包装リサイクル法：容器包装に係る分別収集及び再商品化の促進等に関する法律。
・食品リサイクル法　　：食品循環資源の再生利用等の促進に関する法律。
・家電リサイクル法　　：特定家庭用機器再商品化法。
・自動車リサイクル法　：使用済自動車の再資源化等に関する法律。
・建設リサイクル法　　：建設工事に係る資材の再資源化等に関する法律。
・グリーン購入法　　　：国等による環境物品等の調達の推進等に関する法律。

＊…の役割　出典：「プラスチックに係る資源循環の促進等に関する法律｜プラスチックに係る資源循環の促進等に関する法律（プラ新法）の普及啓発ページ」より（https://plastic-circulation.env.go.jp/about）。

302

6-11　心豊かで快適な暮らしを続けるために

▶▶ ゼロ・エミッションとは

　循環型社会を進める一つの考え方として、**ゼロ・エミッション**があります。ゼロ・エミッションは1994年に日本の国連大学が提唱したもので、産業活動で排出されるエミッション（排出物）をゼロにしようという構想です。その基本的な考え方は「自然界には廃棄物はない」という自然界における物質循環の仕組みに基づいています。

　ゼロ・エミッションは、一つの企業の取り組みだけでは実現できません。例えばA社の廃棄物をB社が原料として使い、B社の廃棄物はC社が原料として使うなど、異なる産業分野の複数の企業が廃棄物を連携して再資源化するような産業の仕組みを作り上げていく必要があります。

　ゼロ・エミッションを実現するためには、社会全体で資源を循環させる必要があります。そのためには、環境汚染しない工場を作らなければなりません。また、製品を生産するときに出てくる廃棄物を減らすだけでなく、その製品が消費者の手に渡った後に、消費されたり、廃棄されたりするときのことも配慮して、もの作りや流通の仕組みを見直すことが必要です。

▶▶ ライフサイクルアセスメント（LCA）とは

　ライフサイクルアセスメント（LCA＊） は、工業製品などライフサイクル、すなわち、原料採取、製造、流通、消費、リサイクル、廃棄に至るすべての過程に係わる環境負荷（資源やエネルギーの消費、環境汚染物質や廃棄物の排出量など）を調査し（**インベントリー分析**）、その影響を科学的・定量的客観的に評価する（影響評価）手法です。

　LCAを厳密に行うことためには多岐にわたるデータとその分析が必要となります。そのため、厳密なLCAを行うのは実質的には非常に難しいのですが、製品の環境に対する影響評価を行うためにはLCAは必要であると考えられています。厳密さだけを重視せずに、もっと広い視野で捉えて取り組むことが重要であるとされています。

　LCAの実施によって、製品の環境への負荷の低減を図ることができます。また、製品のリサイクルが適切に行われているか、製品が持続可能な開発や循環型社会の形成に役立っているかなどを判断する材料にもなります。

＊**LCA**　Life Cycle Assessmentの略。

第6章　プラスチックの課題と私たちの生活

6-11　心豊かで快適な暮らしを続けるために

▶▶ 持続可能な開発目標（SDGs）とは

　持続可能な開発目標（SDGs＊：エスディージーズ）は持続可能な開発のために向こう15年間の行動計画として2015年9月25日に国連総会で採択された「我々の世界を変革する：持続可能な開発のための2030アジェンダ」で示されたものです。SDGｓは17の世界的目標と169の達成基準からなり、2030年までに「誰一人取り残さない（leave no one behind）」持続可能でよりよい社会の実現を目指す国際的開発目標です。

　SDGsの17の目標は次の社会、経済、環境の3つの側面に関わる世界が直面する課題を網羅的に示したものです。これらの課題を総合的に解決し持続可能な未来を築くことを目的にしています。

社会：貧困や飢餓、教育など未だに解決を見ない社会面の開発アジェンダ

経済：エネルギーや資源の有効活用、働き方の改善、不平等の解消など、すべての国が持続可能な形で経済成長を目指す経済アジェンダ

環境：地球環境や気候変動など地球規模で取り組むべき環境アジェンダ

　SDGsの17の目標を見ると現在の世界情勢では実現が難しそうなものもあります。また理想と現実に大きな隔たりがあり2030年までに解決できるとはとても考えられないという指摘もあります。実は17の目標は新しいものではありません。2000年の国連総会で採択された「国連ミレニアム宣言」と1990年代に開催された主要な国際会議等で採択された開発目標を2001年にまとめた「**ミレニアム開発目標（MDGs＊）**」が元になっています。MDGsでは国際社会の支援を必要とする発展途上国の開発目標として①貧困・飢餓、②初等教育、③女性、④乳幼児、⑤妊産婦、⑥疾病、⑦環境、⑧連帯が掲げられ2015年までに達成することになっていました。SDGsは先進国も含めて全ての国が取り組むべきユニバーサルな目標として改めて掲げられたものです。これらの目標を達成できるかは各国政府、地方自治体、大学などの研究機関、企業や市民団体の相互協力、そして一人ひとりの行動にかかっています。そして理想が高すぎるからと諦めずに理想と現実のギャップを理解し理想に近づけていくことが重要です。

＊**SDGs**　Sustainable Development Goalsの略。
＊**MDGs**　Millenium Development Goalsの略。

6-11 心豊かで快適な暮らしを続けるために

プラスチックの資源循環に向けた関係主体の役割

目標1[貧困]
あらゆる場所あらゆる形態の
貧困を終わらせる

目標2[飢餓]
飢餓を終わらせ、食料安全保障
及び栄養の改善を実現し、
持続可能な農業を促進する

目標3[保健]
あらゆる年齢のすべての人々の
健康的な生活を確保し、福祉を促進する

目標4[教育]
すべての人に包摂的かつ公正な質の高い
教育を確保し、生涯学習の機会を促進する

目標5[ジェンダー]
ジェンダー平等を達成し、
すべての女性及び女児の
エンパワーメントを行う

目標6[水・衛生]
すべての人々の水と衛生の利用可能性と
持続可能な管理を確保する

目標7[エネルギー]
すべての人々の、安価かつ信頼できる
持続可能な近代的なエネルギーへの
アクセスを確保する

目標8[経済成長と雇用]
包摂的かつ持続可能な経済成長及びすべての
人々の完全かつ生産的な雇用と働きがいのある
人間らしい雇用(ディーセント・ワーク)を促進する

目標9[インフラ、産業化、イノベーション]
強靭(レジリエント)なインフラ構築、
包摂的かつ持続可能な産業化の促進
及びイノベーションの推進を図る

目標10[不平等]
国内及び各国家間の不平等を是正する

目標11[持続可能な都市]
包摂的で安全かつ強靭(レジリエント)で
持続可能な都市及び人間居住を実現する

目標12[持続可能な消費と生産]
持続可能な消費生産形態を確保する

目標13[気候変動]
気候変動及びその影響を軽減するための
緊急対策を講じる

目標14[海洋資源]
持続可能な開発のために、海洋・海洋資源を
保全し、持続可能な形で利用する

目標15[陸上資源]
陸域生態系の保護、回復、持続可能な利
用の推進、持続可能な森林の経営、砂漠
化への対処ならびに土地の劣化の阻止・
回復及び生物多様性の損失を阻止する

目標16[平和]
持続可能な開発のための平和で包摂的な社会
を促進し、すべての人々に司法へのアクセスを提
供し、あらゆるレベルにおいて効果的で説明責
任のある包摂的な制度を構築する

目標17[実施手段]
持続可能な開発のための実施手段を
強化し、グローバル・パートナーシップを
活性化する

外務省パンフレット「持続可能な開発目標(SDGs)と日本の取組(PDF)」SDGs_pamphlet.pdf

6-11　心豊かで快適な暮らしを続けるために

　この章で取り上げたプラスチックの安全性、資源問題、環境問題への取り組みは
SDGsの目標達成に不可欠なものです。脱プラスチックで解決できる問題もありま
すが、プラスチックだからこそ解決できる問題もたくさんあるはずです。

▶▶ プラスチックで守ることができる環境問題

　プラスチックの特性をうまく利用して、使いこなすことによって、プラスチックを
環境問題の解決に貢献させることができるという点も忘れてはいけないでしょう。

　例えば、飲料の容器として軽量のペットボトルが使われるようになっていますが、
輸送に使われる容器が重たい材料から軽量なプラスチックになったことで、製品の
流通に必要なエネルギーが小さくなり、燃料が少なくてすむようになりました。同
時に、地球温暖化の原因の一つと考えられている二酸化炭素の排出量も減少するこ
とになります。このように考えると、プラスチックは省エネルギーと地球温暖化の
防止に貢献することができると考えることもできるでしょう。最近では、さらに進
んで、二酸化炭素からプラスチックを作る技術の研究開発も行われているのです。

　次に挙げられるのは、プラスチックはいろいろな材料の代わりに使うことができ
るということです。プラスチックは目的に応じて必要なものを作り出すことができ
る材料ですから、プラスチックを有効かつ適切に利用することは、天然資源の枯渇
を解決するための一つの手段になるでしょう。このように、プラスチックを有効に
利用していくことによって、環境問題を解決していくことができる面もあるのです。
もちろん、このときに重要なことは6-1節で説明したバランスを考えることです。
利便性ばかりを追求しては、環境問題を大きくすることになってしまうのは言うま
でもありません。またプラスチックの悪い部分だけに注目していたのでは、せっか
く目の前にプラスチックという優れた材料があるのに、それを環境問題への対策の
一つの手段として考えることができなくなってしまいます。

　この章の始めに、プラスチックが抱える課題の多くは、とても人間的・社会的で
現代的なものであると述べました。最後に、もう一度繰り返しますが、プラスチック
が抱える問題は、プラスチックを使う私たちの問題でもあることを忘れないように
しましょう。

306

生分解性プラスチックは環境にやさしいと言えるか？

　生分解性プラスチックは、植物を原料にしているので石油資源を消費する必要がありません*。また、使用後に廃棄されても、微生物などの働きによって水と二酸化炭素に分解するだけで、有害な物質を発生しません。二酸化炭素は地球温暖化ガスと考えられていますが、生分解性プラスチックが発生する二酸化炭素は、もともと植物が光合成で固定化したものなので、大気中に放出されても絶対量は増えないと考えられています。生分解性プラスチックは、環境に優しいプラスチックとして注目されているのです。

　生分解性プラスチックは、従来のプラスチックに比べると、耐熱性に劣る、成型が難しい、価格が高いなどの問題があります。そのため、袋、食器、歯ブラシなど、比較的少量で簡単に成型できる使い捨て製品に主に使われてきました。5-5節で説明した植物から得られるデンプンや糖類を発酵してできる乳酸を原料とした、ポリ乳酸も、ガラス転移温度（2-5節参照）が低いため成型が難しいという問題があり、大きな部品を作りづらく、量産するのが難しいなどの問題があります。

　そこで、この問題を解決するべく考えられたのが、ポリ乳酸に、ガラス転移温度が高い石油系のプラスチックと、プラスチックを燃えにくくするための難燃剤を添加した複合材料（1-1節、2-12節参照）です。この複合材料の開発によって、耐熱性と難燃性を兼ね備えた成型しやすいプラスチックができ、パソコンなどの筐体に使えるようになったのです。

　この複合材料は、石油を原料とするプラスチックや難燃剤を含んでいますので、生分解性プラスチックとは言えません。しかし、およそ50％が天然素材でできているため、石油資源の消費を抑えることができ、従来の石油を原料として作られるプラスチックよりも二酸化炭素の排出量を抑えることができるとされています。ただし、ポリ乳酸は天然素材を乳酸発酵させるところまでは石油を使いませんが、乳酸を取り出して、重合させるところではかなりのエネルギーを必要とします。また、生分解性プラスチックの部分は無害に分解されても、石油を原料とするプラスチックの部分は環境中に残ります。河川に流出して、海洋ごみとなり、マイクロプラスチックの原因となる可能性もあります。そのような視点なしに、生分解性プラスチックが「環境に優しい」と言うことはできないという点にも注目する必要があります。このようなことを適切に判断するためには、LCAを実施する必要があるでしょう。

＊…**ありません**　石油から作ることも可能であり、その場合は石油資源を消費する。

索引
INDEX

あ行

アクリル ・・・・・・・・・・・・・・・・・・・・・・・・・・ 90
アクリル酸エステル ・・・・・・・・・・・・・・ 118
アクリル繊維 ・・・・・・・・・・・・・・・・・・・・ 151
アクリロニトリル - ブタジエン - スチレン樹脂
・・・・・・・・・・・・・・・・・・・・・・・・・・・・・・・・・・・ 169
圧縮成型 ・・・・・・・・・・・・・・・・・・・・・・・・ 172
アラビアゴム ・・・・・・・・・・・・・・・・・・・・・ 23
アラミド繊維 ・・・・・・・・・・・・・・・ 181,235
アロイ ・・・・・・・・・・・・・・・・・・・・・・・・・・・ 87
一般廃棄物 ・・・・・・・・・・・・・・・・・・・・・・ 275
インテリジェント材料 ・・・・・・・・・・・・ 251
インプラント ・・・・・・・・・・・・・・・・・・・・ 201
インフレーション ・・・・・・・・・・・・・・・ 100
インベントリー分析 ・・・・・・・・・・・・・・ 303
漆 ・・・・・・・・・・・・・・・・・・・・・・・・・・・・・・・ 20
ウレタンフォーム ・・・・・・・・・・・・・・・・ 131
ウレタンマット ・・・・・・・・・・・・・・・・・・ 131
エチレン ・・・・・・・・・・・・・・・・・・・・・・・・・ 29
エチレン酢酸ビニル共重合体 ・・・・・ 184,193
エポキシ系接着剤 ・・・・・・・・・・・・・・・・ 190
エポキシ樹脂 ・・・・・・・・・・・・・・・・・・・・ 181
エボナイト ・・・・・・・・・・・・・・・・・・・・・・ 112
エマルジョン ・・・・・・・・・・・・・・・・・・・・ 188
エマルジョン系接着剤 ・・・・・・・・・・・・ 189
エマルジョン塗料 ・・・・・・・・・・・・・・・・ 188
エラストマー ・・・・・・・・・・・・・・・・・ 16,113
エンジニアリングプラスチック
・・・・・・・・・・・・・・・・・・・・・・・ 25,36,78,143
炎色反応 ・・・・・・・・・・・・・・・・・・・・・・・・・ 42
延伸 ・・・・・・・・・・・・・・・・・・・・・・・・・・・・ 235
延伸ポリテトラフルオロエチレン ・・・・ 201
塩ビ ・・・・・・・・・・・・・・・・・・・・・・・・・・・・・ 60
エンプラ ・・・・・・・・・・・・・・・・・・・・・・・・・ 36
押出型 3D プリンター ・・・・・・・・・・・ 250
押出成型 ・・・・・・・・・・・・・・・・・・・・・・・・・ 97
温室効果ガス ・・・・・・・・・・・・・・・・・・・・ 271
音訳 ・・・・・・・・・・・・・・・・・・・・・・・・・・・・・ 19

か行

カーボン繊維 ・・・・・・・・・・・・・・・・・・・・ 181
カーボンナノチューブ ・・・・・・・・・・・・ 128
カーボンニュートラル化 ・・・・・・・・・・ 273
カーボンファイバー ・・・・・・・・・・・ 128,158
カーボンブラック ・・・・・・・・・・・・・・・・ 126
化学結合 ・・・・・・・・・・・・・・・・・・・・・・・・・ 55
化学式 ・・・・・・・・・・・・・・・・・・・・・・・・・・・ 31
化学物質審査および製造の規制に関する法律
・・・・・・・・・・・・・・・・・・・・・・・・・・・・・・・・・・・ 256
化学変化 ・・・・・・・・・・・・・・・・・・・・・・・・・ 72
架橋 ・・・・・・・・・・・・・・・・・・・・・・・・・・ 23,105
確認埋蔵量 ・・・・・・・・・・・・・・・・・・・・・・ 259
可採年数 ・・・・・・・・・・・・・・・・・・・・・・・・ 259
化審法 ・・・・・・・・・・・・・・・・・・・・・・・・・・ 256
可塑剤 ・・・・・・・・・・・・・・・・・・・・・・・・・・ 123
可塑性 ・・・・・・・・・・・・・・・・・・・・・・・・・・・ 14
家庭用用品品質表示法 ・・・・・・・・・・・・・ 40
ガラス状態 ・・・・・・・・・・・・・・・・・・・・・・・ 74
ガラス繊維強化プラスチック
・・・・・・・・・・・・・・・・・・・・・・・ 156,168,192
ガラス転移温度 ・・・・・・・・・・・・・・・ 74,111
環型 ・・・・・・・・・・・・・・・・・・・・・・・・・・・・・ 57
環境コミュニケーション ・・・・・・・・・・ 300
環境ホルモン ・・・・・・・・・・・・・・・・・・・・ 263
気密フィルム ・・・・・・・・・・・・・・・・・・・・ 218
逆浸透膜 ・・・・・・・・・・・・・・・・・・・・・・・・ 245
共重合 ・・・・・・・・・・・・・・・・・・・・・・・・・・・ 79
グッドイヤー ・・・・・・・・・・・・・・・・・・・・・ 22

308

グラフト共重合 ……………… 81,86	
グリーンポリエチレン ……………… 228	
形状記憶樹脂 ……………… 114	
形状記憶線維 ……………… 115	
ケイ素 ……………… 247	
ケース ……………… 164	
ケトン ……………… 229	
ケミカルリサイクル ………… 280,286	
ゲル紡糸法 ……………… 70	
原子 ……………… 27	
原子量 ……………… 29	
元素記号 ……………… 31	
減量 ……………… 279	
硬化性樹脂 ……………… 117	
硬化性の塗料 ……………… 188	
高重合体 ……………… 29	
合成高分子 ……………… 29	
合成樹脂 ……………… 14	
合成繊維 ……………… 233	
高速プラスチック光ファイバー …… 205	
合板 ……………… 232	
高分子 ……………… 28	
高密度ポリエチレン ……………… 170	
コーティング ……………… 211	
コールタール ……………… 25	
国際標準化機構 ……………… 17	
五大汎用エンジニアリングプラスチック‥ 37	
五大汎用プラスチック ……………… 37	
断る ……………… 279	
琥珀 ……………… 21	
ゴミ収集車 ……………… 278	
ゴム ……………… 109	
ゴム磁石 ……………… 125	
コロンブス ……………… 21	
コンタクトレンズ ………… 155,206	
コンポジット ……………… 128	
コンポジットレジン ……………… 120	

さ行

サーマルリサイクル ………… 280,286
再資源化 ………… 275,279
最終処分場 ……………… 275
最終処分量 ……………… 275
再生 PET ……………… 140
再利用 ……………… 279
酸化防止剤 ……………… 270
産業廃棄物 ……………… 275
酸素富化膜 ……………… 247
残留有機汚染物質 ……………… 267
シアノアクリレート ……………… 191
ジェッティング型 3D プリンター …… 250
紫外線吸収剤 ……………… 270
歯科用樹脂 ……………… 118
色素増感太陽電池 ……………… 195
自己縮合 ……………… 64
磁性材料 ……………… 240
持続可能な開発 ……………… 297
持続可能な開発目標 ……………… 304
持続可能な社会 ……………… 297
字訳 ……………… 19
遮光フィルム ……………… 218
射出成型 ……………… 96
重合 ……………… 29,56
重合体 ……………… 29
重合度 ……………… 29
縮合重合 ……………… 56,63
縮合反応 ……………… 63
主鎖 ……………… 60
樹脂 ……………… 14,116
シュタウディンガー
（ヘルマン・シュタウディンガー）…… 30
循環型社会 ……………… 298
循環型社会形成推進基本法 ……………… 298
状態変化 ……………… 72
ジョン・ハイアット ……………… 24
白川英樹 ……………… 236

シリコーン樹脂 ・・・・・・・・・・・・・・・・・140,165
真空成型 ・・・・・・・・・・・・・・・・・・・・・・・・ 102
人工器官 ・・・・・・・・・・・・・・・・・・・・・・・・ 222
人工魚礁 ・・・・・・・・・・・・・・・・・・・・・・・・ 186
人工透析 ・・・・・・・・・・・・・・・・・・・・・・・・ 246
水平サイクル ・・・・・・・・・・・・・・・・・・・・ 287
スーパーエンジニアリングプラスチック
・・・・・・・・・・・・・・・・・・・・・・・・ 25,36,78
スーパーエンプラ ・・・・・・・・・・・・・・・・ 31
スパンボンド方式 ・・・・・・・・・・・・・・・ 152
スパンレース方式 ・・・・・・・・・・・・・・・ 152
生分解性プラスチック
・・・・・・・・・・・・・・・ 181,184,226,307
石英 ・・・・・・・・・・・・・・・・・・・・・・・・・・・ 205
赤外吸収スペクトル ・・・・・・・・・・・・・・ 44
赤外スペクトル ・・・・・・・・・・・・・・・・・・ 44
赤外線 ・・・・・・・・・・・・・・・・・・・・・・・・・・ 43
赤外線分光法 ・・・・・・・・・・・・・・・・・・・・ 44
石炭酸 ・・・・・・・・・・・・・・・・・・・・・・・・・・ 25
石油化学基礎製品 ・・・・・・・・・・・・・・・ 260
セパレータ ・・・・・・・・・・・・・・・・・・・・・ 241
セルロイド ・・・・・・・・・・・・・・・・・・・・・・ 24
ゼロ・エミッション ・・・・・・・・・・・・・ 303
繊維強化金属 ・・・・・・・・・・・・・・・・・・・・ 13
繊維強化セラミックス ・・・・・・・・・・・・ 13
繊維強化プラスチック ・・・ 13,128,156,173
全量 ・・・・・・・・・・・・・・・・・・・・・・・・・・・ 261
側鎖 ・・・・・・・・・・・・・・・・・・・・・・・・・・・・ 60
塑性 ・・・・・・・・・・・・・・・・・・・・・・・・・・・・ 14
粗製ガソリン ・・・・・・・・・・・・・・・・・・・ 260

た行

ダイオキシン ・・・・・・・・・・・・・・・・ 42,263
耐候性 ・・・・・・・・・・・・・・・・・・・・・・・・・ 269
耐衝撃性ポリスチレン ・・・・・・・・・・・・ 89
太陽電池 ・・・・・・・・・・・・・・・・・・・・・・・ 244
太陽電池モジュール ・・・・・・・・・・・・・ 193
弾性 ・・・・・・・・・・・・・・・・・・・・・・・・・・・・ 14

炭素繊維 ・・・・・・・・・・・・・・・ 128,158,231
炭素繊維強化プラスチック ・・・・ 10,158,176
単体 ・・・・・・・・・・・・・・・・・・・・・・・・・・・・ 31
タンパク質 ・・・・・・・・・・・・・・・・・・・・・・ 67
ダンロップ ・・・・・・・・・・・・・・・・・・・・・・ 22
蓄電池 ・・・・・・・・・・・・・・・・・・・・・・・・・ 242
着色剤 ・・・・・・・・・・・・・・・・・・・・・・・・・ 121
中空糸 ・・・・・・・・・・・・・・・・・・・・・・・・・ 245
中空糸膜 ・・・・・・・・・・・・・・・・・・・・・・・ 245
超高分子 ・・・・・・・・・・・・・・・・・・・・・・・・ 29
超高分子量ポリエチレン ・・・・・・・・・・ 70
低密度ポリエチレン ・・・・・・・・・・・・・ 137
テフロン ・・・・・・・・・・・・・・・・・・・・・・・ 231
電解質 ・・・・・・・・・・・・・・・・・・・・・・・・・ 242
電子デバイス ・・・・・・・・・・・・・・・・・・・ 243
電子部品 ・・・・・・・・・・・・・・・・・・・・・・・ 243
天然ゴム ・・・・・・・・・・・・・・・・・・・・・・・・ 21
天然樹脂 ・・・・・・・・・・・・・・・・・・・・・・・・ 14
天然繊維 ・・・・・・・・・・・・・・・・・・・・・・・ 233
透析膜 ・・・・・・・・・・・・・・・・・・・・・・・・・ 246
導電性塗料 ・・・・・・・・・・・・・・・・・・・・・ 238
導電性プラスチック ・・・・・・・・・・・196,237
導電性ポリマー ・・・・・・・・・・・・・・・・・ 196
特定包装利用事業者 ・・・・・・・・・・・・・ 284
特定容器製造等事業者 ・・・・・・・・・・・ 284
特定容器利用事業者 ・・・・・・・・・・・・・ 284
トラバント ・・・・・・・・・・・・・・・・・・・・・ 171
トンネル栽培 ・・・・・・・・・・・・・・・・・・・ 184

な行

内分泌かく乱物質 ・・・・・・・・・・・・・・・ 263
ナイロン ・・・・・・・・・・・・・・・ 151,177,233
ナフィオン ・・・・・・・・・・・・・・・・・・・・・ 241
ナフサ ・・・・・・・・・・・・・・・・・・・・・・・・・ 260
生ゴム ・・・・・・・・・・・・・・・・・・・・・・・・・ 109
軟化点 ・・・・・・・・・・・・・・・・・・・・・・・・・・ 74
軟質ポリ塩化ビニル ・・・・・・・・・・・・・ 169
二官能性のモノマー ・・・・・・・・・・・・・・ 64

二酸化炭素貯留 ・・・・・・・・・・・・・・・・・・・271
ニトロセルロース ・・・・・・・・・・・ 24,187,189
日本産業規格 ・・・・・・・・・・・・・・・・・・・・ 17
日本産業標準調査会 ・・・・・・・・・・・・・・・ 17
尿素樹脂 ・・・・・・・・・・・・・・・・・・・・・・・232
布とプラスチックの積層材料 ・・・・・・・・・171
熱可塑性エラストマー ・・・・・・・・・・・・・・143
熱可塑性樹脂 ・・・・・・・・・・・・・・15,33,117
熱可塑性ポリウレタン ・・・・・・・・・・・・・・165
熱硬化性樹脂 ・・・・・・・・・・・・・・15,33,128
年間生産量 ・・・・・・・・・・・・・・・・・・・・・259
燃料電池 ・・・・・・・・・・・・・・・・・・・・・・・240
農ビ ・・・・・・・・・・・・・・・・・・・・・・・・・・・184
農ポリ ・・・・・・・・・・・・・・・・・・・・・・・・・184
農PO ・・・・・・・・・・・・・・・・・・・・・・・・・・184
ノボラック型 ・・・・・・・・・・・・・・・・・・・・・ 33

は行

バークシン ・・・・・・・・・・・・・・・・・・・・・・ 24
バーゼル条約 ・・・・・・・・・・・・・・・・・・・・291
ハイアット（ジョン・ハイアット）・・・・・・ 24
バイオマスプラスチック ・・・・・・・・・・・・・227
バイオマスポリエチレン ・・・・・・・・・・・・・228
バイルシュタイン・テスト ・・・・・・・・・・・・ 42
パッカー車 ・・・・・・・・・・・・・・・・・・・・・・278
発光ダイオード ・・・・・・・・・・・・・・・・・・・244
発泡スチロール ・・・・・・・・・・・・・・・130,145
発泡スチロール土木工法 ・・・・・・・・・・・・・180
発泡ポリスチレン ・・・・・・・・・・・・・・145,180
発泡ポリプロピレン ・・・・・・・・・・・・・・・・169
半合成プラスチック ・・・・・・・・・・・・・・・・ 25
汎用エンジニアリングプラスチック ・・・・・・ 36
汎用プラスチック ・・・・・・・・・・・・・・・・・・ 36
光安定化剤 ・・・・・・・・・・・・・・・・・122,270
光硬化性樹脂 ・・・・・・・・・・・ 190,208,248
光重合 ・・・・・・・・・・・・・・・・・・・・・・・・・248
光造形型3Dプリンター ・・・・・・・・・・・・・248
光ファイバー ・・・・・・・・・・・・・・・・・・・・・204

光分解性プラスチック ・・・・・・・・・・・・・・・229
光分析機器装置 ・・・・・・・・・・・・・・・・・・・ 43
ビスフェノールA ・・・・・・・・・・・・・・・・・・256
ビニル型 ・・・・・・・・・・・・・・・・・・・・・・・・ 57
ビニロン ・・・・・・・・・・・・・・・・・・・・・・・151
フィラー ・・・・・・・・・・・・・・・・・・・・・・・125
フィルム成型 ・・・・・・・・・・・・・・・・・・・・・ 98
フェノール ・・・・・・・・・・・・・・・・・・ 25,118
フェノール樹脂 ・・・・・・・・・・・ 25,118,232
フォトレジスト ・・・・・・・・・・・・・・・・・・・197
付加重合 ・・・・・・・・・・・・・・・・・・・・・・・・ 56
複合材料 ・・・・・・・・・・・・ 10,13,128,307
不織布マスク ・・・・・・・・・・・・・・・・・・・・152
物質の三態 ・・・・・・・・・・・・・・・・・・・・・・ 73
フッ素 ・・・・・・・・・・・・・・・・・・・・・・・・・183
フッ素樹脂 ・・・・・・・・・・・・・・・・・・・・・・138
プラスチック ・・・・・・・・・・・・・・・10,14,254
プラスチック産業協会 ・・・・・・・・・・・・・・・ 40
プラスチック資源循環戦略 ・・・・・・・・・・・262
プラスチック資源循環促進法 ・・・・・・・・・・301
プラスチックレンズ ・・・・・・・・・・・・・・・・210
プリーストリー ・・・・・・・・・・・・・・・・・・・ 22
ブロー成型 ・・・・・・・・・・・・・・・・・・・・・・101
プロセスリサイクル ・・・・・・・・・・・・・・・・287
ブロック共重合 ・・・・・・・・・・・・・・・・81,83
分子 ・・・・・・・・・・・・・・・・・・・・・・・・・・・ 27
分子量 ・・・・・・・・・・・・・・・・・・・・・・・・・ 29
ベークライト ・・・・・・・・・・・・・・・・・・・・・ 25
ベークランド ・・・・・・・・・・・・・・・・・・・・・ 25
ペットボトル ・・・・・・・・・・・・・・・・・・・・・286
ヘルマン・シュタウディンガー ・・・・・・・・・ 30
偏光フィルター ・・・・・・・・・・・・・・・・・・・212
変性ポリフェニレンエーテル ・・・・・・・・・・169
変性ポリプロピレン ・・・・・・・・・・・・・・・・169
変性PPE ・・・・・・・・・・・・・・・・・・・ 81,169
紡糸 ・・・・・・・・・・・・・・・・・・・・・・・・・・・233
ホウ素繊維 ・・・・・・・・・・・・・・・・・・・・・・128
保護フィルム ・・・・・・・・・・・・・・・・・・・・・164

資料
索引

311

ポストコンシューマーリサイクル ‥‥‥287
ポバール ‥‥‥‥‥‥‥‥‥‥‥ 154
ポリアクリノニトリル ‥‥‥‥‥‥ 90
ポリアクリル酸塩 ‥‥‥‥‥‥‥ 106
ポリアクリロニトリル ‥‥‥‥‥‥ 151
ポリアセタール ‥‥‥‥ 142,170,230
ポリアセチレン ‥‥‥‥‥‥‥‥ 196
ポリアミド ‥‥‥‥‥ 66,151,177,245
ポリイミド ‥‥‥‥‥‥‥ 66,163,196
ポリウレタン ‥‥‥‥‥ 131,169,216
ポリエーテルケトン ‥‥‥‥‥‥ 66
ポリエステル ‥‥‥‥‥ 52,146,169
ポリエチレン ‥ 29,32,136,146,177,184
ポリエチレンテレフタラート
‥‥‥‥66,146,163,165,195,201,220
ポリエチレンフォーム ‥‥‥‥‥‥ 140
ポリ塩化ビニリデン ‥‥‥‥‥‥ 144,145
ポリ塩化ビニル ‥‥‥‥‥ 60,139,184,199
ポリオレフィン ‥‥‥‥‥‥‥‥ 140,184
ポリオレフィン系シート ‥‥‥‥‥‥ 140
ポリカルボナート ‥‥‥‥‥ 143,163,164
ポリグリコール酸 ‥‥‥‥‥‥‥ 227
ポリグルタミン酸 ‥‥‥‥‥‥‥ 226
ポリスチレン ‥‥‥‥‥‥‥ 130,137
ポリスチレン系エラストマー ‥‥‥‥ 139
ポリテトラフルオロエチレン ‥‥‥‥ 138
ポリ乳酸 ‥‥‥‥‥‥‥‥‥‥‥ 227
ポリヒドロキシブチラート ‥‥‥‥‥ 226
ポリビニルアルコール
‥‥‥‥‥‥ 151,153,154,185,218
ポリフェニレンエーテル ‥‥‥‥‥ 81
ポリフッ化ビニリデン ‥‥‥‥‥‥ 216
ポリフッ化ビニル ‥‥‥‥‥‥‥ 195
ポリプロピレン ‥‥‥‥ 136,177,217
ポリマー ‥‥‥‥‥‥‥‥‥ 29,50
ポリマーアロイ ‥‥‥‥‥‥‥‥ 79,87
ポリメタクリル酸エステル ‥‥‥‥‥ 137
ポリメタクリル酸ヒドロキシエチル ‥‥‥208

ポリメタクリル酸メチル ‥‥‥ 163,205,210
ホルマリン ‥‥‥‥‥‥‥‥‥‥ 33
ホルムアルデヒド ‥‥‥‥‥ 25,118,256
ボロンファイバー ‥‥‥‥‥‥‥ 128
ボンド磁石 ‥‥‥‥‥‥‥‥‥‥ 125

ま行

マイクロビーズ ‥‥‥‥‥‥‥‥ 266
マイクロプラスチック ‥‥‥‥‥‥ 266
マイバッグ運動 ‥‥‥‥‥‥‥‥ 279
松脂 ‥‥‥‥‥‥‥‥‥‥‥‥ 116
マテリアルリサイクル ‥‥‥‥‥ 280,286
マルチ栽培 ‥‥‥‥‥‥‥‥‥ 184
ミレニアム開発目標 ‥‥‥‥‥‥‥ 304
メラミン樹脂 ‥‥‥‥‥‥‥ 172,232
メルトブローン方式 ‥‥‥‥‥‥‥ 152
モノコック構造 ‥‥‥‥‥‥‥‥ 171
モノマー ‥‥‥‥‥‥‥‥ 29,51,64

や行

有機EL ‥‥‥‥‥‥‥‥‥‥‥ 244
融点 ‥‥‥‥‥‥‥‥‥‥‥‥ 75
ユリア樹脂 ‥‥‥‥‥‥‥‥ 172,232
容器包装リサイクル法 ‥‥‥‥‥‥ 282
溶剤型の塗料 ‥‥‥‥‥‥‥‥‥ 187
溶剤系接着剤 ‥‥‥‥‥‥‥‥‥ 189
四大汎用プラスチック ‥‥‥‥‥‥ 37

ら行・わ行

ライフサイクルアセスメント ‥‥‥‥ 303
ラダーフレーム構造 ‥‥‥‥‥‥‥ 171
ラッカー ‥‥‥‥‥‥‥‥‥‥‥ 187
ラテックス ‥‥‥‥‥‥‥‥‥‥ 109
ランダム共重合 ‥‥‥‥‥‥‥ 81,82
リサイクル ‥‥‥‥‥ 275,279,285
リターナブル容器 ‥‥‥‥‥‥‥ 284
リデュース ‥‥‥‥‥‥‥‥‥‥ 279
リニューアブル ‥‥‥‥‥‥‥‥ 301

リフューズ ・・・・・・・・・・・・・・・・・・・・・・279	PET（ポリエチレンテレフタラート）
リユース ・・・・・・・・・・・・・・・・・・・・・・・279	・・・・・・・・・・ 146,163,165,183,195,220
レゾール型 ・・・・・・・・・・・・・・・・・・・・ 33	PET 線維・・・・・・・・・・・・・・・・・・・・・・149
老廃物 ・・・・・・・・・・・・・・・・・・・・・・・246	PGA（ポリグルタミン酸）・・・・・・・・・・・・226
ワンウェイプラスチック ・・・・・・・・・・・・・146	PHB（ポリヒドロキシブチラート）・・・・・226
	PHEMA（ポリメタクリル酸ヒドロキシエチル）
	・・・・・・・・・・・・・・・・・・・・・・・・・・・・・208

アルファベット・数字

ABS（アクリロニトル-ブタジエン−スチレン）	PMMA（ポリメタクリル酸メチル）
・・・・・・・・・・・・・・・・・・・・・・・・・・・・163	・・・・・・・・・・ 139,163,205,210
ABS 樹脂 ・・・・・・・・・・・・・・ 142,163,169	PN 接合型太陽電池・・・・・・・・・・・・・・・・・195
B787 ・・・・・・・・・・・・・・・・・・・・・・・・ 10	POM（ポリアセタール）・・・・・・・・・・・・・170
CFRP（炭素繊維強化プラスチック）	POPs（残留有機汚染物質）・・・・・・・・・・・267
・・・・・・・・・・・・・・・・・・・・・・・・158,176	PP（ポリプロピレン）・・・・・・・・・・・136,217
COP14・・・・・・・・・・・・・・・・・・・・・・・・290	PPE（ポリフェニレンエーテル）・・・・・・・・ 81
EPS 工法（発泡スチロール土木工法）・・・180	PS（ポリスチレン）・・・・・・・・・・・・・・・・137
ePTFE（延伸ポリテトラフルオロエチレン）	PTFE（ポリテトラフルオロエチレン）・・138
・・・・・・・・・・・・・・・・・・・・・・・・・・・・201	PVAL（ポリビニルアルコール）
EVA（エチレン酢酸ビニル共重合体）	・・・・・・・・・・・・・・・・・・ 151,153,185,218
・・・・・・・・・・・・・・・・・ 159,184,193	PVC（ポリ塩化ビニル）・・・・・・・・・・・・・184
EVA 樹脂 ・・・・・・・・・・・・・・・・・・・・・・159	PVDF（ポリフッ化ビニリデン）・・・・・・・216
FRP（繊維強化プラスチック）・・・・・156,173	PVF（ポリフッ化ビニル）・・・・・・・・・・・195
GFRP（ガラス繊維強化プラスチック）	R（確認埋蔵量）・・・・・・・・・・・・・・・・・・259
・・・・・・・・・・・・・・・・・ 156,168,192	R/P ・・・・・・・・・・・・・・・・・・・・・・・・・・259
HDPE（高密度ポリエチレン）・・・・・・・・・・170	RDF ・・・・・・・・・・・・・・・・・・・・・・・・・280
ISO（国際標準化機構）・・・・・・・・・・・・・ 17	Recycle ・・・・・・・・・・・・・・・・・・・・・・279
JIS（日本産業規格）・・・・・・・・・・・・・・・ 17	Reduce ・・・・・・・・・・・・・・・・・・・・・・279
JISC（日本産業標準調査会）・・・・・・・・・・ 17	Refuse ・・・・・・・・・・・・・・・・・・・・・・・279
LCA（ライフサイクルアセスメント）・・・・303	Renewable ・・・・・・・・・・・・・・・・・・・・301
LDPE（低密度ポリエチレン）・・・・・・・・・137	Reuse ・・・・・・・・・・・・・・・・・・・・・・・279
LED（発光ダイオード）・・・・・・・・・・・・・244	SDGs ・・・・・・・・・・・・・・・・・・・・・・・・304
MDGs ・・・・・・・・・・・・・・・・・・・・・・・・304	SPI ・・・・・・・・・・・・・・・・・・・・・・・・・ 40
P（年間生産量）・・・・・・・・・・・・・・・・・・259	SPI コード ・・・・・・・・・・・・・・・・・・・・・ 40
PA（ポリアミド）・・・・・・・・・・・・・・・・・151	ST 基準内商品 ・・・・・・・・・・・・・・・・・・162
PAN（ポリアクリロニトリル）・・・・・・・・151	TPU（熱可塑性ポリウレタン）・・・・・・・・165
PC（ポリカルボナート）・・・・ 143,163,164	1 次マイクロプラスチック ・・・・・・・・・・・266
PE（ポリエチレン）・・・・・・・・・・・・136,184	2 次マイクロプラスチック ・・・・・・・・・・・266
PET ・・・・・・・・・・・・・・・・・・・・・・・・ 66	3D プリンター・・・・・・・・・・・・・・・・・・・248
	4R 運動・・・・・・・・・・・・・・・・・・・・・・・279

資料
索引

313

●参考文献

書籍より参照

『機能性プラスチックの基本』（桑嶋幹・久保敬次著、SB クリエイティブ）

『図解雑学 プラスチック』（佐藤功著、ナツメ社）

『はじめてのプラスチック 』（佐藤功著、工業調査会）

『初歩から学ぶプラスチック』（中村次雄・佐藤功著、工業調査会）

『プラスチックがわかる本—Q&A ファイル 101』（佐藤功著、工業調査会）

『図解 プラスチックがわかる本 』（杉本賢司著、日本実業出版社）

『トコトンやさしいプラスチックの本 』（本山卓彦・平山順一著、日刊工業新聞社）

『プラスチックは好きですか』（積水化学工業株式会社）

『プラスチック材料技術読本』（倉田正也著、日刊工業新聞社）

『これでわかるプラスチック技術』（高野菊雄著、工業調査会）

『プラスチック活用ノート（三訂版）』（伊保内賢編、工業調査会）

『プラスチック』（三島佳子文、あべゆきえ絵、日本消費者連盟監修、現代書館）

『プラスチックの文化史』（遠藤徹著、水声社）

『エンジニアリングプラスチック』（井上俊英著、高分子学会編集、共立出版）

『プラスチック入門』（伊保内賢・倉持智宏著、工業調査会）

『図解 高分子材料最前線』（松浦一雄・尾崎邦宏著、工業調査会）

『高分子科学の基礎』（高分子学会編集、東京化学同人）

『高分子化学－基礎と応用』（荻野一善・井上祥平・中条利一郎編著、東京化学同人）

『高分子合成の化学』（大津隆行著、化学同人）

『ひろがる高分子の世界』（竹内茂弥・北野博巳著、裳華房）

『新高分子化学序論』（伊勢典夫・川端 季雄その他著、化学同人）

『入門 高分子科学』（大沢善次郎著、裳華房）

『エンプラの化学と応用』（長谷川正木著、大日本図書）

『高分子材料の化学』（井上祥平・宮田清蔵著、丸善）

『ゴムのおはなし』（小松公栄著、日本規格協会）

『塗料のおはなし』（植木憲二著、日本規格協会）

『接着の科学（ブルーバックス）』（竹本喜一・三刀基郷著、講談社）

『最新プラスチックのリサイクル 100 の知識』（プラスチックリサイクル研究会、東京書籍）

『ごみ問題 100 の知識』（左巻健男・金谷健編著、東京書籍）

『ダイオキシン 100 の知識』（左巻健男・桑嶋幹・水谷英樹編著、東京書籍）

『話題の化学物質 100 の知識』（左巻健男編著、東京書籍）

『気になる成分・表示 100 の知識』（左巻健男監修、稲山ますみ・西田立樹編著、東京書籍）

『科学的に正しい暮らしのコツ』（左巻健男・手嶋静編著、日本実業出版社）

JIS K 6899-1：2006（ISO 1043-1：2001）プラスチック—記号及び略語—第 1 部：
基本ポリマー及びその特性

『JIS ハンドブック プラスチック (2005-1)』（日本規格協会）

『JIS ハンドブック プラスチック (2005-2)』（日本規格協会）

『自動車の材料技術（自動車技術シリーズ 5）』（(社) 自動者技術会編集、朝倉書店）

『鉄道車両のパーツ』（石本祐吉著、アグネ技術センター）

『新訂　船と海の Q & A』（上野喜一郎著、成山堂書店）

『最新　航空実用ハンドブック』（日本航空広報部編、朝日ソノラマ）

『Microsoft® Encarta® Reference Library 2005』（マイクロソフト）

『医療機器今昔物語総集編』（日本医療機器テクノロジー協会）

『プラスチックの現実と未来へのアイデア』（高田秀重著、東京書籍）

ホームページより参照
(★マークは、プラスチックに関する最新情報が得られるページです)

★プラスチック循環利用協会（http://www.pwmi.or.jp/）

★日本プラスチック工業連盟（http://www.jpif.gr.jp/）

★石油化学工業協会（http://www.jpca.or.jp/）

日本合板工業組合連合会（http://www.jpma.jp/index.html）

日本容器包装リサイクル協会（http://www.jcpra.or.jp/）

日本化学繊維協会（http://www.jcfa.gr.jp/）

日本玩具協会（http://www.toys.or.jp/）

高分子学会　日本の高分子科学技術史年表

　　（http://main.spsj.or.jp/nenpyo/nenpyo1.php）

　　（http://main.spsj.or.jp/nenpyo/nenpyo2.php）

プラスチック図書館（プラスチック循環利用協会）

　　（http://www.pwmi.jp/tosyokan.html）

日本ゴム協会（http://www.srij.or.jp/）

エンプラネット（https://www.enplanet.com/）

　　（https://web.archive.org/web/20230901220819/https://www.enplanet.com/）

久慈琥珀　琥珀のお話（http://www.kuji.co.jp/amber/santi.html）

PET ボトルリサイクル推進協議会（http://www.petbottle-rec.gr.jp/）

東レの炭素繊維複合材料事業の事業戦略

　　(http://www.toray.co.jp/ir/pdf/lib/lib_a144.pdf)

Boeing's New Airplane - 787 Dreamliner（http://www.newairplane.com/787）

六自由度（https://labnotes.co.jp/）

（酸素富化膜）（http://www.panasonic.co.jp/ism/sanso/index.html）

（https://web.archive.org/web/20150709140132/http://www.panasonic.co.jp/ism/sanso/index.html）

富士通ニュース（ポリ乳酸でノートパソコンの筐体）

　　（http://pr.fujitsu.com/jp/news/2005/01/13.html

施設園芸における環境制御の先端技術（農研機構・平成 18 年度農政課題解決研修
(革新的農業技術習得支援研修) 研修テキスト）
(https://www.naro.affrc.go.jp/training/files/2006-11material.pdf)
(https://web.archive.org/web/20220706235715/https://www.naro.go.jp/
training/files/2006-11material.pdf)
野菜づくりの基礎知識（熊本県地産地消サイト）
(http://cyber.pref.kumamoto.jp/chisan/one_html3/pub/default.aspx?c_id=16)
(https://web.archive.org/web/20210409122920/http://cyber.pref.
kumamoto.jp/chisan/one_html3/pub/default.aspx?c_id=16)
プラスチック光ファイバ（工業所有権情報・研修館）
(https://www.inpit.go.jp/blob/katsuyo/pdf/chart/fkagaku11.pdf)
プラスチック資源循環（農林水産省）(http://www.maff.go.jp/j/shokusan/pura/)
(https://web.archive.org/web/20181221182500/http://www.maff.go.jp:80/
j/shokusan/pura/index.html)
日本衛生材料工業連合会（マスクについて）
(https://www.jhpia.or.jp/product/mask/index.html)

URL は執筆当時のものであり、現時点ではリンク切れになっているものもありますがそ
のまま掲載させていただきました。URL が変更になったものは、新しい URL を記載し
ています。またリンク切れでも Internet Archive(https://web.archive.org/) に記録
されているものは、その URL を併せて掲載してあります。

●著者紹介

桑嶋　幹（くわじま　みき）

1963年生まれ。1988年豊橋技術科学大学大学院工学研究科前期課程修了。光分析機器メーカー勤務。主な著書に『図解入門最新よくわかる　最新レンズの基本と仕組み』（秀和システム）、『「レンズ」のキホン』『「機能性プラスチック」のキホン』（SBクリエィティブ）、『ふしぎな思考実験の世界』（技術評論社）など。日本分析化学会会員。

木原　伸浩（きはら　のぶひろ）

1963年生まれ。博士（工学）。東京大学大学院工学系研究科博士後期課程中退。東京工業大学助手、大阪府立大学助教授を経て、2005年より神奈川大学教授。専門は有機合成化学、高分子合成化学。著書に『図解入門よくわかる有機化学の基本と仕組み』（秀和システム）『超分子化学』（共立出版）『立体化学』（裳華房）など。NPO法人国際化学オリンピック日本委員会理事長。趣味はコントラバスで、化学オーケストラ幹事。

工藤　保広（くどう　やすひろ）

1968年生まれ。1992年東京工業大学工学部生産機械工学科卒業。2018年北海道大学大学院教育学研究科博士課程単位取得満期退学。地方行政で中小企業支援に長く携わった後独立し、2018年9月より行政書士事務所を開業。NPO法人butukura会員、日本トライボロジー学会会員、北海道教育学会会員。

図解入門よくわかる最新
プラスチックの仕組みとはたらき [第4版]

| 発行日 | 2022年 9月 6日 | 第1版第1刷 |
| 発行日 | 2024年 7月 1日 | 第1版第2刷 |

著　者　　桑嶋　幹／木原　伸浩／工藤　保広

発行者　　斉藤　和邦
発行所　　株式会社　秀和システム
　　　　　〒135-0016
　　　　　東京都江東区東陽2-4-2　新宮ビル2F
　　　　　Tel 03-6264-3105（販売）Fax 03-6264-3094
印刷所　　三松堂印刷株式会社　　　　Printed in Japan

ISBN978-4-7980-6829-9 C0058

定価はカバーに表示してあります。
乱丁本・落丁本はお取りかえいたします。
本書に関するご質問については、ご質問の内容と住所、氏名、
電話番号を明記のうえ、当社編集部宛FAXまたは書面にてお送
りください。お電話によるご質問は受け付けておりませんので
あらかじめご了承ください。